Robert Elger et Hubert Fontaine

LE PETIT TRAITÉ rustica DU POTAGER EN CARRÉS

Rustica éditions

SOMMAIRE

UN POTAGER EN SIX CARRÉS 60

DES CARRÉS POTAGER THÉMATIQUES 138

LES PORTRAITS DE LÉGUMES 200

AVANT-PROPOS

■ Adaptés aux petites surfaces – mais pas seulement –, les potagers en carrés sont des planches de culture en forme de parallélépipède, en général surélevées. Divisés eux-mêmes en carreaux de culture de 30 à 50 cm de côté (nous retiendrons ici une moyenne de 40 cm), ils accueillent tout au long de l'année des légumes et des aromates, des fleurs quelquefois, en général repiqués, parfois semés mais toujours constamment renouvelés. Des premières laitues aux derniers choux de Chine, ils vous permettent de récolter les légumes et les condimentaires dont vous avez besoin tout au long de l'année sans vous «enchaîner» à votre jardin.
Un, deux, trois... dix carrés ? Dans cette façon très souple et modulable de jardiner, vous pourrez vous contenter d'un carré unique... ou en monter dix. Le suivi en culture est (presque) identique. De même, si tout votre jardin peut passer «en carrés», il vous est également loisible de faire de vos planches de culture un simple complément à un potager conduit de façon plus classique.

■ Basés sur quelques idées simples et faciles à mettre en œuvre, les potagers en carrés sont particulièrement adaptés aux jardiniers débutants. De fait, ce sont des «jardins pédagogiques» par excellence, idéals pour s'initier au jardinage. «Jardins d'essai» aussi, les erreurs et les échecs n'y prêtent pas vraiment à conséquence. Vous vous êtes trompé ? – eh bien, vous passez à autre chose ! Les radis sont rachitiques et ne se sont pas enflés en belles racines sphériques ? – qu'importe, puisque les laitues sont superbes ! (ce qui n'empêche pas de se poser la question du pourquoi des racines étriquées de radis).
Mais un jardinier expérimenté tirera lui aussi profit d'un potager conduit en carrés. La matérialisation simple en damier des carreaux de culture lui permettra de clarifier à la fois son plan de culture et son calendrier de mise en culture. Ce dernier lui permettra d'optimiser son plan et ce plan lui facilitera l'établissement du calendrier. Éternel paradoxe : une meilleure organisation débouche toujours sur plus de liberté...

■ Il peut arriver aussi que vous n'ayez pas le choix. Un sol exécrable, compacté par les engins de terrassement lors de la construction de la maison, n'incite guère à se faire jardinier. Certes, les terrains impossibles à remettre en culture sont rares, mais cela prend souvent du temps pour recouvrer une terre accueillante aux légumes, aux condimentaires et aux fleurs. Ici, vous installez vos carrés, vous semez, vous repiquez et vous récoltez.

Quel que soit le niveau d'expertise, jardiner est également affaire de recherches et de tâtonnements. La flexibilité qui fonde la conduite des potagers en carrés en fait des «jardins-tests» commodes, où les essais et expérimentations de nouvelles espèces ou variétés se font tout naturellement. Vous avez entendu parler d'une nouvelle plante, d'un légume insolite, d'un cultivar particulièrement savoureux ou résistant ? Il vous suffira de réserver un carreau de culture pour le semer ou le repiquer.

■ En se concentrant sur les activités fondatrices du jardinage (semis, repiquage et récolte) et en limitant, voire en supprimant, ce que jardiner peut avoir de rebutant (préparations lourdes du sol, désherbage), les potagers en carrés privilégient les seuls aspects agréables du jardin. Ludiques jusque dans leur configuration – comment ne pas penser à un jeu de dames ou d'échecs ? – , ce jardinage en damier s'assimile alors à un jeu grandeur nature.

Par ailleurs, l'âge venant, les contraintes d'un potager classique peuvent rebuter. Les jardins en carrés, soucieux d'ergonomie, vous faciliteront les choses en épargnant votre dos et en limitant les investissements physiques. Vous retrouverez alors un nouveau plaisir à être au jardin, plaisir que les contraintes d'un jardin classique vous ont peut-être fait oublier.

Comme tous les jardins, les potagers en carrés vous demanderont une certaine disponibilité tout au long de l'année. Cependant, les diverses interventions elles-mêmes sont peu contraignantes en temps. Que ce soit les six carrés développés dans la troisième partie de cet ouvrage ou les divers carrés thématiques (aromates, mono-légumes – melons, tomates et concombres –, porte-graines, carré de poche, carré pour jardinier débutant, demi-carrés adossés) de la quatrième partie, chacun ne vous demandera en moyenne que quelques minutes de disponibilité par jour, deux heures par semaine tout au plus au mois de mai, au plus fort de la saison jardin.

■ Enfin – et surtout –, les jardins en carrés vous permettent de récolter les légumes que vous aimez dans les quantités souhaitées. Car les jardins en carrés sont bien des potagers de rapport.

METTRE EN PLACE SES CARRÉS

L'emplacement des carrés est tributaire de l'espace dont vous bénéficiez. Petite ou grande surface, les carrés sont modulables. Sur une pelouse, un coin de balcon, sur une terrasse, il est beaucoup plus facile de mettre en place des carrés de potager que de monter une cuisine. En règle générale, un carré mesure 1,20 m x 1,20 m mais rien ne vous empêche de diminuer cette surface par deux. En revanche, ne construisez pas un carré supérieur à 1,20 m de côté car vous en perdriez ses avantages. Trop grand, vous seriez obligé

de poser un pied à l'intérieur pour travailler la terre ou récolter les légumes. Pensez aux enfants qui eux-mêmes se feront un malin plaisir d'utiliser les carrés.

En principe, les légumes préfèrent le soleil pour se gorger de vitamines mais une exposition mi-ombre peut parfaitement convenir. Dans ce chapitre, vous trouverez différentes techniques pour construire un ou plusieurs carrés. Si vous êtes pressé ou mauvais bricoleur, il existe des carrés préfabriqués faciles à monter. Vous apprendrez aussi à mettre la bonne terre au bon endroit pour récolter de beaux, gros et succulents légumes.

INSTALLER UN POTAGER EN CARRÉS

Nul besoin d'un grand terrain pour installer un potager en carrés. Celui-ci demande cinq fois moins de place qu'un potager traditionnel. Une surface de 10 m² en carrés équivaut à 50 m² de potager classique. Même une terrasse de moins de 5 m² suffit pour faire pousser des salades, radis, tomates, navets, haricots, pois ou concombres, sans oublier les fleurs qui jouent un rôle à la fois décoratif et écologique.

CHOISIR L'EMPLACEMENT DES CARRÉS

Les carrés de potager doivent être **le plus près possible du domicile,** afin de vous permettre d'avoir toujours un œil sur vos légumes et vos fleurs. En moins d'une minute, vous serez capable d'assembler un petit bouquet d'herbes pour aromatiser un plat.

Il est essentiel, autant que possible, qu'il y ait **un point d'eau** à proximité (robinet, cuve à eau de pluie...).

Comme pour un potager traditionnel, les carrés doivent être placés **à l'abri du vent.** S'il n'y a pas de mur du côté du vent dominant, abritez votre espace avec des canisses ou des panneaux brise-vue (1,80 × 1,80 × 2 m).

Avant d'installer les carrés, commencez par délimiter **l'emplacement des allées** (le problème ne se pose pas pour la construction d'un seul carré). Comptez au minimum 50 cm entre les carrés. Les allées en matériaux solides permettent une circulation agréable par tous les temps. Évitez la terre battue qui risque d'être un terrain boueux par temps de pluie.

Malgré le côté rectiligne du carré, il peut évoluer au fil des mois en carré sauvage.

L'exposition

Un carré de potager comme un potager traditionnel a besoin d'**un minimum d'ensoleillement.** La bonne orientation sera déterminante pour votre culture de légumes. Inutile d'envisager un carré de potager placé sous un arbre, l'ombre portée de la ramure de celui-ci risquant de compromettre l'avenir de vos légumes.

Une exposition au nord est en général fortement déconseillée, sauf pour quelques légumes comme les laitues et les radis dans le midi de la France.

UN CARRÉ INCLINÉ VERS LE SUD

À la fin de l'hiver ou très tôt au printemps, les rayons du soleil sont encore bas et réchauffent difficilement la terre. En inclinant vers le sud la terre à l'intérieur du carré, le sol reçoit le maximum de rayons solaires et s'échauffe rapidement. Ce carré adossé avec une inclinaison sud permet d'entreprendre des semis hâtifs ou délicats. De quoi avancer vos récoltes de légumes frais de plusieurs semaines au printemps. Cet endroit permet, par exemple, de produire de jeunes plants (salades, choux, fleurs...) qui alimenteront d'autres carrés par la suite.

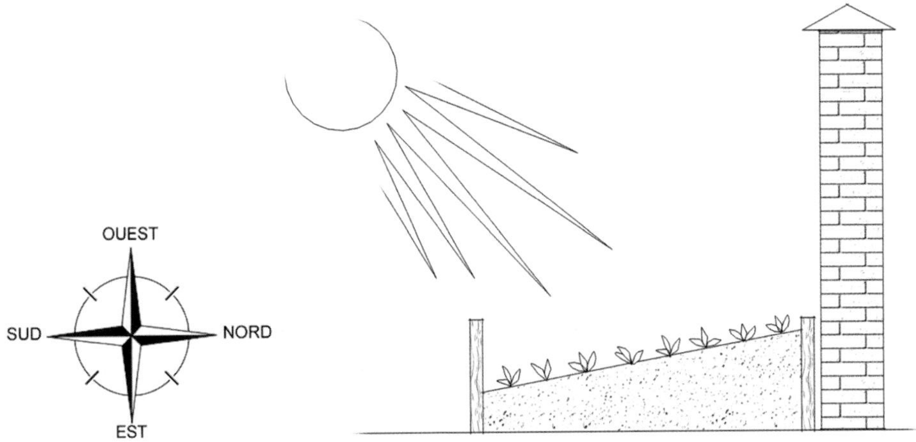

Une orientation côté est peut s'envisager. Le soleil est présent une bonne partie de la matinée, puis les légumes sont à l'ombre le reste de la journée. Cette exposition est intéressante en période très chaude car les cultures se reposent, alors qu'au sud elles subissent le plein soleil. Cependant, durant l'hiver, en période de gelée, l'exposition sera néfaste au moment du dégel. En effet, le soleil du matin provoque alors un choc thermique qui peut détruire les légumes d'hiver. Autre inconvénient (sauf dans le Midi) : il pleut rarement côté est, la pluie venant généralement de l'ouest. Si les arrosages peuvent combler le déficit, l'eau de pluie est nettement plus bénéfique pour la culture d'un carré potager.

■ L'orientation idéale : sud-ouest ou ouest

Les tomates, poivrons, aubergines, melons et courgettes réclament au moins six heures d'ensoleillement par jour. Mais trop de soleil peut aussi être un inconvénient, surtout si la structure en carrés est placée le long d'un mur blanc. **La réverbération** peut brûler le feuillage des légumes et l'arrosage risque d'être une corvée de tous les jours. Cette orientation peut aussi générer **des problèmes parasitaires** : les acariens, friands, se multiplient en milieu sec et chaud (contrairement aux acariens de maison). Si tel était le cas, déroulez contre le mur des canisses en roseau, en bambou ou en bruyère pour atténuer le reflet du soleil. Les canisses en plastique de couleur verte sont également efficaces. Reste (et ce n'est pas une blague !) la possibilité d'ouvrir un parasol pendant les périodes caniculaires.

La nature du mur influe aussi sur la pousse des légumes, notamment au printemps. Un carré de potager adossé à un mur en briques bénéficie de calories nocturnes. Les briques (ou autres matériaux) emmagasinent la chaleur de la journée et la restituent la nuit. Un carré le long d'un mur au sud sera avantagé au printemps, au moment de l'installation des jeunes plantes dites gélives, comme les tomates et la grande famille des Cucurbitacées. Autres avantages : vos tomates seront rouges bien avant les autres ; les salades se conserveront plus longtemps en automne ; au printemps, vous pourrez avancer vos semis de plusieurs semaines.

Ici, le carré structure le potager, la petite barrière en bois délimite plusieurs espaces aux styles différents. On ne s'ennuie pas dans ce jardin.

COMMENT INSTALLER SES CARRÉS

Si vous possédez déjà un potager, les carrés sont faciles à installer. Il suffit de poser les planches assemblées sur le sol et de les combler avec de la terre du jardin. Commencez par décalotter sur une dizaine de centimètres dans les allées de façon à creuser légèrement entre les carrés.

Si vous installez vos carrés au printemps, retirez 20 cm de terre au fond des carrés et remplacez-la par du fumier frais, comme si vous réalisiez une couche chaude. Puis remettez la terre retirée sur le fumier. Cette jauge peut servir de réchaud naturel, la configuration idéale pour semer très tôt des radis ou de la salade, ou encore des tomates, des céleris, des légumes de la famille des Cucurbitacées (melon, concombre, courge…) et des fleurs annuelles. Couverte avec un châssis ou une bâche en plastique, cette jauge peut avantageusement remplacer une couche chaude.

En dehors du printemps, complétez la terre de jardin avec du compost, du terreau, du sable... À l'automne, une jauge peut être emplie de feuilles mortes mélangées avec d'autres déchets verts.

Sur une pelouse

Rien de plus facile. Utilisez une toile géotextile, qui a l'avantage d'empêcher les herbes de pousser tout en laissant passer l'eau. Découpez des carrés de la dimension de vos structures, la plupart du temps de 1,20 m x 1,20 m, mais peut-être moins.

Toujours sur le même principe, complétez votre coffre avec de la terre si vous en avez à disposition ou avec du terreau vendu en sac. Préférez les terreaux dits « plantation », « rosiers » ou « géraniums », car ils sont mélangés avec un peu d'argile.

Espacez vos carrés de 60 cm minimum pour permettre à la tondeuse de passer aisément. Cette distance est nécessaire aussi pour donner de l'air aux légumes et aux fleurs que vous installerez.

Sur une terrasse

Si vous habitez en étage, assurez-vous que la terrasse soit bien étanche. Le principe reste le même, à ceci près qu'il est conseillé d'isoler le fond de vos carrés afin d'éviter le ruissellement des eaux d'arrosage. Veillez également à percer quelques trous à 5 cm du fond de façon à drainer l'eau de pluie en cas de fortes précipitations. Les légumes et les fleurs ne vivent pas les pieds dans l'eau.

Si vous aimez l'osier, vous pouvez construire vos carrés en osier autoclave ; l'effet est très esthétique. Mais vous devez installer au fond et autour de la structure une bâche en plastique pour que la terre ne passe pas au travers lors des arrosages. Là aussi, percez et drainez la partie basse pour éviter que votre culture ne devienne marécageuse.

Installation d'un carré sur une terrasse

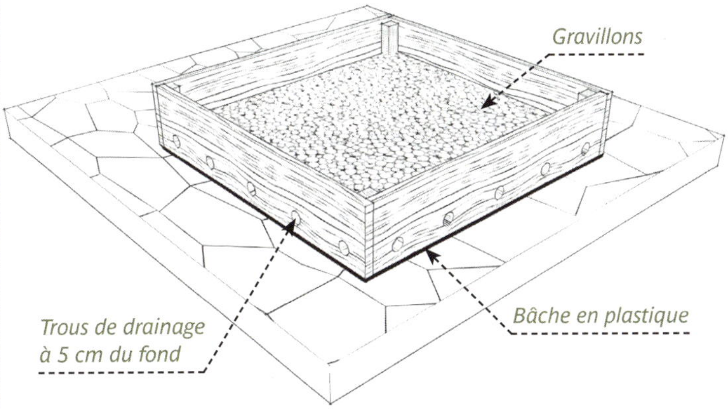

Ce carré patchwork est composé de bacs en fibres géotextiles juxtaposés.

LA CONSTRUCTION DES CARRÉS

■ Presque toutes les matières respectueuses de l'environnement peuvent servir pour réaliser un carré de potager : rondins de bois, planches de coffrage, lames emboîtées, bacs à sable en bois, pierres, briques neuves ou de récupération, caisses en bois... ne sont que quelques exemples. Les jardineries proposent de plus en plus des carrés de potager « prêts-à-poser ».

■ CARRÉS DE POTAGER EN MINIBILLES

Ces carrés de jardin mesurent 1,20 m de côté, sur une hauteur de 30 cm. Ils se composent de trois minibilles de bois fixées les unes au-dessus des autres par une tige filetée boulonnée. Les billes doivent également être fixées latéralement entre elles par des vis ou des clous après avoir été au préalable biseautées. Visuellement, une minibille ressemble à un rondin dont deux faces auraient été aplanies. Le bac ressemble donc de face à un empilement de surfaces arrondies et du dessus à un chant plat.

Afin de protéger durablement les billes, il convient de goudronner la partie intérieure en contact avec la terre et de les doubler d'un feutre géotextile qui permettra au bois de respirer tout autant que la terre du bac.

Durée de vie : **dix ans au minimum.**

MATÉRIAUX UTILISÉS POUR CONFECTIONNER **QUATRE CARRÉS EN MINIBILLES :**

48 minibilles de diamètre 10/13

7 tiges filetées en zinc de 1 m de longueur, diamètre 10

1 boîte de rondelles en zinc de diamètre 10

1 boîte d'écrous hexagonaux en zinc de diamètre 10

1 bidon de goudron protecteur

1 bâche en géotextile 100 g de 2 m x 10 m.

Coût total : environ 540 euros pour quatre carrés.

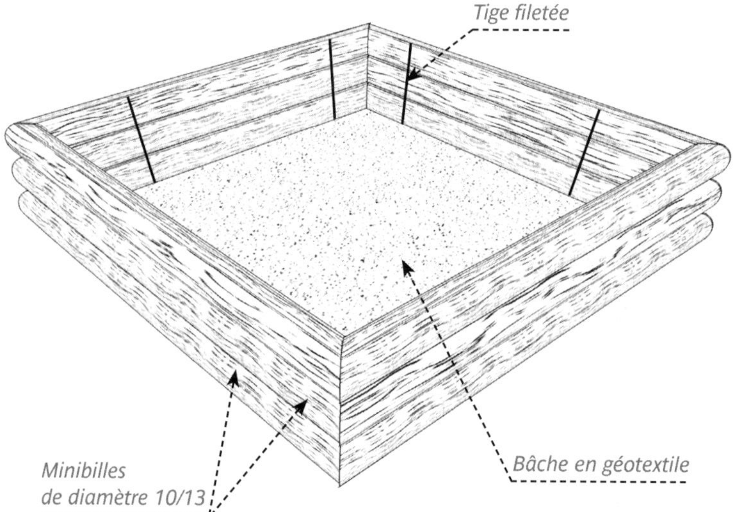

CARRÉS DE POTAGER EN LAMES EMBOÎTÉES

Simples à mettre en place par emboîtement de lames de bois, ces bacs pourront mesurer 1,20 m de côté, en coupant des lames de 2,40 m de long en deux parties égales. Ces lames viennent s'emboîter dans un poteau rainuré pour faciliter leur fixation.

L'impression de façade est celle d'un mur plein, assez épais et solide pour supporter la poussée de la terre.

Durée de vie : dix ans au minimum.

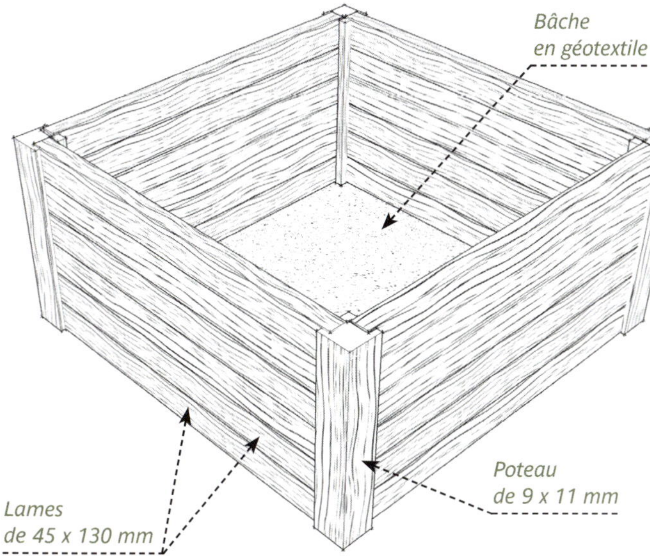

MATÉRIAUX UTILISÉS POUR CONFECTIONNER **QUATRE CARRÉS EN LAMES EMBOÎTÉES :**

24 lames concept idéal 45 x 130 mm, de 2,40 m de long

3 poteaux de section 9 x 11 mm, de 2,70 m de long, rainurés sur 50 mm

1 boîte de 200 vis en inox 4 x 40

1 bâche en géotextile 100 g de 2 m x 10 m.

Coût total : environ 500 euros pour quatre carrés.

ATTENTION

N'utilisez pas de traverses de chemin de fer car elles sont traitées à la créosote qui est classée comme cancérogène. Les légumes cultivés seraient pollués en raison de la teneur en hydrocarbures de ce produit.

UN CARRÉ ÉCONOMIQUE

Le carré peut être fabriqué en planches ordinaires (sapin ou peuplier). Les côtés sont composés de deux planches superposées de 15 à 20 cm pour obtenir une hauteur totale de 30 à 40 cm. L'intérieur peut être protégé par une bâche géotextile. Cette méthode engage peu ou pas de frais car les planches peuvent être issues de palettes ou d'un ancien coffrage. Mais la durée de vie de ce genre de carré est au maximum de trois ans.

CARRÉS DE POTAGER EN DEMI-RONDINS

Nécessitant un temps de mise en œuvre plus important, cette solution s'avère plus économique sur le long terme et présente une approche esthétiquement différente. Les rondins coupés en deux permettent de réaliser des bacs de 1,25 m de côté, après vissage sur un poteau plein facilitant leur fixation.

La façade est ainsi bombée. Une bâche en géotextile est indispensable dans cette version des carrés afin de contenir la terre, susceptible de faire davantage travailler le bois.

Durée de vie : **dix ans au minimum**.

MATÉRIAUX UTILISÉS POUR CONFECTIONNER **QUATRE CARRÉS EN DEMI-RONDINS :**

24 demi-rondins fraisés de 10 cm de diamètre et 2,50 m de long

2 poteaux en pin de 8,8 cm de section et 2,40 m de long

1 boîte de 100 vis pour aggloméré 5 × 70

1 bâche en géotextile 100 g de 2 m x 10 m.

Coût total : environ 270 euros pour quatre carrés.

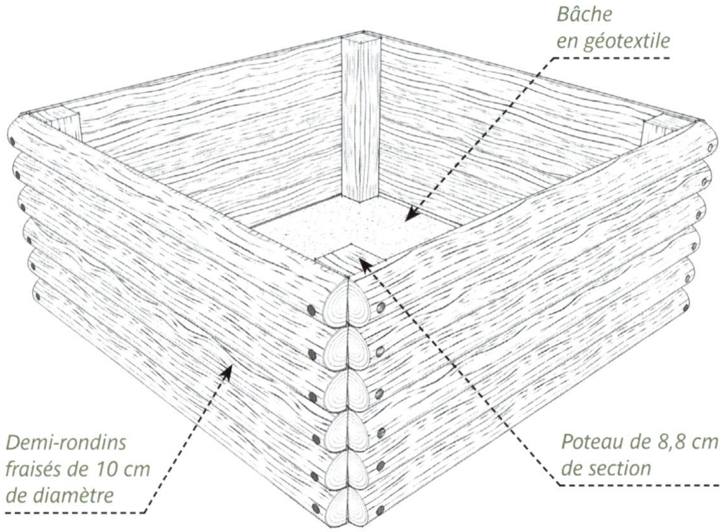

LA DÉLIMITATION DES CASES OU CARREAUX

Le plus simple est le mieux. Pour quadriller le carré, optez pour une solution peu coûteuse, légère et facile à monter et à démonter. Tendez des ficelles (une modeste ficelle de sisal fera l'affaire, fixée sur quelques vis ou clous à tête large et plate – pour éviter de vous blesser – judicieusement piqués sur la structure de votre carré), ou bien croisez des baguettes de bambou.
Selon le mode de culture et le nombre de plantes différentes que vous implantez dans le carré, celui-ci sera séparé en 16, 12, 9 ou 6 cases ou carreaux. La dimension des carreaux variera alors entre 30 et 60 cm de côté. Nous retiendrons ici une largeur moyenne de 40 cm.

CARRÉS DE POTAGER EN PLESSIS

Fabrication d'un plessis en osier autoclave

Piquez en terre, tous les 20 cm, des brins d'osier ou des branches de châtaignier. Entourez-les horizontalement de chaque côté avec d'autres brins, en alternant un passage devant le piquet et un passage derrière, puis l'inverse pour la rangée suivante. À l'aide d'un maillet, tassez les brins au fur et à mesure du tressage pour qu'ils soient serrés les uns contre les autres. Une fois la hauteur de 30 cm atteinte, pliez les brins verticaux pour fermer le plessis. Celui-ci peut rester en place ou être déplacé.

Durée de vie : **un plessis en osier autoclave est garanti dix ans.**

Habituellement, un plessis est réalisé en tressant du saule (osier) sec ou vivant, du noisetier ou du châtaignier. Mais on peut utiliser toutes sortes de branchages flexibles (taille de pommiers ou d'arbustes...).

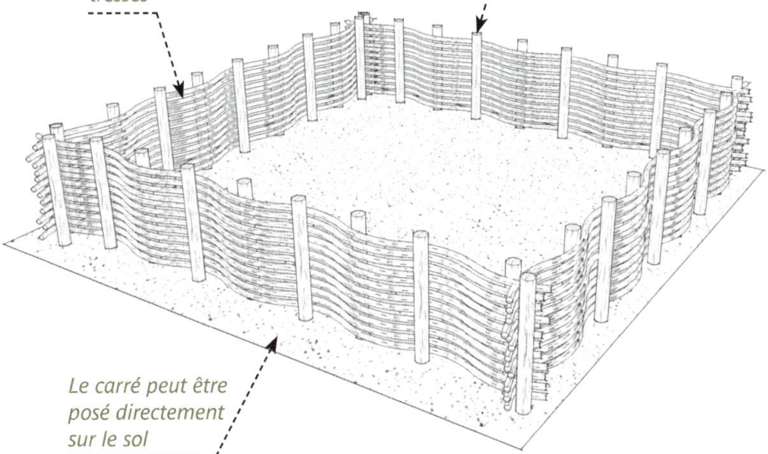

MATÉRIAUX UTILISÉS POUR CONFECTIONNER **UN CARRÉ EN PLESSIS :**

1 botte d'osier de 5 cm de diamètre environ ou des gaulettes et des rondins de châtaignier.

Coût total : environ 30 euros pour un carré.

CARRÉS DE POTAGER EN PIERRES SÈCHES

Le but est d'utiliser des pierres plates non gélives pour les assembler comme un puzzle sans l'utilisation de ciment. C'est la terre qui sert de mortier. Si vous habitez une région où les pierres jonchent les champs et ne demandent qu'à être ramassées, demandez l'autorisation de les récupérer à un agriculteur. Ce sont ces mêmes pierres qui servent à fabriquer les petits murets séparant les champs et à retenir la terre contre l'érosion. Prenez modèle sur ces murets pour confectionner vos carrés de potager.

Autre solution économique : profitez de la démolition d'une bâtisse pour acheter à bas prix les décombres. Attention, les meilleures pierres sont plates. Les formes arrondies sont moins adaptées pour dresser les bordures.

Vous pouvez aussi acheter dans une carrière des pierres brutes que vous retaillerez. Enfin, les magasins de matériaux vendent des pierres calibrées. Plus commodes à employer, elles vous permettront de réaliser vos carrés plus facilement, mais elles sont nettement plus onéreuses à l'achat.

RÉALISATION

Triez les plus grosses pierres, puis posez-les sur le sol au premier rang pour former l'**assise**. Installez aux **quatre coins** les plus belles pierres que vous mettrez de niveau. Faites se rejoindre les coins toujours avec les plus grosses pierres. Une fois **le premier rang** dressé à peu près de niveau, commencez à combler l'intérieur avec de la bonne terre de jardin. Profitez-en pour glisser de la terre (elle peut être argileuse) entre les pierres de façon à les caler. Elles doivent être stables et ne plus bouger.

Construisez **le second rang** avec des pierres plus petites que vous disposerez en quinconce, puis continuez à remplir votre carré avec de la bonne terre ou à défaut un mélange de terre et compost ou du terreau universel.

LA BONNE ASTUCE

Au montage des pierres glissez côté extérieur des pieds d'herbes aromatiques : sarriette, origan, romarin, estragon, thyms (serpolet, citron, ordinaire...).

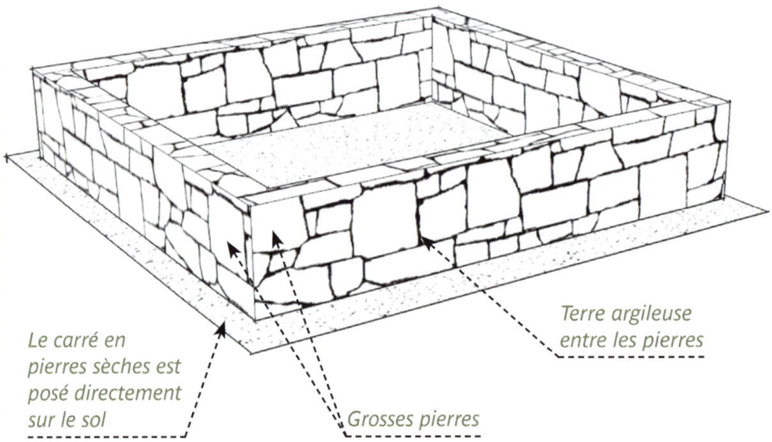

Ces carrés de jardin en pierres sèches nous interpellent, rappelant le travail opiniâtre des paysans pour vaincre les lois de la gravité lors de la construction de murets sur les coteaux.

La surface du dernier rang doit être autant que possible plate et surtout de niveau. Le muret peut atteindre 50 cm de hauteur, voire plus selon votre réserve de terre. Soyez très vigilant : ne laissez pas passer la moindre racine de chiendent ou de liseron au moment du remplissage. Elle risquerait par la suite de se faufiler entre les pierres.

UN CARRÉ DE POTAGER « BAC À SABLE »

Il s'agit de bacs en pin sylvestre qui en principe sont utilisés comme bacs à sable pour enfants. Ils présentent les mêmes dimensions : 1,20 m de côté sur 23 cm de hauteur. Pratique, ce type de carré peut être mis en service immédiatement, avec ou sans bâche géotextile. Le sable est remplacé par de la terre et du terreau. C'est l'occasion d'initier vos enfants au plaisir du jardinage !
Coût total : environ 160 euros pour quatre carrés (bacs à sable).

UN CARRÉ DE POTAGER PRÊT À L'EMPLOI

Dans les jardineries, magasins de bricolages et sur Internet, on trouve de plus en plus souvent des carrés de potager en kit, vendus parfois sous le nom de jardinières. Plus besoin de bricoler : il suffit de reconstituer le carré, de le poser, de le remplir de terreau et de le mettre en culture. La structure est souvent en osier ou en noisetier tressé.
La plupart du temps, ces carrés prêts-à-jardiner sont vendus avec une bâche et des compartiments. Les dimensions sont de 0, 60 m à 1,20 m de côté et de 15 à 30 cm de hauteur. Attention aux structures trop basses qui ne permettent pas de cultiver tous les légumes et notamment les tomates.

CARRÉS DE POTAGER EN BRIQUES AVEC FONDATION HORS GEL

Avant de creuser votre tranchée, faites un essai de carré en posant les briques au sol et en tenant compte des joints de 1 cm au moins. Ainsi vous êtes assuré de tomber juste lors du montage. Plantez aux quatre coins des piquets reliés à un cordeau pour vérifier l'équerrage.

Creusez **une tranchée** de 50 à 80 cm de profondeur selon les régions. Le fond de la tranchée doit être plus large que le futur muret. Dans une terre friable, disposez des planches de bois à l'intérieur de votre tranchée. Versez une première couche de béton, avec des fers à béton pour renforcer la structure. Profitez de la fondation pour enfouir à l'intérieur des gravats (tuiles, cailloux, pierres...). L'assise doit être parfaitement de niveau. Attendez que le ciment soit pris (24 heures) avant de monter le mur en briques.

RÉALISATION

Délimitez l'emplacement extérieur du muret en disposant quatre cordeaux reliés très solidement.

Étalez soigneusement **une couche de mortier** de 15 à 20 cm d'épaisseur, permettant d'aligner cinq briques à la suite (c'est-à-dire un côté). Donnez quelques coups sur la tranche de la truelle pour bien homogénéiser le mortier. **Posez les briques** sur le mortier après les avoir trempées pendant quelques secondes dans un seau d'eau. Tapotez sur les briques avec un maillet ou le manche de la truelle pour qu'elles collent correctement au mortier. Glissez du mortier entre les briques pour **combler les joints**. **Vérifiez l'alignement** avec une règle en aluminium ou une planche droite.

Posez la seconde rangée de briques en les croisant (vérifiez en permanence le niveau et l'alignement), et ainsi de suite jusqu'à la hauteur voulue.

FINITION

Lorsque le muret est terminé, comblez les joints creux avec du mortier que vous lisserez avec un fer à joint (sorte de petite truelle très étroite), outil que vous pouvez fabriquer avec un tube.

Pas une brique ne dépasse, la construction est « au carré » en attendant la submersion du minéral par le végétal.

MATÉRIAUX UTILISÉS POUR CONFECTIONNER **UN CARRÉ EN BRIQUES AVEC FONDATION :**

100 ou 200 briques de 22 x 11 x 6 cm

2 sacs de mortier (ciment + sable)

2 barres de 6 m de fer à béton.

Coût total : entre 130 et 230 euros pour un carré.

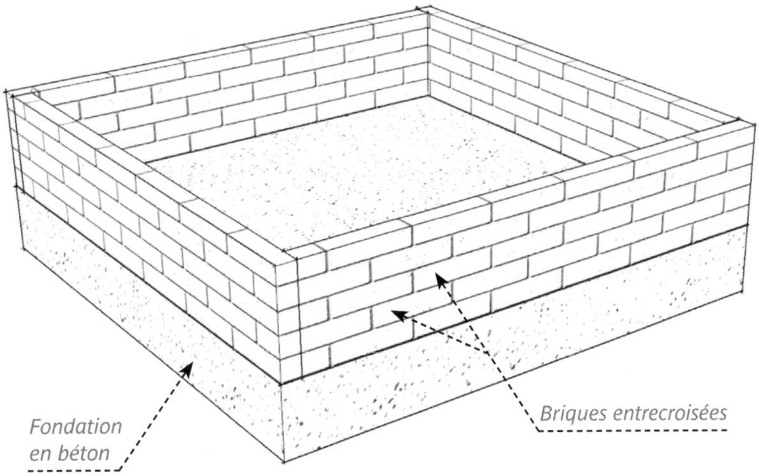

CARRÉS DE POTAGER EN BRIQUES DE RÉCUPÉRATION

Les briques sont assez faciles à trouver **dans les chantiers de démolition** des vieux bâtiments de votre région. Ces briques de pays auront la particularité de bien s'adapter au style de votre jardin. Mais attention, récupérez **des briques non gélives**, qui composaient les murs extérieurs de la bâtisse. Méfiez-vous des briques intérieures salpêtrées, souvent friables et de moins bonne qualité. Au bout de deux hivers, elles risquent de s'effriter.

Selon les régions, les briques ont des dimensions différentes. Le format le plus classique est de 20 à 25 cm de long (voire plus) sur 5 à 10 cm d'épaisseur. La largeur d'une brique est égale à la moitié de sa longueur.

Il existe **deux techniques** pour élaborer un carré en briques. La première consiste à poser les briques directement sur le sol, sans scellement, sur une hauteur de 30 cm, correspondant à quatre ou cinq briques superposées. C'est la méthode la plus facile et rapide à réaliser. Dans la seconde solution, comme dans l'exemple précédent, les briques sont scellées au ciment pour une durée illimitée.

Quantité de briques utilisées pour confectionner un carré de 1,20 × 1,20 m, avec une bordure de 30 cm de hauteur et 11 cm de largeur : 100 briques de 22 × 11 × 6 cm, en comptant 20 briques par rang sur 5 étages. Doublez le nombre de briques (200) pour un muret de 22 cm de largeur.

Durée de vie : **selon la nature des briques utilisées, la durée de vie du carré peut varier entre cinq et trente ans.**

LA BONNE ASTUCE

Pour gagner de la place, à mi-hauteur, à la place d'une brique entière, posez une demi-brique pour pouvoir repiquer des herbes aromatiques.

CARRÉS DE POTAGER SUR PALETTE

En règle générale, une palette mesure 1,20 m × 80 cm. Pour réaliser un carré sur palette, il faut 4 planches de 1,20 m × 20 cm et 2 planches de 80 × 20 cm.

REALISATION

Vissez ou clouez la première planche sur les quatre pieds de la palette de façon à former un rectangle de 1,20 m × 80 cm. Fixez un tasseau dans chaque coin. Vissez la deuxième planche sur les quatre tasseaux. Étendez une bâche en plastique dans le fond de la palette. Ajoutez des planches entre les lames du fond si celles-ci sont trop écartées. Versez une couche de gravier ou de billes d'argile sur 2 ou 3 cm d'épaisseur pour drainer le fond. Commencez à répartir la terre ou le terreau jusqu'à la hauteur de la première planche. Fixez deux planches de 80 cm au niveau des planches supérieures. Terminez le remplissage jusqu'en haut de la dernière planche. Visuellement apparaissent quatre rectangles de 80 × 30 cm.

Durée de vie : ce type de carré a une durée de vie de deux ou trois ans.

La culture sur palette, c'est pour ainsi dire du légume livré sur place…

LA BONNE ASTUCE

Fixez quatre roulettes sous la palette de façon à pouvoir bouger votre carré de potager selon le temps qu'il fait. Vous trouverez facilement dans un magasin de bricolage des roulettes utilisées pour transporter des meubles. Elles sont pivotantes et se fixent avec des vis. Attention, il faut qu'elles soient solides et assez grosses pour qu'elles puissent rouler sur un terrain accidenté.

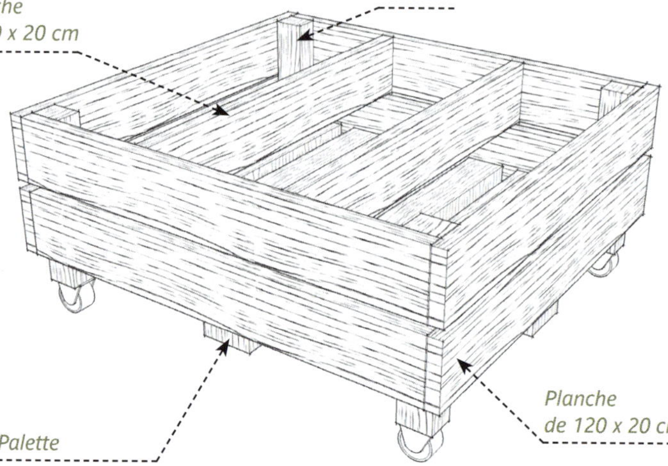

CARRÉS DE POTAGER EN CAISSES À VIN

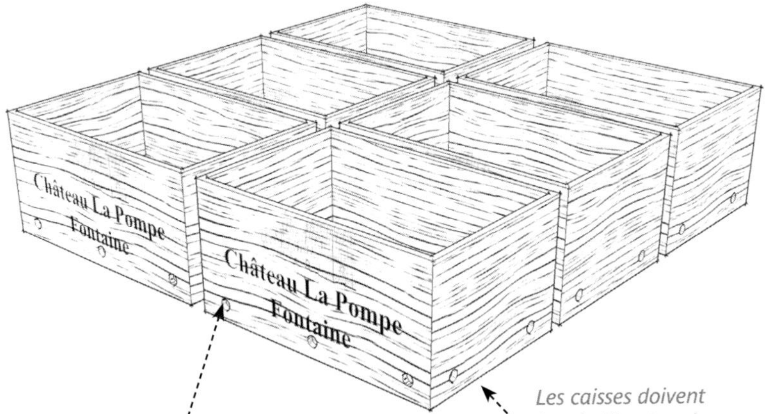

LA BONNE ASTUCE

Lorsque les légumes grossissent, écartez les caisses les unes des autres de façon que vos plants aient suffisamment d'espace pour se développer. Ceci est valable pour les laitues, les choux, les haricots ou les tomates.

Autre avantage, vous pouvez rentrer sous abri les légumes qui craignent les gelées et prolonger ainsi la récolte de plusieurs semaines. De même, au printemps, vous avec la possibilité de démarrer les légumes au chaud avant de les mettre définitivement dehors.

Les caisses à vin sont de jolies caisses en bois de 50 cm sur 33 cm et 17 cm de hauteur. Elles servent à protéger le vin pendant le transport. On en trouve facilement au moment des foires au vin, la plus grande difficulté étant de pouvoir les récupérer sans pour autant acheter un stock de vin. Leur durée de vie au potager est néanmoins limitée à 2 ans.

RÉALISATION

L'ensemble comporte six caisses pour une surface de 1 × 1 m. Percez quelques trous à 5 cm du fond de chaque caisse avec une perceuse pour assurer **le drainage**. Avec l'humidité, la caisse risque de devenir hermétique. Versez des billes d'argile sur 2 cm de hauteur pour empêcher la terre d'obstruer les trous. Vous pouvez remplacer les billes par des pots cassés ou du gravier grossier.

Remplissez les caisses jusqu'en haut avec du **terreau universel**. Le volume de terre étant plus restreint, vous apporterez de l'engrais organique sous forme de gel une fois par semaine pendant la période de végétation.

Posez les caisses les unes à côté des autres sur une palette, une table basse ou un socle pour les isoler du sol. Ne posez jamais les caisses directement sur le sol ou sur une pelouse car, avec l'humidité, le bois pourrirait vite. Certes les légumes et les fleurs se développeraient mais avec le risque de percer le bois pour puiser leur nourriture dans la terre.

Ce système de carrés de potager est très intéressant car il permet de **changer l'orientation** des légumes selon le temps qu'il fait. Vous avez aussi la possibilité de rapprocher une caisse d'herbes aromatiques de vos fenêtres pendant l'hiver. Autre avantage : vous pouvez **semer ou repiquer vos plantes à l'intérieur** et les mettre ensuite à l'extérieur. Par exemple, au printemps, semez des radis à l'intérieur ; à la chaleur, les graines lèvent très vite et, une semaine plus tard, vous pouvez placer votre caisse dehors.

Durée de vie : l'épaisseur des planches étant assez fine, la durée de vie de ce type de carré est de deux ou trois ans.

LES ALLÉES POUR CIRCULER PAR TOUS LES TEMPS

Entre les carrés, la circulation est dense ; on passe toujours au même endroit. Les allées doivent être alignées, sans obstacles. Elles peuvent mesurer entre 0,40 et 1 m.

EN GAZON

Les allées sont engazonnées comme une pelouse, et vous passerez la tondeuse entre les carrés. Choisissez de préférence des graminées à pousse lente pour tondre le moins souvent possible. Une tondeuse électrique ou à pile rechargeable est très pratique. Une tondeuse à main hélicoïdale (sans moteur) est souvent suffisante pour la tonte. Silencieuse, elle coupe l'herbe comme des ciseaux. Résultat : le gazon constitue une véritable moquette naturelle. N'oubliez pas de couper les bordures aux ciseaux.

Rien n'est laissé au hasard, la brouette circule ici comme sur une avenue.

Vous pouvez également ajouter au gazon du trèfle blanc ou rose, qui possède les avantages d'être très résistant à la sécheresse, de rester toujours vert et d'exiger peu d'engrais.

GRAVILLONNÉE SUR GAZON

Tracez d'abord les limites des carrés avec un cordeau pour que les carrés soient parallèles. Comptez entre 40 cm et 1 m de large.

Décalottez le gazon sur 10 cm de profondeur. Inutile de creuser plus profond, il ne s'agit pas de réaliser une tranchée.

Déroulez sur la terre une toile géotextile pour empêcher les herbes de pousser au travers des gravillons et maintenir les graviers en surface. Arrangez-vous pour que la toile remonte sur les côtés pour pouvoir ensuite se glisser sous le carré (quelle qu'en soit la matière). Déversez les gravillons sur la toile sur au moins 2 ou 3 cm d'épaisseur, afin que la toile disparaisse.

Posez vos carrés sur le rebord de la toile, puis complétez les gravillons dans l'allée de façon qu'ils bordent les carrés.

EN PLANCHER AUTOCLAVE OU CAILLEBOTIS

On trouve facilement ces caillebotis chez les marchands de matériaux. En bois autoclave, ils mesurent de 40 cm à 1 m. Pratiques, ils se posent en principe sur une surface dure (ciment).

Sur la terre battue, prévoyez d'étendre sous les caillebotis une toile géotextile, toujours pour éviter le désherbage. Arrangez-vous pour bien caler les caillebotis afin de ne pas trébucher en marchant dessus.

AUTRES POSSIBILITÉS

Les allées peuvent aussi être en ciment, en autobloquant, en briques ou en carrelage (sur une terrasse).

LA TERRE DES CARRÉS

■ On distingue plusieurs types de terre végétale selon l'endroit où elle est extraite. Une terre végétale est prélevée dans la partie supérieure du terrain ; elle est née de la décomposition de la matière organique. C'est la couche arable, celle qui est labourée ou travaillée par les agriculteurs. En dessous de 50 cm, il ne s'agit plus de terre végétale ; c'est donc une terre moins intéressante pour cultiver des légumes.

LES DIFFÉRENTS TYPES DE TERRE VÉGÉTALE

Une terre végétale argileuse retient facilement l'eau d'arrosage, elle a le défaut d'être collante et difficile à travailler. Elle est excellente mélangée à de la matière organique (compost, terreau, fumier…) et à du sable.

Une terre végétale sableuse est très perméable et ne retient pas l'eau. Il faut arroser beaucoup et souvent pour que les plantes se développent. Comme la terre argileuse, mélangée à du compost, du terreau ou du fumier, elle devient très fertile.

Une terre végétale calcaire est granuleuse et de couleur claire. C'est la terre à betterave et à céréales par excellence ! Dans un carré de potager, elle est très bénéfique pour peu qu'on y ajoute de l'humus complété avec des engrais organiques.

Une terre végétale humifère est souvent issue de sous-bois (terreau de feuilles). C'est celle que préfèrent les jardiniers car elle est riche, elle retient l'eau et elle est facile à travailler.

OÙ SE PROCURER DE LA TERRE VÉGÉTALE ?

La terre par elle-même ne vaut pas grand-chose, c'est le transport qui est le plus onéreux.

On trouve facilement de la bonne terre végétale dans un lotissement en construction ou dans un champ à la campagne. On peut aussi récupérer de la terre lorsqu'une entreprise cure les fossés, en bordure de champs. Mais attention, assurez-vous que cette terre n'a pas été désherbée avec un herbicide puissant. C'est souvent le cas en bordure de chemin, dans un talus. Attention aussi de ne pas récupérer de la terre de remblai. Si vous prélevez de la terre stockée en tas recouvert d'herbes même mau-

La terre des carrés sera complétée avec du terreau et du compost.

vaises, vous êtes au moins assuré que les plantes s'y plaisent donc les fleurs et les légumes aussi.

Pour de petites quantités, il est préférable d'utiliser **un terreau universel,** ou de vous rendre chez un pépiniériste, un horticulteur ou un maraîcher qui peuvent vous vendre du terreau en vrac.

Volume de terre ou de terreau à prévoir pour un carré

Pour un carré de 1,20 × 1,20 m sur 30 cm de hauteur, comptez environ 400 litres de terre, soit l'équivalent de huit sacs de terreau de 50 litres à 8 euros le sac, soit 64 euros pour un carré sans ajout de terre. Vous pouvez toutefois diminuer le budget par deux en mélangeant au terreau la moitié de terre végétale.

LA FERTILISATION

Vous ne pouvez pas récolter sans enrichir vos carrés au fur et à mesure. Chez les spécialistes, vous trouverez des **engrais organiques** vendus en petits sacs qui se referment après usage.

Contentez-vous d'un engrais pour tomates et fraisiers, d'un engrais pour les herbes aromatiques et d'un engrais pour légumes.

Attention, n'ayez pas la main lourde, vous devez respecter les **doses prescrites** par le fabricant. L'excès d'engrais est encore plus néfaste que le manque d'engrais. Vos cultures se développant sur une surface et dans un volume réduits, une erreur peut compromettre la récolte, voire vous obliger à changer la terre pour continuer à cultiver des légumes.

Tester votre terre

Avant d'enrichir la terre d'un carré, il est judicieux d'en connaître sa nature. Est-elle **acide ou calcaire** ? Une terre est acide lorsque son pH (potentiel hydrogène : mesure de l'acidité en chimie) est inférieur à 7, neutre si le pH est égal à 7, et calcaire lorsque le pH dépasse 7. En règle générale, les fleurs et les légumes poussent bien dans une terre au pH légèrement inférieur à 7. Les légumes ne supportent pas un sol trop acide car il a le défaut d'accentuer maladies et pourritures.

LA BONNE ASTUCE

Pour être certain de la qualité d'une terre, rien ne vaut le test du radis. Prélevez à plusieurs endroits des échantillons de terre et mettez-les dans des terrines, pots ou bacs. Semez-y des radis dans de bonnes conditions. Si les graines germent facilement et que les jeunes radis se développent sans griller au bout d'une semaine, vous êtes assuré que la terre est bonne pour votre carré potager.

LA BONNE ASTUCE

Il existe aussi des engrais organiques vendus sous forme de gel à diluer dans l'eau d'arrosage.

Les engrais bio

Les engrais bio naturels sont respectueux de l'environnement. Ils ont plusieurs **origines** : **végétale** (goémon, vinasse de betterave...), **animale** (guano marin, arêtes de poissons, sang séché...) ou **minérale** (gisements naturels de roches broyées). Les engrais naturels améliorent la structure du sol tout en tenant compte des micro-organismes. Ils rendent aussi assimilables les éléments fertilisants en réserve dans la terre.

Les engrais bio demandent à être « digérés » (minéralisés) par la terre pour être ensuite disponibles pour les plantes. Il faut donc les épandre un certain temps avant (deux mois environ) les semis ou les repiquages. Ils peuvent aussi être apportés juste avant les travaux du carré mais il faut alors s'appliquer à ne pas les enfouir trop profondément (10 à 15 cm au maximum), ou encore épandus en surface et griffés avec un croc. Après l'application, arrosez copieusement.

Une terre enrichie avec du compost garantit les futurs rendements de vos carrés potagers.

Les bons gestes

- Enfilez des gants avant la manipulation des engrais.
- Respectez les doses prescrites par le fabricant. L'excès d'engrais ne serait pas absorbé par les plantes.
- N'utilisez les engrais qu'en cas de nécessité (voire de carences).
- Conservez les engrais dans leur emballage dans un endroit sec.
- Arrosez copieusement après chaque épandage.

LE COMPOST

Le mélange de compost avec la terre végétale permet d'enrichir naturellement le carré sans apporter la moindre goutte d'engrais. Entre les cultures, l'apport de compost est toujours possible, voire souhaitable, car non seulement il enrichit la terre mais il permet d'augmenter son volume. En effet, chaque fois que vous prélevez des plantes, vous diminuez petit à petit le niveau du sol.

LE FUMIER FRAIS

À la fin de l'hiver (entre janvier et mars), il est possible de retirer la terre du dessous de vos carrés pour la remplacer par du fumier frais, puis de remettre l'ancienne terre par-dessus. Cette technique permet à la fois de nourrir le carré et de provoquer un réchaud comme pour une couche chaude. L'occasion de commencer plus tôt vos semis et plantations avec moins de risques de gelée. De plus, le fumier attire de nombreux vers (lombrics) qui ingèrent la matière organique et permettrent d'obtenir une terre encore plus riche sans apport d'engrais.

BON À SAVOIR

Si vous possédez un chat ou un chien, soyez rassuré, les engrais organiques ne sont pas toxiques pour les animaux. Toutefois, ces derniers sont parfois attirés par l'odeur des engrais au moment de l'application car ces produits sont composés d'éléments naturels à base de déchets d'origines animale et végétale.

CONDUIRE UN POTAGER EN CARRÉS

Jardiner en général – et à fortiori en carrés – est essentiellement une affaire d'organisation. Celle-ci devra répondre à deux questions : quand mettre en culture ? (le calendrier des semis et des repiquages le prévoit) et où planter ? (c'est alors le plan de culture qu'il faut consulter). La facilité du suivi des cultures du potager en carrés doit beaucoup à une rigueur implacable en amont. Mieux s'organiser pour travailler moins ! Mais aussi pour gagner plus.

La structure géométrique des potagers en carrés permet de visualiser commodément l'intégralité des plantes en culture à un moment donné, et les plans donnés avec chacun des carrés proposés dans cet ouvrage vous faciliteront la tâche. Vous pourrez ainsi vous mettre rapidement à la disposition de vos légumes et condimentaires, tant pour leur mise en place – semis et repiquage – que pour leur entretien courant et leur récolte.

QUE CULTIVER DANS UN POTAGER EN CARRÉS ?

■ Rares sont les légumes et les condimentaires qui ne trouvent pas leur place dans ce type de potager, les contraintes particulières que posent certains pouvant être aisément contournées. Mais vous donnerez évidemment la priorité aux plantes que vous aimez. Des fleurs ? Pourquoi pas !

Ces micro-espaces de culture vous permettent de cultiver à peu près tout ce que vous voulez : légumes-feuilles, légumes-fruits, légumes-racines, légumes-tiges, légumes-fleurs et plantes condimentaires ; c'est vous qui êtes le maître à bord. Une sélection s'impose néanmoins, et pour diverses raisons.

La taille à terme de certains végétaux peut se révéler rédhibitoire. C'est le cas pour la rhubarbe ou cette délicieuse aromatique qu'est la livèche ou céleri vivace qui demanderaient à elles seules un carré complet. Il en est de même pour certaines **plantes «coureuses»**, comme nombre de Cucurbitacées qui s'étendent souvent très généreusement. Le recours à un support en tipi peut être une solution pour les concombres, les melons et les courges à petits fruits, mais comment palisser le potiron dont les fruits atteignent jusqu'à 4 ou 5 kg ? Par ailleurs, les potagers en carrés privilégient les **cultures courtes** qui permettent des récoltes régulières et une diversification très large (mais installer dans un potager en carrés des poireaux d'hiver ou des choux de Bruxelles dont la culture s'étale sur près de 12 mois n'est pourtant pas du domaine de l'impossible !).

Légumes-tiges
Ceux qui conviennent parfaitement à la culture en carrés
Chou-rave
Fenouil bulbeux
Poireaux d'été et d'automne
Ceux dont la culture en carrés est possible sous certaines réserves
Asperge
Poireau d'hiver

Légumes-fleurs
Ceux qui conviennent parfaitement à la culture en carrés
Brocoli calabrais
Choux-fleurs d'été et d'automne
Ceux dont la culture en carrés est possible sous certaines réserves
Artichaut
Brocoli à jets

LE CHOIX DES LÉGUMES ET PLANTES CONDIMENTAIRES

En faisant votre marché, commencez par faire le tour de l'offre, avant d'opter pour tel ou tel légume ou condimentaire. Déambulez parmi les espèces courantes, et les plus rares ; émerveillez-vous avant de vous décider. Anticipez les récoltes futures de vos carrés en distinguant dès l'abord les légumes et plantes condimentaires qu'ils pourront accueillir. Votre domaine du possible en quelque sorte ! Les possibilités sont importantes, tant la gamme des légumes et condimentaires est étendue.

Légumes-feuilles
Ceux qui conviennent parfaitement à la culture en carrés
Arroche rouge
Céleri-branche
Chicorée scarole
Chicorée frisée
Chicorée 'Pain de sucre'
Chicorées italiennes
Chou frisé non pommé
Chou pommé pointu (hâtif)
Chou rouge
Chou de Chine pak choï
Chou de Pékin pet saï
Claytone (ou pourpier d'hiver)
Cresson des jardins
Épinard
Laitues pommée et à couper
Mâche
Mesclun
Poirée à cardes
Pourpier d'été
Tétragone cornue
Tous les légumes récoltés en jeunes pousses
Ceux dont la culture en carrés est possible sous certaines réserves
Chou de Bruxelles
Chou de Milan
Endive
Pissenlit
Rhubarbe

Légumes-fruits
Ceux qui conviennent parfaitement à la culture en carrés
Aubergine
Coqueret du Pérou
Courgettes diverses (non coureuses)
Poivron
Tomate
Ceux dont la culture en carrés est possible sous certaines réserves
Concombre
Melon
Morelle de Balbis
Tomatillo

Légumes-racines
Ceux qui conviennent parfaitement à la culture en carrés
Betterave rouge
Carottes primeur et de saison
Céleri-rave
Navet de Nancy
Panais
Radis
Rutabaga
Ceux dont la culture en en carrés est possible sous certaines réserves
Carotte de conservation
Cerfeuil bulbeux
Crosne
Pomme de terre primeur
Salsifis et scorsonère

Ne vous fiez pas à l'apparent désordre des carrés cultivés !

Légumimeuses et graminées
Ceux qui conviennent parfaitement à la culture en carrés
Haricots filets nain et ramant
Pois à grains ronds et ridés
Pois mangetout
Ceux dont la culture en carrés est possible sous certaines réserves
Fève
Haricots à grains nain et ramant
Maïs sucré

Les condimentaires trouvent naturellement leur place dans les carrés potagers.

Condimentaires		
Celles qui conviennent parfaitement à la culture en carrés		
Aneth	Hysope	Piment 'de cayenne' et autres
Basilic	Lavande officinale	Romarin
Cerfeuil frisé	Marjolaine	Roquette cultivée ou sauvage
Ciboule et ciboulette	Mélisse	Sarriettes annuelle et vivace
Citronnelle de Madagascar	Menthes verte et poivrée	Sauge officinale
Coriandre	Origan	Stévia
Cresson alénois	Oseille	Thym commun et serpolet
Estragon	Persils plat et frisé	Verveine citronnelle
Celles dont la culture en carrés est possible sous certaines réserves		
	Angélique	
	Cornichon	
	Laurier-sauce	
	Livèche	
	Persil tubéreux	
	Raifort	

ROTATIONS, ASSOCIATIONS, COMPAGNONNAGES...

■ Le choix des plantes à cultiver en carrés est vaste, donc ! Mais il faut maintenant faire cohabiter harmonieusement toutes ses plantes sur des surfaces restreintes et pas toujours extensibles.

La «philosophie» des potagers en carrés – diversité des plantes cultivées, préférence accordée aux cultures courtes – est naturellement en phase avec le principe des rotations, associations et compagnonnages. La rapidité des rotations perturbe en effet passablement nombre de parasites qui sont plus ou moins inféodés à tels ou tels types de végétaux, et qui ont besoin d'une certaine stabilité de leur biotope pour se développer et proliférer.

DES ASSOCIATIONS BÉNÉFIQUES

Vous pourrez favoriser certains regroupements, vous faire entremetteur en quelque sorte.

Le duo poireaux-carottes limite les dégâts à la fois de la mouche de la carotte et de celle de l'oignon (ou du poireau) ; celui de la tomate ou des céleris avec les divers choux aidera à se prémunir contre les attaques de la piéride et de la mouche.

Les tagètes et œillets d'Inde sont d'efficaces destructeurs de nématodes, ces micro-parasites souterrains qui pullulent souvent dans les sols maraîchers. Ces mêmes tagètes et œillets d'Inde plantés à proximité des choux égarent en fin d'été les aleurodes (les fameuses «mouches blanches» !), tout comme les sauges et les thyms déroutent les pucerons, qui sont des hémiptères parasites présents sur de nombreuses plantes et qu'il est inutile de présenter.

D'ailleurs, beaucoup de nuisibles se guident à l'odeur et sont souvent induits en erreur par le parfum puissant des plantes aromatiques. Perturbés, ils s'en vont voir ailleurs si d'autres y sont !

■ Organiser des regroupements

Sans que cela ne devienne une obsession, quelques regroupements dans des carreaux attenants sont

Belles et parfois appétissantes, les fleurs ne dénotent pas auprès des légumes et des condimentaires.

faciles à adopter. Les laitues de printemps se développent vigoureusement près des choux-raves ou des radis. De même, les radis et les carottes, en particulier les carottes primeurs printanières, s'entendent à merveille. Comme les amis des amis sont également des amis, radis, carottes et laitues s'assemblent harmonieusement en un trio classique et connu de longue date des jardiniers. Les tomates et les basilics sont inséparables, et ce, des carrés de culture jusque sur votre table de cuisine.
Les diverses chicorées sont des salades très complaisantes qui trouvent facilement leur place dans un carré auprès des différents choux d'été comme les brocolis et les choux-fleurs.

Les bons et mauvais voisinages

Les relations positives ou négatives habituellement admises seront regroupées dans les diverses fiches de culture proposées en fin d'ouvrage. Il faudra en tenir compte... autant que faire se peut. Par ailleurs, on n'est jamais aussi bien servi que par soi-même : si des regroupements ou des associations se sont révélés bénéfiques, systématisez-les dans la mesure du possible.

DES EXIGENCES DE CULTURE TRÈS VARIABLES

Si la grande majorité des légumes et des condimentaires apprécient les terres riches en matières organiques et bien fumées des potagers en carrés – les diverses Alliacées alimentaires comme les oignons, les échalotes et l'ail font ici figure d'exception –, certains se satisfont toutefois d'une terre plus ingrate ou « épuisée » par une culture précédente exigeante.

DES ROTATIONS BIEN PENSÉES

Du fait de la multiplicité des légumes et des condimentaires cultivés, les cohabitations harmonieuses sont parfois délicates à mettre en place. Cependant, trois options simples préviendront les erreurs les plus grossières.
• Dans un premier temps, **alternez les divers types de légumes** en

Légumes peu exigeants	Légumes à exigences moyennes	Légumes voraces
Arroche rouge et autres	Betterave rouge	Aubergine
Toutes les chicorées	Carotte	Concombre
Cresson des jardins	Tous les choux y compris les choux asiatiques	Coqueret du Pérou
Fève	Tous les céleris	Courgette
Tous les haricots	Cerfeuil bulbeux	Melon
Mâche	Épinard	Poireaux d'automne et d'hiver
Navet	Fenouil bulbeux	Poivron
Panais	Toutes les laitues	Pommes de terre primeurs et autres
Pissenlit	Maïs sucré	Toutes les tomates
Tous les petits pois	Poirée à cardes	Tomatillo
Pourpier d'été	Tétragone cornue	
Tous les radis		

Condimentaires peu exigeantes
Aneth
Cerfeuil
Cresson alénois
Hysope
Laurier-sauce
Lavande officinale
Marjolaine et origan
Mélisse
Romarin
Roquette
Sarriette
Sauge officinale
Thym commun et serpolet
Verveine citronnelle

Condimentaires à exigences moyennes
Basilic
Ciboule et ciboulette
Coriandre
Estragon
Menthes verte et poivrée
Oseille
Persils plats et frisé
Persil tubéreux
Stévia

Condimentaires voraces
Cornichon
Piment 'de Cayenne' et autres

évitant – mais ce n'est pas un impératif – de faire suivre sur un même carreau deux légumes-racines, deux légumes-fruits, deux légumes-graines ou deux légumes-feuilles.

Tomate et basilic cohabitent volontiers dans les différents carrés.

- Prohibez les regroupements ou les successions de plantes de la même **famille botanique** dont les besoins en culture et les parasites sont souvent les mêmes.
- Faites se succéder autant que possible dans le même carreau des légumes à **exigences culturales** faibles et d'autres à exigences culturales fortes ou moyennes. Mais une plante aux besoins faibles suivra sans problème une autre plante peu exigeante.

Mais faut-il vraiment s'inquiéter de la capacité des plantes à s'entendre entre elles ? Une entorse ponctuelle à ces beaux principes prête rarement à conséquence.

Les grandes familles

Les familles botaniques des légumes cultivés au potager sont assez peu nombreuses.

Elles regroupent essentiellement les **Solanacées** (pommes de terre, tomates, poivrons et piments, aubergines) et les **Cucurbitacées** (courgettes, concombres et courges diverses).

Celle des **Brassicacées** rassemble tous les choux mais aussi les radis.

Les **Fabacées** – ex-Légumineuses – sont surtout représentées par les fèves, pois et haricots.

Les épinards, les betteraves rouges, l'arroche et les poirées font tous les quatre partie de la famille des **Chénopodiacées**.

Les **Apiacées** amalgament céleris, carottes et panais, mais également les persils.

Les laitues et chicorées se retrouvent dans les **Astéracées**.

Les oignons, ails et échalotes font partie des **Alliacées**.

D'autres familles sont plus marginales, comme les **Valérianacées** dont la mâche est la seule représentante couramment cultivée dans nos potagers.

Ces quelques familles rassemblent à elles seules la très grande majorité des légumes cultivés.

Parmi les condimentaires, les **Labiacées** comme la sauge, la mélisse, les menthes, etc., toutes précieuses plantes nectarifères, sont nettement dominantes parmi les espèces cultivées.

UNE ANNÉE DE RÉCOLTE

Votre potager vous accompagnera pendant toute l'année mais ne vous sollicitera pas de la même façon au printemps et en hiver. De même, si vos récoltes se poursuivent de janvier à décembre, chaque saison propose ses cueillettes spécifiques.

AU PRINTEMPS

Dans les carrés potagers poussent des légumes et des condimentaires que les fraîcheurs printanières en mars et avril incommodent peu. Ce sont les premiers légumes et condimentaires de l'année, pour lesquels le jardinier éprouve une tendresse particulière. Semés ou repiqués tôt – parfois même en été ou automne de l'année précédente –, ils se récoltent avant les premières chaleurs de l'été.

Des légumes de première saison

- Arroche rouge
- Carotte primeur
- Chou pommé pointu
- Chou-rave
- Épinard
- Fève
- Laitue pommée de printemps
- Pissenlit
- Pois (ronds d'abord, puis ridés)
- Radis rond et long de printemps

Des condimentaires de première saison

- Angélique
- Cerfeuil frisé
- Ciboule et ciboulette
- Cresson alénois
- Livèche (plante-maggi)
- Oseille
- Persils plat et frisé
- Roquette cultivée

EN ÉTÉ

La munificence des potagers est à son comble en juillet et août. En début de période se cueillent encore les derniers reliquats des cultures de printemps et à la fin, déjà, les premiers légumes d'automne. Entre les deux, mûrissent ces légumes et aromates d'été qui donnent aux beaux jours leur vraie saveur.

En juillet, cohabitent des laitues pour les récoltes d'été et des courges pour l'automne.

Des légumes de deuxième saison

- Aubergine
- Betterave rouge
- Brocoli calabrais
- Carotte de saison
- Céleri-branche
- Chicorées scarole et frisée d'été
- Chou-fleur
- Concombre
- Courgette
- Fenouil bulbeux
- Haricot filets
- Laitue à couper
- Laitue pommée d'été
- Melon
- Mesclun
- Poivron
- Pomme de terre primeur
- Pourpier d'été
- Radis d'été
- Tétragone cornue
- Tomate

Des condimentaires de deuxième saison

- Aneth (feuilles)
- Basilic
- Citronnelle de Madagascar
- Coriandre (feuilles)
- Cornichon
- Estragon

- Hysope
- Marjolaine et origan
- Mélisse
- Menthes verte et poivrée
- Persils plat et frisé
- Piment 'de Cayenne' et autres
- Stévia
- Verveine citronnelle

EN AUTOMNE

L'été se poursuit souvent au potager jusqu'au cœur du mois d'octobre, se traînant allègrement jusqu'aux beaux jours de la Saint-Martin. Mais l'automne propose aussi des légumes-feuilles singuliers, qui croissent rapidement en se contentant des faibles températures de l'arrière-saison.

Des légumes de troisième saison

- Brassicacées diverses à cueillir en jeunes pousses
- Céleri-rave
- Cerfeuil tubéreux
- Chicorée scarole et chicorée frisée d'automne
- Chicorée 'Pain de Sucre' et chicorées italiennes
- Chou de Chine pak choï
- Chou de Pékin pet saï
- Chou rouge
- Coqueret du Pérou
- Cresson des jardins
- Épinard
- Maïs doux
- Morelle de Balbis
- Navet des moissons et rutabaga

Récoltés en juillet, les oignons se conservent souvent jusqu'en mai ou juin.

- Poireau
- Poirée
- Radis d'automne

Des condimentaires de troisième saison

- Aneth (graines)
- Cerfeuil frisé
- Coriandre (graines)
- Cresson alénois
- Persils plat et frisé
- Persil tubéreux
- Roquette cultivée

EN HIVER

Quelques légumes peu sensibles au froid occupent encore vaillamment vos carrés en hiver. Ils se maintiennent contre vents et marées, prenant souvent sous le givre et la lumière rase de ces périodes d'équinoxe un aspect à la fois féerique et fantomatique. Ils habillent l'hiver de leur saveur particulière.

Légumes d'hiver

- Chou de Bruxelles
- Chou de Milan
- Chou frisé non pommé
- Épinard
- Laitue pommée d'hiver
- Mâche
- Panais
- Poireau d'hiver
- Pourpier d'hiver

Condimentaires d'hiver

- Raifort

LE JARDIN PERPÉTUEL

Certains légumes et beaucoup de condimentaires se maintiennent au potager d'une année sur l'autre. La plupart se récoltent pendant la belle saison mais assurent l'année suivante une nouvelle production, sans repiquage ni semis. Ces légumes et aromates nécessitent parfois une protection destinée à les préserver des froids intenses de l'hiver. Ils peuvent, eux aussi, trouver leur place dans un potager en carrés, avec quelques précautions néanmoins.

Des légumes vivaces

- Chou de Daubenton
- Poireau perpétuel

Des condimentaires vivaces

- Laurier-sauce
- Lavande officinale
- Romarin
- Sarriette
- Sauge
- Thym commun et serpolet

LA PLANIFICATION DES CULTURES EN CARRÉS : LES RÈGLES D'OR

■ Chaque saison correspond à la mise en culture de végétaux plus ou moins spécifiques. Les légumes et condimentaires de printemps se satisfont des fraîcheurs de mars et d'avril, alors que ceux d'été requièrent les fortes chaleurs de juin, juillet et août. Les légumes et condimentaires d'automne, eux, ne sont pas trop incommodés par les premiers frimas d'octobre et novembre. Tout l'art des potagers en carrés consiste à planifier le plus souplement possible le passage d'une saison à l'autre.

POUR PLANIFIER LES MISES EN CULTURE DE PRINTEMPS

1. Soyez attentif aux antécédents de cultures de même **appartenance familiale** que celle des nouvelles implantations. En début de saison (comme à l'automne d'ailleurs), les Brassicacées, du fait de leur relative tolérance au froid, sont omniprésentes. En règle générale, les membres de cette famille botanique cohabitent sans problème dans deux carreaux contigus. Leur proximité peut même aider au suivi des cultures – l'arrosage en particulier – qui est peu ou prou le même pour tous.

2. Associez les plantes de petite **taille** et celles de grande taille, essentiellement les pois ramants à cette période de l'année.

3. Faites se côtoyer des plantes à faibles **exigences** (arroche, fève, pissenlit, petits pois, radis et, pour les condimentaires, ciboule et ciboulette, roquette cultivée, cresson alénois et cerfeuil frisé) et les légumes à exigences moyennes (chou-rave, épinard, laitue pommée et, pour les condimentaires, persils plat et frisé). Aucun légume à fortes exigences n'est présent dans vos carrés à cette époque.

4. Alternez tant que faire se peut les **types de légumes** : légumes-feuilles (épinard, laitue pommée de printemps, pissenlit, chou pommé pointu et chou-rave), légumes-racines (radis rond et long de printemps) et légumes-graines (fève et petit pois).

POUR PLANIFIER LES MISES EN CULTURE D'ÉTÉ

1. Veillez à faire cohabiter les plantes palissées comme les haricots grimpants, les concombres, les melons, et celles de **taille** plus raisonnable comme les basilics, les persils, les carottes ou les céleris.

2. Attention aux antécédents de cultures de même **appartenance familiale** : betterave rouge et épinard, brocoli calabrais et autres Brassicacées.

3. Faites suivre de façon préférentielle les plantes de faibles besoins par des légumes à **exigences** fortes, très présents dans vos carrés en été. Parmi eux, se retrouvent toutes les Solanacées (tomate, aubergine, poivron, physalis) et Cucurbitacées (courgette, courge, concombre et melon). Les légumes à exigences moyennes, comme les betteraves rouges, brocolis et céleris, seront traités selon le cas comme un légume à besoins faibles ou un légume à besoins forts. Toutes ces plantes exigeantes apprécient par ailleurs la présence en culture des haricots grimpants.

4. Les **légumes-feuilles** d'été comme les laitues estivales et les diverses chicorées suivent volontiers en culture une plante de la

La diversité des légumes cultivés permet des transitions souples en culture du printemps à l'automne.

Ainsi un carré de* printemps *comme celui présenté ci-dessous

Légume-feuille	Famille A	Condimentaire vivace
Légume à faibles exigences	Légume à fort développement	Légume-racine
Condimentaire annuelle	Légume à faibles exigences	Famille B

Pourra, par exemple, évoluer* en été *en…

Légume-fruit	Famille B	Condimentaire vivace
Légume à fortes exigences	Légume à fort développement	Légume-fruit
Légume à fortes exigences	Légume à fortes exigences	Famille A

Puis,* en automne*…

Légume-racine	Famille C	Condimentaire vivace
Légume à faibles exigences	Légume à fort développement	Légume-feuille
Légume à faibles exigences	Condimentaire annuelle	Famille C

famille des Fabacées de printemps (pois et fèves).

5. La dispersion dans les carrés des **condimentaires** «perturbantes» pour beaucoup d'insectes parasites des cultures comme l'aneth, les basilics, la coriandre, l'hysope, la marjolaine et l'origan, la mélisse, les menthes verte ou poivrée, les persils plat et frisé ou la verveine citronnelle évitera à vos légumes d'être trop incommodés par divers ravageurs, dont les pucerons.

6. Les légumes de **culture délicate**, comme les choux-fleurs et les carottes, ou ceux nécessitant un suivi régulier, seront repiqués de préférence dans un carreau de bordure afin d'en faciliter l'arrosage, le désherbage et les éventuelles interventions de taille ou de pincement. Les légumes requérant des cueillettes régulières comme les concombres et les courgettes seront logés à la même enseigne.

POUR PLANIFIER LES MISES EN CULTURE D'AUTOMNE

1. Évitez les antécédents de cultures de même **appartenance familiale**. L'automne marque en particulier le retour des Brassicacées au potager, tant pour les légumes (radis d'automne, choux asiatiques à cueillir en jeunes pousses, choux de Chine et de Pékin, choux rouges et navets) que pour les condimentaires (cresson alénois, roquette) – et même, plus tard, les éventuels engrais verts comme la navette, la moutarde ou le colza.

2. Faites suivre les plantes exigeantes cultivées en été (Solanacées et Cucurbitacées) par des plantes aux besoins faibles (diverses chicorées, navets et radis d'automne) ou moyens (divers choux asiatiques, épinard). Aucune plante à **exigences culturales** fortes n'est semée ou repiquée en automne. Deux plantes aux besoins faibles se suivront sans dommage en culture.

3. Les **légumes-feuilles** comme les chicorées d'automne et les laitues d'hiver suivent volontiers en culture les haricots grimpants. Ils bénéficieront même d'un sol naturellement enrichi par ces plantes de la famille des Légumineuses.

Judicieusement choisies et bien planifiées, les récoltes de légumes se suivent inlassablement mais ne se ressemblent pas.

DES CARRÉS DE CULTURE BIEN REMPLIS

Une fois les espèces légumières et condimentaires sélectionnées, il vous reste à les installer dans vos carrés en les semant ou en les repiquant. L'objectif sera de privilégier les façons de faire qui optimisent la durée des cultures. Il serait donc aussi déraisonnable de semer en place vos tomates que de repiquer vos laitues à couper et votre pourpier d'été.

LES SEMIS DANS UN POTAGER EN CARRÉS

Le semis est le geste fondateur du jardinage. Pourtant, il ne s'agit là que d'imiter la nature et de se substituer au vent qui disperse les graines de pissenlit, ou à l'eau qui éparpille celles du cresson de fontaine. Et parfois même de prendre exemple sur la plante elle-même, comme dans le cas des coquelicots qui se sèment au gré de leurs élégantes oscillations.

POURQUOI SEMER ?

Beaucoup de légumes-racines comme les carottes, le panais ou les radis ne supporteraient pas de repiquage et doivent se développer là où la graine s'est posée. Les racines très fasciculées des Fabacées – fèves, petits pois ou haricots – apprécient peu d'être dérangées et ces légumes ne sont jamais aussi beaux que semés directement en place. De plus, leur semis est tellement facile et rapide qu'il est inutile de chercher une autre méthode !

QUELS LÉGUMES SEMER EN PLACE ?

Il n'est besoin que de jeter un œil sur les linéaires de graines du commerce horticole pour voir que la quasi-totalité des légumes et une bonne part des condimentaires sont multipliés de semis. Mais beaucoup nécessitent une préparation particulière – semis au chaud avec un ou plusieurs repiquages – avant de trouver leur place au potager. Certaines graines cependant peuvent directement être semées dans vos carreaux de culture. Leur levée est alors rapide et leur cycle de culture plutôt court.

La gamme des plantes condimentaires proposées en pots par les horticulteurs et destinées à être repiquées au potager s'est considérablement étoffée ces dernières années. Pour certaines d'entre elles cependant, il est nécessaire de continuer à privilégier le semis direct.

Condimentaires à semer directement en place
Aneth
Cerfeuil frisé
Coriandre
Cornichon
Cresson alénois
Persil tubéreux
Roquette cultivée

Légumes à semer directement en place
Arroche rouge
Toutes les carottes
Cerfeuil tubéreux
Claytone de Cuba
Cresson des jardins
Épinard
Fève
Tous les haricots
Laitue à couper
Mâche
Mesclun
Tous les légumes récoltés en jeunes pousses
Tous les navets et le rutabaga
Panais
Tous les petits pois
Pourpier d'été
Tous les radis
Salsifis et scorsonère

LE SEMIS, MODE D'EMPLOI

Pour installer ces plantes dans vos carreaux de culture, préparez votre sol juste avant de passer à l'acte. La terre, alors fraîche et souple, facilitera la levée de la graine et la croissance de la jeune plantule. Les espèces les plus exigeantes acceptent volontiers trois ou quatre poignées de compost fin et bien décomposé lors de la préparation du sol. Intervenez dans des conditions de température et d'humidité optimales ; au besoin – si votre terre est sèche – arrosez votre carré la veille : votre travail en sera facilité et le résultat meilleur. Affinez le substrat par un coup de griffe en profondeur avant de le niveler et de finement émietter la surface.

Au bon moment

Semez à la bonne époque – référez-vous à votre calendrier de semis – et sur sol réchauffé. Pour la plupart des graines en semis direct, votre main, posée à plat sur le sol travaillé, ne doit pas ressentir une impression de froid. Aucune graine, même la plus tolérante au froid comme celle de la laitue à couper, ne lèvera si la température du sol est inférieure à 7 °C.

Le semis à la volée

Les semis en place dans les carrés de cultures potagères sont généralement pratiqués à la volée, plus rarement en poquets (ou « en paquets » comme on disait jadis), essentiellement pour les pois et les haricots.

La graine est déposée de façon homogène et pas trop drue sur le sol finement travaillé du carreau retenu. Suit un ratissage léger à la griffe pour l'enfouir délicatement. La graine demande en effet à ne pas être enterrée trop profondément. Plus elle est petite, plus elle doit être positionnée en surface – 1 ou 2 mm pour les carottes, à peine plus pour les navets (dans le doute, il est préférable de déposer la graine trop en surface plutôt que de l'enfouir trop profondément).

La surface du carreau est ensuite tassée avec la paume de la main, une planchette large ou, de façon plus orthodoxe, avec le dos du râteau. Tout semis est immédiatement suivi d'un arrosage destiné à faire adhérer intimement le substrat et la graine.

En cas de levée trop compacte, les semis à la volée requièrent un éclaircissage précoce qui permettra le bon développement des jeunes plantules maintenues en place. Chaque éclaircissage sera suivi d'un arrosage en pluie.

Le semis en poquets

Au potager en carrés, le semis en poquets est à réserver aux graines de fèves, de petits pois et de haricots. Là aussi, le sol de votre carreau doit être allégé, affiné à la griffe, puis nivelé. Ensuite, les doigts reliés en conque ouvriront tous les 15 ou 20 cm de petites excavations où seront déposées les graines par cinq, sept ou plus. Les graines de fèves, de pois et de haricots sont parmi les plus volumineuses des graines de légumes ; cependant ne les enterrez pas à plus de 3 à 4 cm de profondeur. Au-delà, leur germination serait fortement compromise.

UN ÉCLAIRCISSAGE POUR Y VOIR PLUS CLAIR

Semer de façon trop dense est une erreur commune à tous les jardiniers débutants – et même, parfois, aux jardiniers confirmés ! Un semis qui lève trop dru demande à être éclairci afin de permettre le développement optimal des jeunes plantules. L'écartement idéal à terme entre deux plants varie de 2 ou 3 cm pour les radis ou la mâche à 7 ou 8 cm pour les laitues à couper, les navets ou le panais. Le prélèvement des plantules peut se faire en une seule fois ou en deux ou trois passages qui, chaque fois, seront suivis d'un arrosage. L'éclaircissage permet souvent une première récolte chez nombre de légumes comme les épinards, les carottes ou les laitues à couper.

LES REPIQUAGES DANS UN POTAGER EN CARRÉS

Compagnon inséparable du semis, le repiquage a pris aujourd'hui une importance considérable au potager. La culture du jeune plant à repiquer a été anticipée sous serre par les producteurs pour vous permettre de gagner de précieuses semaines entre la mise en place et la récolte.

POURQUOI REPIQUER ?

Il est rare que le jardinier produise aujourd'hui le jeune plant dont il a besoin. Ses tomates, il s'en préoccupe en mai, époque de leur plantation, et non en mars, époque de leur semis ! Du temps gagné donc, mais également des soucis en moins. Le repiquage permet aussi de contourner l'appréhension du jardinier débutant à l'égard du semis. Il est vrai qu'il est difficile d'imaginer que cette petite chose – la graine ! –, douillettement posée dans la paume de la main, puisse devenir quelques semaines plus tard une plante parfois gigantesque. La jeune plante au contraire, perçue comme un végétal adulte en devenir, rassure.

L'écartement des pieds de poireaux conditionne pour une large part leur calibre futur.

COMMENT REPIQUER ?

Si les plantes elles-mêmes sont très diversifiées, la façon de les repiquer est la même pour toutes. Deux impératifs conditionnent la réussite du repiquage. Dans un premier temps, veillez à ce que vos pots, godets ou minimottes soient suffisamment humides. Ensuite, soignez particulièrement la préparation du sol destiné à les recevoir.

Humidifier les jeunes plants

Commencez par **arroser** vos jeunes plants. Mieux, **trempez-les** avant la plantation pendant une dizaine de minutes dans une bassine d'eau. Cette façon de faire est toujours utile pour les pots et les godets, souvent indispensable pour les minimottes qui, une fois sèches, sont difficiles à rehumidifier par simple arrosage.

Surfacer

Ensuite, surfacez si nécessaire, c'est-à-dire recouvrez d'une mince couche de **compost** ou de **fumier composté** le carreau de culture qui accueillera votre plante, et ameublissez-le à la griffe.

Creuser et planter

Débarrassez la plante de son contenant, godet ou pot. Le plant dans votre main gauche, la droite armée d'une petite pelle à transplanter (le contraire si vous êtes gaucher !), ouvrez **un trou de la taille de la motte.** Positionnez votre plante **plus ou moins profondément** selon l'espèce : les laitues et chicorées à collet flottant (c'est-à-dire la minimotte au ras du sol), les choux un peu plus profondément, et la plupart des autres plantes, Solanacées et Cucurbitacées en particulier, jusqu'à quelques centimètres de profondeur. Ramenez un peu de terre pour enterrer la motte.

REPIQUER IMMÉDIATEMENT

Choyées dans les serres des producteurs, les jeunes replants en godets, en pots ou en minimottes demandent quelques précautions pour trouver leur place dans vos carrés. Le mieux est de les repiquer le jour de votre achat. La disponibilité des plants dans le commerce horticole est telle qu'il serait absurde d'assumer des contraintes de stockage et d'arrosage avant la mise en place. Une fois le jeune plant acquis, plantez-le donc sans tarder.

Sitôt achetées, vos laitues devront être repiquées et arrosées.

Borner et arroser

Ne tassez pas le sol, mais **bornez** énergiquement la plante, les pouces et index des deux mains disposés en carré autour de son collet et en appuyant fortement pour ancrer la plante au sol. Ce bornage est toujours suivi d'**un apport d'eau au goulot,** l'arrosoir débarrassé de sa pomme. Ce premier arrosage est essentiellement destiné à faire adhérer fortement la jeune motte à la terre en place.

QUAND SEMER ET REPIQUER ?

■ Dans vos carrés potagers, les semis et repiquages se poursuivent près de neuf mois dans l'année. Certaines espèces requièrent une date d'intervention précise, d'autres permettent plus de liberté. En étalant vos semis et vos repiquages, vous échelonnerez d'autant vos récoltes.

Vous avez une quinzaine de jours pour repiquer vos tomates en mai, un mois pour semer vos haricots grimpants en juin ou planter vos choux de Chine en fin d'été, deux mois pour semer vos radis de printemps, trois mois pour repiquer vos chicorées scaroles et frisées, et plus de huit mois pour mettre en culture vos laitues (mais ce ne sont pas alors les mêmes variétés qui se repiquent au printemps, en été et à l'automne). L'établissement d'un calendrier de mise en culture vous facilitera grandement la tâche.

ET LA LUNE ?

Le débat relatif à l'influence lunaire reste ouvert.
Certains y croient, d'autres non – et c'est bien le problème ! La science elle-même est peu loquace sur ce point et une croyance ne vaut que par le crédit qu'on lui accorde. La « nouvelle lune de mars », souvent évoquée dans les écrits anciens, est donnée comme simple repère calendaire et n'induit en rien la promesse d'une récolte plus importante ou bien plus savoureuse.
Quoi qu'il en soit, lunaire ou autre, il est difficile au potager de se passer d'un calendrier pour déterminer ses périodes d'intervention. Sauf pour les jardiniers d'expérience peut-être ! Mais chez eux, le calendrier est dans la tête...

Les récoltes en quantité comme en qualité sont nettement tributaires des époques de mise en culture.

CALENDRIER DE SEMIS ET DE REPIQUAGE DES PRINCIPAUX LÉGUMES

Légumes	Par semis	Par repiquage
Épinard	De février à avril et d'août à octobre	
Fève	Après le 15 février et en mars	
Arroche rouge et autres	Après le 15 février et en mars	
Petit pois à grains ronds	En mars	
Crosne		En mars
Rhubarbe		En mars
Carotte primeur	En mars, éventuellement avril	
Panais	En mars, éventuellement avril	
Asperge		En mars et avril
Laitue pommée de printemps		En mars et avril
Petit pois mangetout	En mars et avril	
Radis rond et long de printemps	En mars et avril	
Carotte de saison	De mars à mai	
Chou-rave		De mars à juin
Rutabaga		En mars et en juillet-août
Laitue à couper	De mars à septembre	
Chou pommé pointu (hâtif)		En avril
Petit pois à grains ridés	En avril	
Pomme de terre primeur		En avril
Tous les légumes récoltés en jeunes pousses	En avril et septembre-octobre	
Chou rouge		En avril et mai
Poirée à cardes		En avril et mai
Tétragone cornue		Fin avril et mai
Brocoli calabrais		D'avril à juin
Choux-fleurs d'été et d'automne		D'avril à juin
Artichaut		En mai
Aubergine		En mai
Céleri-branche		En mai
Céleri-rave		En mai

Légumes	Par semis	Par repiquage
Courgette		En mai
Morelle de Balbis		En mai
Poivron		En mai
Tomate à gros fruits		En mai
Tomate-cerise		En mai
Tomatillo		En mai
Chicorée frisée d'été		En mai et juin
Chicorée scarole d'été		En mai et juin
Concombre		En mai et juin
Coqueret du Pérou		En mai et juin
Pissenlit	En mai et juin	
Poireaux d'été et d'automne		En mai et juin
Radis d'été	En mai et juin	
Salsifis et scorsonère	En mai et juin	
Betterave rouge	Éventuellement en juin	De mai à juillet
Fenouil bulbeux		De mai à juillet
Mesclun	De mai à juillet	
Pourpier d'été	De mai à juillet	
Laitues pommées d'été et d'automne		De mai à août
Carotte de conservation	En juin	
Endive	En juin	
Chou de Bruxelles		En juin
Chou de Milan		En juin
Chou frisé non pommé		En juin
Haricots filets nain et ramant		En juin
Haricots à grains nain et ramant		En juin
Maïs sucré		En juin
Melon		En juin
Poireau d'hiver		En juin
Brocoli à jets		En juin et juillet
Chicorée frisée d'automne		En juin et juillet
Chicorée scarole d'automne		En juin et juillet
Cerfeuil bulbeux	En août et septembre	

Légumes	Par semis	Par repiquage
Chicorée 'Pain de Sucre'		En août et septembre
Chicorées italiennes		En août et septembre
Chou de Chine pak choï		En août et septembre
Chou de Pékin pet saï		En août et septembre
Cresson des jardins	En août et septembre	
Mâche	En août et septembre	
Navet de Nancy	En août et septembre	
Radis d'automne	En août et septembre	
Claytone (ou pourpier d'hiver)	En septembre	
Laitue pommée d'hiver		En septembre et octobre

Selon l'année et la situation géographique du potager, ces dates peuvent varier de 2 ou 3 semaines.

CALENDRIER DE SEMIS ET DE REPIQUAGE DES PRINCIPALES CONDIMENTAIRES

Condimentaires	Par semis	Par repiquage
Angélique		En mars
Raifort		En mars
Ciboulette et ciboulail		En mars et avril
Ciboule		En mars et avril
Livèche		En mars et avril
Oseille		En mars et avril
Cresson alénois	En mars-avril et en septembre-octobre	
Roquette cultivée ou sauvage	En mars-avril et en septembre-octobre	
Cerfeuil frisé	En mars et en septembre	
Estragon		En avril
Hysope		En avril
Lavande officinale		En avril

Condimentaires	Par semis	Par repiquage
Mélisse		En avril
Menthes verte et poivrée		En avril
Origan		En avril
Persils plat et frisé		En avril, juin et septembre
Romarin		En avril
Sarriette vivace		En avril
Sauge officinale		En avril
Thym commun et serpolet		En avril
Aneth	En avril et mai	
Citronnelle de Madagascar		En mai
Laurier-sauce		En mai
Marjolaine		En mai
Piment 'de Cayenne' et autres		En mai
Sarriette annuelle		En mai
Stévia		En mai
Verveine citronnelle		En mai
Coriandre	En mai et juin	
Persil tubéreux	En mai et juin	
Basilic	Éventuellement en juin	Fin mai et juin
Cornichon	En juin	

Selon l'année et la situation géographique du potager, ces dates peuvent varier de deux ou trois semaines.

LE SUIVI DES CARRÉS POTAGERS

Si la simplicité est de mise pour le semis et le repiquage des jeunes légumes et condimentaires, elle l'est aussi dans le suivi en culture des parcelles en carrés. Inutile de vous transformer en agronome pour conduire vos cultures ; quelques mesures simples et de bon sens vous permettront d'atteindre un résultat à la mesure de vos espérances ! Allez vers l'essentiel, sans vous embarrasser du superflu !

TRAVAILLER ET FERTILISER LE SOL

Les plantes ont des exigences alimentaires précises... en théorie. Mais il serait vain de chercher à leur apporter avec exactitude les éléments fertilisants dont elles ont besoin car ceux-ci sont très variables selon la plante, l'époque de l'année et l'avancée de la culture.

Une terre légère et riche en matière organique convient à la grande majorité des légumes cultivés.

L'OUTILLAGE DU JARDINIER EN CARRÉS

Pour conduire vos cultures en carrés, l'outillage nécessaire est d'une simplicité confondante. Une griffe à dents fines munie d'un long manche vous permettra une reprise facile des carrés avant semis ou repiquage. Si le semis se fait à la main – plus rarement avec un petit semoir manuel –, un transplantoir, qui est une modeste petite pelle à planter, vous sera nécessaire pour repiquer vos plants en godets et en pots. Le faible entretien du sol que requiert la culture en carrés pourra se faire avec une petite griffe à main de 30 cm de long environ. Et puis ? Et puis c'est tout !

UN TRAVAIL DU SOL LIMITÉ

La texture même du substrat, riche en matières organiques, légère et aérée, vous permet de faire l'économie des interventions lourdes pratiquées dans les potagers classiques, le retournement et le bêchage en particulier.

Lors de la création des carrés

L'aération du sol à l'aérabêche, sans être indispensable, se révèle utile pour mettre en place une zone de transition entre le sol d'origine, souvent exécrable, et le terreau à base de compost utilisé dans vos carrés. Une rupture trop brutale entre le substrat et la terre sur laquelle reposent vos carrés serait préjudiciable à la bonne circulation de l'air et de l'eau.

Avant semis ou repiquage

Un simple coup de griffe redonnera à la terre une souplesse qui lui permettra d'accueillir avec naturel et spontanéité la culture suivante.

LES BESOINS DES PLANTES

Les molécules organiques complexes représentent pour les plantes une nourriture indigeste. Elles ne sont en effet capables d'absorber les éléments dont elles ont besoin que sous une forme minérale simple.

Une dizaine d'**éléments minéraux** sont indispensables aux plantes pour croître.

Certains sont nécessaires en quantités relativement importantes, comme l'**azote (N), le phosphate (P)** et **la potasse (K),** respectivement utiles pour favoriser la croissance du feuillage, l'enracinement et le développement des fruits. D'autres sont nécessaires en moindres quantités, comme le calcium, le magnésium et le soufre, ou encore le bore, le molybdène, le fer, le manganèse, le cuivre, le chlore, le zinc, etc.

LE COMPOST, UNE NOURRITURE SUBSTANTIELLE

Inutile cependant de revêtir la blouse blanche du chimiste pour faire pousser les légumes et les condimentaires dans vos carrés ! Contentez-vous d'apporter à vos plantes ce qui leur est nécessaire sous forme de compost. En évoluant, la matière organique qui le constitue libère tout ce dont vos plantes ont besoin pour bien se développer.

Que des avantages...

Le compost provient de la mise en tas et de la décomposition des tailles de végétaux et récupérations diverses issues de l'entretien du jardin. Fortement concentré en matières organiques, il participe à la dynamique des sols, en stimulant en particulier leur activité biologique. Il se comporte par ailleurs un peu **comme un engrais à libération lente,** en fournissant progressivement les nutriments nécessaires à la croissance des végétaux. Enfin, il renforce les résistances naturelles des plantes (parasites, aléas climatiques) tout en facilitant le travail du sol et en réduisant les arrosages. Que demander de plus ?

OÙ SE PROCURER DU COMPOST ?

Il est possible – et même souhaitable – de fabriquer soi-même son compost avec les résidus organiques issus du jardin. Les volumes disponibles suffiront généralement dans le cadre des besoins courants. Le compost sera alors épandu comme complément lors d'une nouvelle mise en culture (traditionnellement, le jardinier définit ces apports comme «fumures d'entretien»). Si vous avez besoin de volumes plus importants, tournez-vous vers les compostières professionnelles. Ces entreprises recyclent en compost les déchets végétaux des collectivités et des déchetteries municipales et certaines relèvent d'une certification «bio». Elles pourront vous fournir du compost dans les quantités dont vous avez besoin, en sac, *big bag* ou en vrac.

QUAND APPORTER DU COMPOST ET EN QUELLES QUANTITÉS ?

Dans les potagers en carrés, apportez votre compost sur les carrés inoccupés en hiver ou lors du passage à une nouvelle culture, entre la récolte du légume précédent et avant le semis ou repiquage du légume suivant.

Prévoyez une couche de 2 ou 3 cm (soit 20 à 30 litres / m^2) – l'équivalent d'une dizaine de poignées – pour les carreaux destinés à accueillir des légumes exigeants comme les tomates, les aubergines, les concombres, les poireaux, voire les choux ou les épinards. L'apport peut être moindre – trois ou quatre poignées – et même nul pour les plantes peu exigeantes comme les radis, le persil ou la ciboulette. Votre compost est ensuite incorporé au sol en place par griffage.

DÉSHERBER

■ C'est pour le suivi de la mauvaise herbe que les avantages de la conduite en carrés sont les plus manifestes. D'un côté, la légère surélévation du carré évite les postures voûtées, pénibles pour le dos ; d'un autre, la légèreté du substrat facilite de beaucoup la suppression de ces herbes indésirables.

Le suivi du désherbage est aisé dans les potagers en carrés.

En outre, la rotation rapide des cultures évitera que les herbes indésirables ne prennent leurs aises. Et, à production égale, les surfaces à désherber sont nettement inférieures à celles des parcelles de pleine terre.

Quelques précautions supplémentaires réduiront à presque rien les contraintes du désherbage. Ainsi, le recouvrement de vos carrés en été d'**un mulch de compost** pour limiter les pertes en eau permet aussi de réduire sensiblement l'apparition et la croissance des mauvaises herbes. De même, un simple carton alvéolé, de 40 cm de côté, posé à même le carreau évitera les levées impromptues d'adventices.

Enfin, la montée à graines des adventices étant parfois très rapide, n'oubliez pas qu'**une intervention régulière** évite que ces indésirables ne s'installent à demeure dans vos carrés (songez que le séneçon commun, une plante adventice très présente dans les sols riches en humus, germe, se développe, fleurit et fait mûrir ses graines en à peine plus d'un mois !).

ET LES INDÉSIRABLES ?

Les insectes et maladies sont peu préoccupants dans les potagers en carrés, du fait même des principes qui sous-tendent ces jardins : diversité des plantes cultivées (présence en particulier de plantes condimentaires qui sont de précieux effaroucheurs olfactifs), et cultures de courte durée avec rotation rapide. Leur présence devient même tout à fait marginale si ces façons de faire sont associées à des techniques culturales de bon sens : travail optimisé du sol, fertilisation organique, arrosage à bon escient et respect des bonnes époques de semis et de repiquage. Par ailleurs, la sensibilité des divers cultivars de légumes à tel ou tel parasite est très variable. Optez pour les variétés les plus solides ou les plus adaptées à votre région et à votre jardin.

Une fois la culture en place, la disposition des potagers en carrés permet un diagnostic aisé et rapide. Vous pourrez alors supprimer les premiers foyers de contamination par prélèvement des feuilles ou des jeunes pousses atteintes. Enfin – mais c'est une décision à prendre en dernière extrémité –, la diversité des légumes à disposition autorise l'abandon pur et simple des espèces ou des variétés qui présentent en culture des problèmes récurrents.

ARROSER

Quoique facilité, l'arrosage reste essentiel dans la conduite de vos carrés de culture. Comme dans le cas des besoins minéraux, les exigences des plantes en eau varient selon l'espèce, la saison (ainsi que les conditions météorologiques de celle-ci) et l'avancée de la végétation.

LES BESOINS EN EAU DES PLANTES

Seul **un arrosage à la demande** vous permettra de répondre avec finesse aux besoins effectifs de vos légumes et condimentaires.
La croissance des parties vertes de la plante, feuilles et jeunes pousses, est très demandeuse en eau. Ainsi, une laitue nécessite des arrosages suivis jusqu'à sa récolte (et c'est d'ailleurs souvent le manque d'eau qui provoque sa montée à graines). Une tomate – comme tous les légumes-fruits – aura besoin de plus d'eau dans sa phase de croissance qu'au moment de la maturation de ses baies. L'autonomie que devrait permettre aux légumes-racines leur système racinaire charnu est souvent aléatoire : un radis qui manque d'eau se creuse et monte en fleurs. Vous répondrez de façon pertinente aux besoins de la plupart des végétaux en conservant au sol sa fraîcheur – c'est-à-dire en le maintenant ni trop humide ni trop sec.

L'apport d'eau est aussi important dans un potager en carrés que dans un potager classique, mais beaucoup plus facile à doser.

ARROSER LE MATIN OU LE SOIR ?

Cela dépend de l'époque de l'année. Au printemps et en automne, alors que les soirées sont encore – ou déjà – fraîches, arrosez plutôt le matin. Vous éviterez ainsi les risques, cryptogamiques en particulier, qu'engendrent les nuits trop fraîches. En été, arrosez plutôt le soir : la plante pourra alors se charger en eau pendant la nuit et aborder les chaleurs du lendemain dans les meilleures conditions. Quoi qu'il en soit, évitez les arrosages en pleine journée, surtout par fortes chaleurs et ensoleillement important.

LA MEILLEURE FAÇON D'ARROSER

Oubliez les arrosages par aspersion – en pluie – effectués avec des arroseurs rotatifs ou oscillants, trop gourmands en eau et trop grossiers dans leurs apports. Par ailleurs, beaucoup de plantes sont sensibles aux affections cryptogamiques que favorise l'humidité du feuillage, et en premier lieu les tomates, les courgettes et les concombres.

Les tuyaux microperforés ou le goutte à goutte ? Pourquoi pas ! Mais du fait même de la structure des potagers carrés, de la diversité des espèces cultivées et de leur rotation rapide, ces systèmes – par ailleurs pratiques et économiques en eau – sont difficiles à mettre en œuvre.

L'indispensable arrosoir

La solution, c'est l'arrosoir à main qui se présente dans les potagers en carrés comme une réponse rationnelle et économique. Optez pour un arrosoir léger, d'une contenance de 10 à 12 litres, moins si le fait de soulever un tel poids vous effraie. Mais si vous êtes jeune et costaud, que rien ne vous rebute, utilisez-en deux, un dans chaque main ! Attention cependant aux arrosoirs en tôle galvanisée, élégants, inusables... mais pesant leur poids de métal (entre 3 et 4 kg auxquels vient évidemment s'ajouter le poids de l'eau).

Outil très polyvalent, l'arrosoir permet de répondre à tous les besoins en arrosage. Muni de sa pomme, il permet d'arroser **en pluie** votre carreau de jeunes semis avant la levée ou à peine levés et encore fragiles (selon le positionnement de votre pomme, tournée vers le ciel ou vers la terre, l'apport pourra se faire léger ou plus dru). Débarrassé de sa pomme, il peut arroser plus grossièrement, **au goulot,** vos plants repiqués.

QUELLE EAU UTILISER ?

Les eaux de ville – celles qui s'écoulent des robinets domestiques – sont les plus faciles d'accès. Leur inconvénient est leur coût (mais les potagers en carrés ne sont pas parmi les plus voraces en eau). Des réserves éthiques peuvent également limiter le recours à ce gaspillage relatif que constitue l'utilisation de l'eau de ville (une eau qu'il est d'ailleurs préférable de stocker dans un fût afin de permettre au chlore qu'elle contient de s'évaporer).

Les eaux de pluie sont faciles à récupérer – il suffit d'avoir un toit au-dessus de sa tête – et gratuites une fois le dispositif de récupération en place. Très aérées, ce sont mêmes les meilleures eaux d'arrosage. De nombreux dispositifs, dont la mise en place est à la portée d'un bricoleur moyen, permettent de récupérer, selon l'année et la région, entre 500 et 1 000 litres d'eau par mètre carré de toiture. De même, la récupération par pompage d'une eau présente dans une nappe phréatique localisée à moins de 4 ou 5 m de profondeur ne présente pas de grande difficulté.

MAIN VERTE OU POIGNET BLEU ?

Doser la quantité d'eau est avant tout affaire d'expérience. Quelques « trucs » cependant peuvent vous aider à optimiser vos apports d'eau. Ainsi, arrosez souvent mais légèrement les plantes nouvellement semées ou repiquées, plus épisodiquement mais plus abondamment les plantes en place ayant développé leur système racinaire. À terme, c'est-à-dire juste avant la récolte, la plupart des plantes potagères se dispensent d'arrosage et souvent même gagnent alors en saveur – des tomates mûrissantes moins arrosées sont plus faiblement chargées en eau mais plus riches en sucre, et donc plus délectables.

Entre deux potagers, c'est fréquemment l'arrosage qui fait la différence et avoir la « main verte », c'est souvent se contenter d'un « poignet bleu », un poignet qui sait bien doser les apports en eau !

ENFIN, RÉCOLTER…

Ne négligez pas la récolte, qui représente l'aboutissement de la conduite de votre potager et, somme toute, la raison d'être de vos carrés de culture. Cela sera d'autant plus facile que, comme pour le suivi des légumes et des plantes condimentaires, la cueillette est rendue plus aisée par la structure même de vos carrés.

RÉCOLTER DES PLANTES PLUTÔT JEUNES

La récolte se fait selon vos besoins et l'état d'avancée de vos cultures. Il est en règle générale préférable de récolter les légumes et condimentaires trop jeunes plutôt que trop âgés – l'idéal étant bien sûr de les récolter au maximum de leur volume et saveur. Plus tard, en s'attardant en culture, ils perdent en goût et en texture.

Et aussi bien pour les légumes que pour les plantes condimentaires, plus la durée entre la récolte et l'apprêt en cuisine est courte, meilleure sera leur saveur.

Mais quoi qu'il en soit, une fois le carreau vidé, le voilà disponible : semez ou repiquez immédiatement autre chose !

LA BONNE MÉTHODE POUR RÉCOLTER

Il est en général préférable de récolter vos légumes le matin, avant les premières chaleurs de la journée.

Pour les salades, les choux et globalement tous **les légumes-feuilles,** il est plus facile d'arracher les plantes à récolter et de couper la partie à préserver à la hauteur du collet – la motte racinaire rejoignant alors directement le compost.

Les **légumes-fruits** sont prélevés à l'optimum de leur coloration, déjà un peu attendris sous le doigt mais encore fermes. Une fois mûrs, ils se détachent en général par simple rotation mais nécessitent quelquefois le recours d'un sécateur, chez l'aubergine en particulier.

Une petite fourche à main peut vous aider à sortir de terre vos **légumes-racines** un peu fragiles sans les briser.

Les **plantes condimentaires** récoltées dans un potager en carrés s'utilisent essentiellement fraîches. Leur état de saveur et d'arôme optimal se situe habituellement juste avant la floraison. Pour la plupart des condimentaires annuelles comme le basilic, le cerfeuil ou l'aneth, les récoltes seront à la fois plus savoureuses et plus conséquentes si vous avez soin de ne pas les laisser monter à graines, par des cueillettes répétées. Contrairement à la plupart des légumes, les plantes condimentaires sont plus aromatiques quand elles sont récoltées après une journée ensoleillée.

La récolte de vos légumes requiert autant de soin que leur culture.

UN POTAGER EN SIX CARRÉS

Nous déclinerons ici le suivi de six carrés de culture de 1,20 m × 1,20 m, composés de neuf carreaux de 40 cm de large et numérotés de 1 à 6. Aucun ne se spécialise en une culture particulière. L'objectif est d'optimiser les récoltes, tant en volume qu'en diversité, par une rotation serrée, et ceci sur la période la plus longue possible.
Chaque carré se subdivise en carreaux qui sont dans ce type de potager les unités de culture, destinés chacun à accueillir en quantités variables une espèce unique. Si les besoins en tel ou tel légume

dépassent la capacité du carreau, sa culture sera doublée dans un autre carreau, pas nécessairement situé à proximité du premier.

Chez vous, selon la place dont vous disposez, vous pourrez vous contenter de deux ou quatre carrés – voire d'un seul – ou passer à dix ou plus. La logique de conduite des carrés ne change pas. Seul, évidemment, le nombre de légumes et plantes condimentaires cultivés et les quantités récoltées varieront pour se mettre en concordance avec la surface disponible.

LES SIX « SAISONS » DU JARDINIER

■ Printemps, été, automne et hiver : quatre saisons au jardin ! Il vous est cependant difficile de jardiner – en carrés ou autrement – en vous contentant des quatre saisons classiques du calendrier. Votre emploi du temps débordera aisément de ces quatre périodes qui ne vous solliciteront pas toutes de la même façon.

Pour vous approprier le temps qui passe, vous devrez proposer votre propre découpage annuel où les quatre saisons de l'année deviennent alors aisément six. Certaines de ses « saisons » sont très brèves – et c'est pendant ces courtes périodes que les activités au jardin se bousculent ; d'autres sont plus longues et plus paisibles.

DE DÉCEMBRE À FÉVRIER

Vos carrés sont au repos. Restreintes certes, les récoltes d'épinards, de poireaux et de mâche se poursuivent cependant. Déjà se profilent en fin de période les premiers semis de fèves et d'arroche. L'entretien est faible et rien ne presse. Attendez une journée douce et ensoleillée pour entreprendre des travaux qui restent légers. Mais par ailleurs, si vous souhaitez augmenter le nombre de vos carrés, c'est le moment ou jamais !

MARS ET AVRIL

La nature reprend vie – en réalité, celle-ci n'a jamais vraiment cessé ! Le jardin se réveille avec le printemps, qui s'installe selon les années doucement ou plus bruta-

Vos carrés potagers vous solliciteront des premiers jours du printemps...

lement. Cette époque est toujours agréable pour le jardinier qui sème ses graines de radis et de petits pois et met en terre ses premiers replants. La gamme de légumes et de condimentaires que proposent alors les horticulteurs est déjà large et profonde : laitues et choux, mais aussi fraisiers. Dans vos carrés, la ciboulette pointe son nez. Pourquoi pas en agrémenter une première omelette ?

MAI

Le jardin prend ses aises et vous pouvez y faire ce qu'il vous plaît... ou presque ! Semez et repiquez, bien sûr, mais aussi – déjà et encore – récoltez. L'arrosage devient maintenant essentiel et doit retenir toute votre attention. Mai est le grand mois du jardinage et, à la fin du mois, vos carrés devront se retrouver garnis de pied en cap.

DE JUIN À AOÛT

Ce sont les trois mois de cueillettes et de récoltes, de mises en bocaux éventuellement. Tous les légumes ou presque sont disponibles dans vos carrés. Ce sont également des mois d'entretien – à vrai dire peu désagréable et faiblement contraignant –, essentiellement arrosages et désherbages légers. C'est sur sa chaise longue que le jardinier qui cultive en carrés regarde l'été s'installer !

... aux ultimes récoltes de courges d'automne.

SEPTEMBRE

Les beaux jours de septembre sont ceux des dernières plantations, ultimes semis et repiquages destinés aux récoltes d'automne, d'hiver ou du printemps prochain. Mais septembre est aussi le mois de la reprise en main de vos carrés après les lourdes chaleurs estivales. Et septembre est aussi un grand mois de cueillette : les récoltes se poursuivent, toujours et encore...

OCTOBRE ET NOVEMBRE

En octobre et novembre, l'automne s'installe dans toute la splendeur de ses couleurs et de ses saveurs. Le jardin poursuit sur son ère, les légumes mûrissent et les récoltes se prolongent. Mais les premiers gels sonneront le glas pour de nombreuses plantes. Comme les autres, les potagers en carrés prennent maintenant leurs quartiers d'hiver.

LE CARRÉ N°1

Carré de juin à août

Onze légumes et quatre plantes condimentaires cohabitent et se succèdent tout au long de l'année dans ce premier carré. Certains, comme les laitues, sont cultivés en plusieurs variétés, tant printanières que d'été, d'automne ou d'hiver. En cas de cueillette anticipée, les carreaux concernés pourront accueillir une culture intercalaire courte (mesclun, laitue à couper, légumes en jeunes pousses, radis), qui permettra une récolte supplémentaire sans remettre en cause la planification de l'ensemble.

PLAN DU CARRÉ DE DÉCEMBRE À FÉVRIER

1 Navette en engrais vert (semis)	2 Compost en surfaçage	3 Ciboulette (vivace)
4 Navette en engrais vert (semis)	5 Navette en engrais vert (semis)	6 Épinard
7 Hysope (vivace arbustive)	8 Laitue pommée d'hiver	9 Navette en engrais vert (semis)

LISTE DES PLANTES **DE DÉCEMBRE À FÉVRIER**

- Ciboulette, vivace (3 plants en place)
- Épinard (2 g semés en automne)
- Hysope, vivace arbustive (1 pied en place)
- Laitue pommée d'hiver (6 plants en place)
- Navette en engrais vert (4 poignées de graines)

CARREAUX 1, 4, 5 ET 9

Ces carreaux-là sont vides. Si les températures du mois de décembre sont clémentes, vous pouvez encore semer de la navette qui est le plus rustique des engrais verts. Moins de deux à trois semaines de températures supérieures à 6 °C suffisent pour la faire germer. Elle ne développera bien sûr pas un volume de végétal important mais occupera les carreaux jusqu'aux premiers semis de mars. Si les températures de décembre sont trop fraîches pour permettre ce semis, contentez-vous d'un épandage de compost en surface pour compenser le tassement du substrat pendant l'année.

CARREAU 2

Destiné à recevoir en mars les premiers choux-raves, ne semez pas de navette (même famille que les choux !) sur ce carreau mais contentez-vous d'un surfaçage de compost.

CARREAU 3

La ciboulette, qui est une vivace, reste en place toute l'année. En la plaçant en bordure de carré, vous en faciliterez les récoltes qui doivent être régulières : plus vous couperez vos ciboulettes, plus elles feront apparaître de nouvelles pousses. Lors de l'installation de vos souches, prévoyez trois pots pour un carreau de 40 cm de côté.

CARREAU 6

L'épinard semé en automne se maintient en place. Un hiver doux permettra même une ou deux petites récoltes avant sa reprise de croissance en mars.

CARREAU 7

L'hysope est une vivace arbustive très rustique qui peut conserver une partie de son feuillage en hiver si les températures restent douces. Attendez le mois de mars pour la retailler. Pour l'installer dans vos carrés, avril est le meilleur mois. Prévoyez un pied par carreau.

CARREAU 8

Les laitues pommées d'hiver attendent patiemment l'augmentation conjointe de la durée du jour et des températures. Surveillez-les ! La pomme prendra du volume entre février et avril, qui sont les mois de cueillette. En cueillant un pied sur deux dans un premier temps, vous permettrez aux pommes maintenues en place de gagner en taille.

UN VOILE D'HIVERNAGE

Recouvrir votre carré d'un voile d'hivernage est un geste simple et peu coûteux mais qui favorise la levée de vos ultimes semis de navette tout en protégeant vos légumes encore – ou déjà – en place comme les épinards, la mâche et les laitues d'hiver. Il s'agit d'une fine toile en polypropylène non tissé (28 ou 30 g/m^2), plus épaisse qu'un simple voile de forçage.

Mais veillez à découvrir régulièrement vos carrés de leur voile d'hivernage si les températures sont douces (au-delà de 5 °C), afin d'aérer vos légumes en culture.

POUR SEMER LA NAVETTE

La graine de navette ressemble à s'y méprendre à celles des divers choux et navets dont elle est d'ailleurs très proche. Son semis est d'une simplicité confondante.

1. Préparez grossièrement le sol par un simple coup de griffe et nivelez la surface.

2. Éparpillez les graines à la volée de façon homogène et griffez légèrement le sol pour les enfouir très superficiellement.

3. Enfin, tassez à la main ou en vous aidant d'une planchette et arrosez en pluie.

Un voile d'hivernage suffit le plus souvent pour permettre une levée uniforme de la graine, même au cœur de l'hiver.

L'hysope est une précieuse condimentaire de la famille des Labiées, très appréciée dans les carrés potagers.

PLAN DU CARRÉ DE MARS ET AVRIL

1 Pois mangetout (semis)	2 Chou-rave 'Logo' (6 plants)	3 Ciboulette (vivace)
4 Laitue de printemps variété 1 (6 plants)	5 Cerfeuil frisé (semis)	6 Radis long de printemps (semis)
7 Hysope (vivace arbustive)	8 Carotte nantaise (semis)	9 Laitue de printemps variété 3 (6 plants)

LISTE DES PLANTES **DE MARS ET AVRIL**

- Carotte nantaise (0,3 g à 0,4 g)
- Cerfeuil frisé (0,3 g)
- Chou-rave 'Logo' (6 plants)
- Laitue de printemps, variété 1 (6 plants)
- Laitue de printemps, variété 3 (6 plants)
- Pois mangetout (3 x 10 graines)
- Radis long de printemps (2 g)

CARREAU 1

Après avoir débarrassé d'un coup de griffe le carreau des petites pousses de navette et affiné la terre, ouvrez trois poquets dans lesquels vous disposerez à chaque fois environ dix graines de petits pois. Mars est souvent frais et les pois mangetout sont avec les pois ronds (non ridés) les plus tolérants au froid. Optez pour une variété à rames comme 'Carouby de Maussane' ou 'Géant suisse', plus productive que les cultivars nains ou demi-nains.

CARREAU 2

Un coup de griffe vous permettra de mélanger au sol en place le compost placé en surface pendant l'hiver. Repiquez alors six plants de choux-raves à 10-15 cm de distance les uns des autres. Optez pour une variété comme 'Logo', peu sensible aux fraîcheurs printanières et rapide à former sa rave. Suivez sa culture avec attention car les choux-raves doivent croître sans à-coups de végétation pour rester tendres.

CARREAU 3

Première condimentaire à pointer ses feuilles, la ciboulette, qui est une vivace, se cueille régulièrement à partir de mars, au fur et à mesure de vos besoins.

CARREAU 4

Mars et avril sont les meilleures mois pour repiquer vos laitues pommées. Prévoyez six plants en minimottes par carreau. Débutez la cueillette dès que les pommes commencent à prendre du volume. Prévoyez de quatre à six semaines entre la plantation et les premières récoltes.

CARREAU 5

Comme la croissance du cerfeuil est rapide et qu'il demande peu d'entretien, il pourra être semé dans le carreau du milieu. Cette plante de la famille des Apiacées à la délicieuse saveur anisée préparera le terrain pour les haricots grimpants qui devront attendre les premières fortes chaleurs de mai pour être semés.

CARREAU 6

Récoltez les dernières feuilles d'épinard jusqu'à l'apparition des premières ébauches de montées à fleurs. Arrachez alors les pieds et préparez finement le terrain à la griffe afin d'accueillir un semis de radis longs de printemps. Prévoyez 200 graines environ, soit le cinquième d'un sachet standard de 10 g (2 g). Dès que leurs racines sont assez développées, commencez la cueillette. Comptez là aussi une moyenne de quatre à six semaines entre le semis et la récolte.

CARREAU 7

Retaillez très court votre pied d'hysope (vivace arbustive) qui redémarrera vigoureusement et de façon touffue dès le mois de mai.

CARREAU 8

Une fois vos laitues d'hiver cueillies, affinez votre sol à la griffe, nivelez et semez vos carottes nantaises. Prévoyez environ 300 graines par carreau, soit le quinzième d'un sachet standard de 5 g. Un semis précoce vous mettra par ailleurs à l'abri des dégâts de la mouche de la carotte dont le vol ne débutera sérieusement qu'à la fin du mois d'avril. Au besoin, recouvrez-les d'un voile anti-insectes qui vous mettra totalement à l'abri des méfaits de ce parasite.

VEILLEZ À...

remplacer dès les premiers beaux jours sur vos jeunes semis ou repiquages les voiles d'hivernage par des **voiles de forçage**, plus fins et moins opaques (17 g/m^2).

POIS RONDS, RIDÉS ET MANGETOUT

Les variétés naines de petits pois ne dépassent pas 40 à 70 cm de haut alors que les variétés à rames – de loin les plus productives – atteignent 1,50 m. Si un support en culture est bienvenu chez les premières, il devient indispensable pour les secondes. Leurs fleurs blanches ou pourpres évoluent rapidement en gousses droites ou plus ou moins arquées, de couleur verte en général, parfois jaune ou violette. Longues d'une dizaine de centimètres, elles contiennent huit à dix graines rondes et lisses chez certaines variétés, rondes et ridées chez d'autres. Si les premières sont moins sucrées et de texture plus farineuse, elles sont aussi plus résistantes au froid et peuvent se mettre en terre dès le mois de mars (avril pour les pois ridés). Les variétés dites «mangetout» présentent indifféremment des grains ronds ou ridés. Mais comme la paroi de leurs gousses conserve une texture tendre, elles sont consommées entières, avant même le développement des grains.

CARREAU 9

Diversifiez au maximum le repiquage de vos variétés de laitues de printemps : la disponibilité est importante et vous n'avez que l'embarras du choix. 'Appia', 'Rouge grenobloise', 'Mathilda', 'Nadine', 'Du Bon Jardinier' ou 'Dorée de printemps' sont des laitues de printemps, toutes de croissance rapide et sans surprise. Prévoyez six minimottes par carreau de 40 cm de côté. Cueillez-les au fur et à mesure de leur développement et de vos besoins.

PLAN DU CARRÉ DE MAI

1 Pois mangetout	2 Chou-rave 'Logo'	3 Ciboulette (vivace)
4 Poivron (1 pied)	5 Haricot filets à rames 'Fortex' (semis)	6 Tomate variété 1 (1 pied)
7 Hysope (vivace arbustive)	8 Carotte nantaise	9 Coriandre (semis)

LISTE DES PLANTES **DE MAI**

- Coriandre (1 g)
- Haricot filets à rames 'Fortex' (env. 30 graines)
- Poivron (1 pied)
- Tomate (1 pied)

Commencez par prélever les carottes les plus avancées et comblez les trous après chaque arrachage avec une poignée de compost.

CARREAU 1

Cueillez les jeunes gousses de pois mangetout au fur et à mesure de leur apparition et ne les laissez pas mûrir : la production en sera meilleure et leur saveur plus fine. Deux ou trois passages permettront d'optimiser votre récolte.

CARREAU 2

Cueillez vos raves dès qu'elles atteignent la taille d'une balle de tennis et préparez de suite le terrain pour la culture suivante.

CARREAU 3

Coupez régulièrement vos ciboulettes sans les laisser monter à fleurs. Ce n'est pas que ces petites ombelles rose violacé ne soient pas belles – elles sont par ailleurs comestibles – mais elles bloqueraient l'apparition de nouvelles pousses et limiteraient les récoltes.

CARREAU 4

Une fois les laitues récoltées, installez dans le carreau regarni de quelques belles poignées de compost un pied de poivron. Les poivrons se développent souvent vigoureusement dans les carrés de culture dont ils apprécient le substrat riche et humifère. Prévoyez la mise en place d'un tuteur en bambou d'environ 1,20 m de haut qui leur évitera de s'affaisser sous le poids des fruits.

CARREAU 5

Dès les premières températures un peu élevées de mai, votre cerfeuil jaunira. Sa décoloration marque le moment de passer le relais aux haricots pour qui la chaleur est indispensable. Dans votre culture en carrés, optez pour une variété grimpante comme 'Fortex', beaucoup plus productive et sur une plus longue période, que les variétés naines. Prévoyez comme support des tuteurs en bambou d'au moins 2 m de haut.

CARREAU 6

Les radis récoltés, chargez votre carreau d'un généreux volume de compost que vous mélangerez d'un coup de griffe à votre ancien substrat. Installez votre tuteur (minimum 1,80 m) et repiquez un pied de tomate. Le planter dans un carreau de bordure facilitera vos interventions ultérieures (palissage, ébourgeonnement, cueillette).

CARREAU 7

Les jeunes pousses de votre hysope croissent de façon touffue : les premières récoltes peuvent commencer.

CARREAU 8

Veillez à ne pas vous laisser déborder par les adventices dans le carreau de carottes nantaises et, le cas échéant, éclaircissez votre semis. Terreautez et arrosez après chaque intervention pour limiter les risques d'attaques de la mouche des carottes.

CARREAU 9

Affinez le sol après la récolte de vos laitues et semez à la volée 100 graines de coriandre, soit environ le tiers d'un sachet standard de 3 g. Semez dru, et vos premiers éclaircissages assureront vos premières récoltes.

LES VOILES ANTI-INSECTES

Les voiles anti-insectes destinés à préserver vos légumes des indésirables (essentiellement mouches et papillons) ne sont pas toujours aisés à mettre en place au potager classique. En polyamide et très légère, leur maille de 850 microns leur donne un faux air de moustiquaire. Il vous suffira de les déposer sur vos carrés à protéger en les fixant à la hauteur des montants. Ainsi, ni vos choux ni vos carottes ni, plus tard, vos poireaux ne prendront... la mouche.

VEILLEZ À...

apporter à vos **haricots grimpants** des rames suffisamment longues, de 2 m au minimum, de 2,50 m de préférence.

POUR REPIQUER UN PIED DE TOMATE

Ne repiquez pas vos tomates trop tôt, la température du sol devant atteindre au moins 10 °C.

1. Émiettez le sol en place et ajoutez quatre ou cinq poignées de compost, voire des orties fraîches broyées.

2. Installez d'abord votre tuteur – ainsi, vous n'abîmerez pas les racines –, puis repiquez profondément votre pied de tomate en enterrant la tige de 8 à 10 cm. Supprimez les feuilles qui reposent sur le sol.

3. Arrosez copieusement au goulot.

Les premiers palissages et ébourgeonnements n'interviennent que trois semaines après la plantation.

PLAN DU CARRÉ DE JUIN À AOÛT

1	2	3
Laitue d'été variété 1 (6 plants)	Chicorée scarole d'automne (6 plants)	Ciboulette (vivace)
4	**5**	**6**
Poivron	Haricot filets à rames 'Fortex'	Tomate variété 1
7	**8**	**9**
Hysope (vivace arbustive)	Carotte nantaise	Coriandre

LISTE DES PLANTES
DE JUIN À AOÛT

- Chicorée scarole d'automne (6 plants)
- Laitue d'été, variété 1 (6 plants)

CARREAU 1

Six minimottes de laitue d'été remplacent vos petits pois maintenant récoltés et arrachés. Exigeantes en éléments minéraux azotés, toutes les salades – laitues et chicorées – suivent idéalement en culture des plantes de la famille des Fabacées, tels les pois (mais aussi les haricots). Trois ou quatre poignées de compost ancien seront cependant les bienvenues.

CARREAU 2

Les choux-raves récoltés, épandez une petite poignée de compost et repiquez 6 minimottes de chicorées scaroles d'automne comme 'Géante maraîchère' ou 'Boucle d'or'. Arrosez au goulot juste après la plantation. Par la suite, conservez au sol sa fraîcheur par des arrosages réguliers.

CARREAU 3

Si vos touffes de ciboulette ont piètre allure, coupez-les à ras et ne les laissez pas manquer d'eau. Elles redémarreront aussitôt.

CARREAU 4

La récolte de vos poivrons débute vers la mi-juillet et se maintiendra jusqu'aux premières gelées. Cueillez-les régulièrement pour permettre le mûrissement d'un nombre maximum de fruits.

CARREAU 5

Placée au centre du carré, la pyramide formée par les haricots grimpants dérange peu les plantes alentour. Guidez au besoin les jeunes pousses vers leur support. Et pour les cueillir, il n'y a qu'à tendre les bras !

POUR SEMER LES HARICOTS FILETS GRIMPANTS

Particulièrement vigoureux et productifs, les haricots filets grimpants se sèment directement en place.

1. Affinez en profondeur le substrat du carreau destiné à recevoir vos graines et égalisez-le en surface.

2. Installez vos tuteurs – veillez à ce qu'ils soient suffisamment longs – que vous attacherez « en tipi » dans leur partie supérieure.

3. Ouvrez au pied de chaque tuteur un poquet en forme de demi-lune dans lequel vous déposerez environ 10 graines de haricot à 3 cm de profondeur. Recouvrez les graines avec le substrat de vos carrés et arrosez en pluie avec votre arrosoir muni de sa pomme.

Les plus beaux pieds de haricots sont ceux qui germent très rapidement, les jeunes plantules devant apparaître quelques jours après le dépôt des graines au fond du poquet.

CARREAU 6

Palissez vos tomates et ébourgeonnez-les régulièrement. Les premières cueillettes débutent vers la mi-juillet, avec le rougissement des premiers fruits du bouquet inférieur, et se poursuivront jusqu'à fin septembre, plus longtemps si l'arrière-saison est belle.

CARREAU 7

Si vous souhaitez faire sécher vos feuilles et jeunes rameaux d'hysope, prélevez-les avant la floraison. Maintenez malgré tout quelques rameaux intacts car il serait dommage de ne pas profiter de la belle floraison couleur azur de cette surprenante plante condimentaire. La cueillette des toutes jeunes pousses à saveur fortement mentholée pourra se poursuivre jusqu'au cœur de l'automne.

L'AZOTE

L'azote est un élément nutritif essentiel à toutes les plantes. C'est habituellement la décomposition de la matière organique qui fournit aux végétaux ce précieux stimulant de croissance. Mais certaines plantes, essentiellement celles de la famille des Fabacées – fèves, pois, haricots –, sont naturellement capables de synthétiser l'azote atmosphérique qu'elles mettent alors à la disposition des plantes voisines ou de celles qui les succèdent en culture. Une aide agronomique venue du ciel, en quelque sorte !

CARREAU 8

La récolte des « nantaises » débutent en été. Prélevez à chaque récolte les carottes les plus volumineuses. Une fois les racines sorties de terre, terreautez (c'est-à-dire saupoudrez de terreau ou de compost ancien) et arrosez pour éviter que la mouche de la carotte, attirée par l'odeur caractéristique de cette Apiacée, ne vienne pondre au collet des racines restantes.

CARREAU 9

Un éclaircissage progressif permet de récolter des feuilles de coriandre au fur et à mesure de vos besoins. Conservez intacte une dizaine de pousses que vous laisserez croître afin que les graines puissent mûrir pour septembre. Par la suite, ne prélevez pas les feuilles sur les pieds destinés à mûrir les graines, leur production en serait considérablement diminuée.

VEILLEZ À...

tuteurer vos pieds de poivrons dont les fruits risqueraient de provoquer l'affaissement en deuxième partie d'été.

PLAN DU CARRÉ DE SEPTEMBRE

1 Chou de Pékin pet saï (6 plants)	2 Chicorée scarole d'automne	3 Ciboulette (vivace)
4 Poivron	5 Haricot filets à rames 'Fortex'	6 Tomate variété 1
7 Hysope (vivace arbustive)	8 Carotte nantaise	9 Coriandre

LISTE DES PLANTES **DE SEPTEMBRE**

- Chou de Pékin pe tsaï (6 plants)

POUR DIVISER LA CIBOULETTE

Dès la deuxième ou troisième année, vos pieds de ciboulette seront assez vigoureux pour être divisés.

1. Coupez-les à ras et déterrez les souches avec votre transplantoir.

2. Séparez-les en trois ou quatre éclats que vous replanterez aussitôt dans un carreau disponible (la ciboulette est particulièrement à l'aise dans un carreau ayant porté une culture de Fabacées).

3. Arrosez copieusement après le repiquage. Si l'arrière-saison est belle, vous pourrez prélever les premières feuilles de vos nouvelles ciboulettes dès cet automne.

Quelques éclats repiqués dans des petits pots et placés à l'intérieur de la maison vous permettront de disposer de ciboulette fraîche en hiver.

CARREAU 1

Vos laitues d'été maintenant récoltées cèdent la place aux choux de Chine. Prévoyez six minimottes par carreau. Ne plantez pas trop tôt ces choux capricieux que la chaleur et la sécheresse font volontiers monter à graines. Fin août, début septembre reste la période idéale pour les mettre en terre.

CARREAU 2

Récoltez les simili-pommes des chicorées au fur et à mesure de leur croissance et de vos besoins.

CARREAU 3

Vous souhaitez diviser vos ciboulettes ? C'est le moment ou jamais pour intervenir. Sinon recoupez-les très court pour permettre une croissance dense des souches jusqu'à la fin de l'automne.

CARREAU 4

Poursuivez vos récoltes de poivrons. Les variétés de couleur jaune ou rouge se colorent encore pendant tout le mois de septembre, pour peu que celui-ci soit bien chaud.

CARREAU 5

Cueillez régulièrement les jeunes haricots filets afin de permettre l'apparition de nouvelles gousses.

CARREAU 6

Cueillez les tomates au fur et à mesure de leur rougissement. Supprimez au fur et à mesure de leur apparition les feuilles noircies par les premières nuits fraîches de septembre.

LA CORIANDRE

La saveur âpre des feuilles fraîches de coriandre n'est pas appréciée de tout le monde mais celle de ses graines font l'unanimité. Elles prennent en séchant un goût piquant et sucré, proche de celui de l'écorce d'orange. Contrairement à la plupart des autres graines condimentaires (anis, cumin, carvi, etc.), leur saveur se bonifie avec l'âge et ce sont les graines les plus âgées qui dégagent le parfum le plus agréable. Coupez vos hampes parvenues à maturité et déposez-les sur une feuille de papier pour en récupérer les graines.

VEILLEZ À...

cueillir délicatement vos haricots filets sans nuire à la plante ni aux jeunes fleurs afin de prolonger au maximum vos cueillettes. Tirez sur les gousses d'une main et maintenez fermement la plante de l'autre.

CARREAU 7

Continuez à récolter les jeunes pousses à saveur camphrée de votre hysope.

CARREAU 8

Récoltez les dernières carottes d'été et épandez trois ou quatre poignées de compost ancien. Affinez le carreau à la griffe afin de repiquer vos futures laitues d'hiver.

CARREAU 9

Les fruits de votre coriandre mûrissent. Attendez qu'ils se colorent en brun pour les récolter. Soutenez les pousses avec des tuteurs pour éviter qu'elles ne s'affalent.

Les haricots grimpants produisent énormément et leur cueillette est particulièrement aisée.

PLAN DU CARRÉ D'OCTOBRE ET NOVEMBRE

1 Chou de Pékin pet saï	2 Chicorée scarole d'automne	3 Ciboulette (vivace)
4 Poivron (1 pied)	5 Haricot filets à rames 'Fortex'	6 Épinard (semis)
7 Hysope (vivace arbustive)	8 Laitue pommée d'hiver (6 plants)	9 Coriandre

De développement très rapide, le chou de Pékin est un précieux légume d'automne et d'entrée d'hiver.

LISTE DES PLANTES **D'OCTOBRE ET NOVEMBRE**

- Épinard (2 g)
- Laitue pommée d'hiver 'Val d'Orge' (6 plants)

CARREAU 1

La cueillette des choux pe tsaï se fait au fur et à mesure qu'enflent leurs pommes. Une fois le carreau vidé, épandez en surface une couche de 4 à 5 cm de compost qui permettra au carreau de patienter jusqu'aux semis et repiquages du printemps prochain.

CARREAU 2

Même si les premières gelées n'incommodent pas vraiment les chicorées scaroles d'automne, ne tardez pas trop à les récolter. La pose d'un voile de protection vous permettra de poursuivre vos récoltes jusqu'à Noël au moins.

CARREAU 3

Prélevez les feuilles filiformes de votre ciboulette jusqu'aux premières gelées, qui sonneront le glas de vos cueillettes.

CARREAU 4

Cueillez vos poivrons régulièrement et avant les premières gelées, qui seront fatales en même temps à la plante et aux fruits.

CARREAU 5

Poursuivez vos récoltes de haricots jusqu'à ce que les premières nuits fraîches d'automne y mettent un

L'AUTOMNE AU POTAGER

Les premières gelées d'automne transformeront la physionomie de votre jardin. Ne vous laissez pas surprendre et anticipez la récolte des légumes-fruits gélifs comme les tomates, les aubergines et les poivrons qui pourront achever leur maturation à l'intérieur de la maison. Sans être vraiment rustiques, certains légumes sont peu incommodés par les premières gelées blanches et même, parfois, les apprécient. Ainsi, nombre de Brassicacées – dont la plupart des choux, y compris les pe tsaï – adoucissent leur saveur avec les premiers frimas. D'autres comme les panais, dont les racines attendront d'ailleurs les premiers froids pour transformer leur amidon en sucre, pourront se maintenir dans vos carrés pendant toute la mauvaise saison.

POUR RÉCOLTER LES GRAINES DE CORIANDRE

La saveur d'agrumes des graines de coriandre est appréciée dans les plats salés (farces, courts-bouillons, ragoûts) ou sucrés (pâtisseries, confitures, liqueurs).

1. Coupez les ombelles à maturité et faites-les sécher à l'ombre dans un local aéré.

2. Récupérez à la main les fruits de couleur brun clair à l'aspect de graines (il s'agit en fait de baies de 3 à 4 mm de diamètre contenant chacune deux graines hémisphériques).

3. Rangez-les dans une boîte hermétique afin de préserver leur arôme.

Rien ne vous empêche de récupérer une partie de ces graines pour les ressemer l'année prochaine. Elles conserveront même leur pouvoir de germination pendant cinq ou six ans.

terme. Arrachez alors vos pieds et stockez vos rames de bambou jusqu'au printemps prochain. Une poignée de graines de navette, semée et enfouie, permettra au carreau de patienter jusqu'au printemps prochain.

CARREAU 6

Avant même les premières gelées, votre pied de tomate perd de sa superbe avec le noircissement de ses feuilles et son dépérissement. Une fois arraché, il cédera la place à un semis d'épinard qui se satisfera des reliquats fertilisants que lui aura laissés la généreuse «pomme d'amour». Contentez-vous d'aérer et d'affiner le sol de votre carreau avant le semis.

CARREAU 7

Les pousses de votre hysope peuvent se récolter très tard, souvent jusqu'au cœur de l'hiver.

CARREAU 8

Une fois vos dernières carottes cueillies, installez six minimottes de laitues d'hiver. Un léger apport de compost sera apprécié par les nouvelles occupantes de votre carreau. Vous en récolterez les pommes au printemps de l'année prochaine.

CARREAU 9

La maturité des graines de coriandre coïncide avec le dépérissement des pieds. Récupérez-les, puis maintenez-les au sec et à l'abri de la lumière. Ces graines à saveur d'agrumes vous permettront d'aromatiser cet hiver vos plats salés et sucrés.

VEILLEZ À...

cueillir vos dernières tomates encore vertes. Enveloppées dans une feuille de papier journal. Elles concentreront leurs émanations d'éthylène qui favoriseront leur rougissement post-récolte.

Carré de juin à août

LE CARRÉ N°2

Une dizaine de légumes en plusieurs variétés de laitues, de chicorées et de tomates ainsi que cinq espèces condimentaires, vivaces et annuelles, se succèdent dans ce second carré. La diversité est de règle, mais l'équilibre est réalisé entre plantes hautes et plantes basses comme entre les légumes à fortes exigences et ceux à faibles exigences. Dans le carré sera testée en production printanière une variété de moutarde de Chine – 'Métis' – à feuillage fin et très découpé.

PLAN DU CARRÉ DE DÉCEMBRE À FÉVRIER

1 Laitue pommée d'hiver	2 Lavande officinale (vivace arbustive)	3 Navette en engrais vert (semis)
4 Épinard	5 Compost en surfaçage	6 Épinard
7 Estragon (vivace)	8 Compost en surfaçage	9 Arroche rouge (semis)

LISTE DES PLANTES **DE DÉCEMBRE À FÉVRIER**

- Arroche rouge (1 g)
- Épinard (4 g semés en automne)
- Estragon, vivace (1 pied en place)
- Laitue pommée d'hiver (6 plants en place)
- Lavande officinale, vivace arbustive (1 pied en place)
- Navette en engrais vert (1 poignée de graines)

CARREAU 1

Six minimottes de laitues d'hiver garnissent le premier carreau. Elles seront bonnes à cueillir au printemps prochain. Pendant les périodes les plus froides, un voile d'hivernage recouvrant la totalité du carré sera le bienvenu.

CARREAU 2

La lavande officinale, qui est une plante vivace arbustive, recouvre tout le carreau. Retaillée cet été après la floraison, elle a développé de nombreuses jeunes pousses que vous pourrez récolter pendant tout l'hiver. Ce n'est pas une plante alimentaire de première importance, mais son arôme puissant éloigne de vos carrés nombre de ravageurs, et le nectar de ses fleurs attire en été les précieux auxiliaires de culture.

CARREAU 3

Malgré la saison avancée, la navette peut encore germer pour peu que l'entrée de l'hiver soit douce. Cependant en cas de températures trop basses ou même négatives, contentez-vous d'épandre 4 à 5 cm de compost sur ce carreau, comme vous le faites sur les carreaux 5 et 8.

LES LAITUES D'HIVER

Les laitues d'hiver étaient jadis très populaires. Elles sont aujourd'hui fortement concurrencées par les premières laitues de printemps, disponibles chez les horticulteurs sous forme de minimottes souvent dès la fin février. Les deux, laitues d'hiver et laitues de printemps, se récoltent alors à peu près à la même époque – avril – avec malgré tout un léger avantage d'une quinzaine de jours pour les laitues d'hiver. Par ailleurs, les laitues d'hiver restent pour le jardinier un précieux légume «hivernant» qui évitera à ses carrés de se retrouver dégarnis, «une fois la bise venue».

POUR SEMER L'ARROCHE

Légume précoce et rustique, l'arroche germe très tôt et n'est que rarement incommodée par les dernières gelées de printemps.

1. Contentez-vous d'affiner grossièrement le sol de votre carreau et de le niveler à la griffe.

2. Déposez à la surface du carreau les grosses graines d'arroche munies d'une large bractée qui en rend la manipulation aisée.

3. Griffez légèrement, tassez et arrosez en pluie.

La levée se fait sous 3 semaines et plusieurs semis d'arroche peuvent se suivre en saison. Cependant, ce sont les premières récoltes qui sont toujours les plus estimées.

CARREAU 4

Flanquées à leur droite par l'estragon et à leur gauche par la laitue d'hiver dont ils apprécient la présence, les feuilles d'épinard seront récoltées dans les semaines à venir.

CARREAUX 5 ET 8

Comme ces carreaux accueilleront respectivement en mars la roquette et la moutarde de Chine, évitez de semer de la navette et contentez-vous de les surfacer avec un compost ancien.

CARREAU 6

L'épinard supporte stoïquement les grands froids. Si décembre est doux, la croissance se poursuit et une petite récolte est possible. Mais lui aussi appréciera pendant les grands froids la protection d'un voile d'hivernage.

CARREAU 7

L'estragon, plante vivace dont les rameaux aériens ont été brûlés par les premières gelées, s'est maintenant retiré sous terre. La souche de cette aromatique frileuse nécessite une petite protection contre le froid pendant la période hivernale.

VEILLEZ À…

protéger du froid votre souche d'estragon par une «taupinière» de compost de 20 cm de haut environ. Quoique sommaire, cette protection suffit pour lui faire passer l'hiver sans dommage.

CARREAU 9

L'arroche est accommodante et s'accorde avec tout le monde, y compris l'épinard, qui est pourtant sinon un frère du moins un cousin botanique. Semez-la dru en prévoyant environ 300 graines par carreau de culture, soit environ le tiers d'un sachet de graines standard de 3 g. N'hésitez pas à la semer tôt car les jeunes pousses du début du printemps sont les plus douces et les plus appréciées.

PLAN DU CARRÉ DE MARS ET AVRIL

1 Laitue de printemps variété 2 (6 plants)	2 Lavande officinale (vivace arbustive)	3 Pois à grain rond (semis)
4 Cresson alénois (semis)	5 Roquette cultivée (semis)	6 Laitue de printemps variété 3 (6 plants)
7 Estragon (vivace)	8 Test Moutarde de Chine 'Métis' (semis)	9 Arroche rouge

LISTE DES PLANTES **DE MARS ET AVRIL**

- Cresson alénois (1 g)
- Laitue de printemps, variété 2 (6 plants)
- Laitue de printemps, variété 3 (6 plants)
- Moutarde de Chine 'Métis' (0,4 g environ)
- Pois à grain rond (30 à 35 graines)
- Roquette cultivée (0,4 g environ)

CARREAU 1

Une laitue de printemps qui suit immédiatement en culture une laitue d'hiver ? Pourquoi pas... Les laitues sont des plantes peu exigeantes et leur culture printanière est sans souci. Contentez-vous avant la plantation de mélanger trois ou quatre poignées de compost ancien au sol destiné à recevoir vos six minimottes de laitues.

CARREAU 2

Retaillée l'année dernière après sa floraison, la lavande a développé en fin d'automne une nouvelle pousse qui lui a permis de conserver un port dense et uniforme. Chaque jeune pousse développée en automne portera cet été un épi floral.

CARREAU 3

Les variétés de pois « ronds » (qui s'opposent par là aux pois « ridés ») sont plutôt tolérantes au froid. C'est eux qu'il faudra réserver pour les premiers semis. Optez pour des variétés à rames comme l'antique 'Roi des conserves' qui s'élève à 1,40 m de haut. Elles nécessitent peut-être un tuteurage, mais seront bien plus productives que les variétés basses.

CARREAU 4

Les épinards arrachés et consommés, un semis de cresson alénois occupera la place avant le repiquage en mai des poireaux d'automne. Prévoyez environ 500 graines de cresson soit le vingtième d'un sachet standard de 20 g. Évitez de semer votre cresson dans un carreau situé au centre de votre carré car sa croissance rapide requiert une cueillette régulière et des arrosages suivis.

CARREAU 5

La roquette cultivée est certes de la même famille botanique que le cresson alénois mais leur entretien, en particulier leur arrosage, est identique. En les semant dans des carreaux contigus vous faciliterez leur suivi en eau. Deux ou trois passages suffiront pour cueillir les feuilles à saveur épicée de la roquette. Par ailleurs, tous deux étant très éphémères en culture, ils n'auront pas vraiment le temps de s'incommoder l'un l'autre.

CARREAU 6

Les épinards arrachés, repiquez six minimottes d'une belle variété de laitue de printemps après avoir mélangé trois ou quatre volumineuses poignées de terreau au carreau.

CARREAU 7

Les pousses d'estragon qui pointent maintenant permettent une première récolte. C'est également la meilleure époque pour multiplier cette vivace en prélevant trois éclats que vous replanterez ailleurs.

CARREAU 8

La moutarde de Chine fait partie de ces Brassicacées qui se contentent de températures faibles pour germer et se développent ensuite très rapidement. Elle permettra d'occuper le carreau avant les grandes mises en place du mois de mai. Prévoyez environ 200 graines, soit 0,3 à 0,4 g, ce qui correspond au cinquième d'un sachet standard de 2 g.

CARREAU 9

Semée dru, l'arroche permet trois ou quatre récoltes successives de jeunes pousses au printemps. Après la dernière récolte, apportez trois ou quatre poignées de compost ancien que vous mélangerez au sol d'un coup de griffe pour accueillir votre pied de courgette dès le milieu de mai.

LA MOUTARDE DE CHINE 'MÉTIS'

Testez cette année la moutarde de Chine 'Métis' qui est une condimentaire à salade peu répandue, à saveur agréable et piquante. Ses feuilles de couleur rouge-pourpre vif et très profondément découpées, qui se récoltent un mois après leur semis, en font une très intéressante culture de transition entre deux conduites plus longues. Originale par sa forme, sa couleur et sa saveur, elle rehausse au printemps le goût des salades mélangées.

POUR SEMER LE CRESSON ALÉNOIS

De croissance rapide et de culture facile, le cresson peut se semer toute l'année ou presque. Mais c'est au printemps que sa présence au jardin est le plus appréciée.

1. Préparez votre carreau en aérant la terre d'un coup de griffe.

2. Nivelez grossièrement et déposez les graines sur le sol de la façon la plus homogène possible.

3. Enfouissez les graines avec la griffe, à 1 cm de profondeur environ, tassez énergiquement et arrosez copieusement.

Les premiers germes apparaissent souvent 48 heures après le semis et la récolte débute moins de 15 jours plus tard.

PLAN DU CARRÉ DE MAI

1 Tomate-cerise (1 pied)	2 Lavande officinale (vivace arbustive)	3 Pois à grain rond
4 Poireau d'automne (25 pieds)	5 Chicorée scarole d'été (6 plants)	6 Tomate variété 2 (1 pied)
7 Estragon (vivace)	8 Céleri-rave (6 plants)	9 Courgette variété 1 (1 pied)

LISTE DES PLANTES
DE MAI

- Céleri-rave (6 plants)
- Chicorée scarole d'été (6 plants)
- Courgette, variété 1 (1 pied)
- Poireau d'automne (25 pieds)
- Tomate, variété 2 (1 pied)
- Tomate-cerise (1 pied)

POUR REPIQUER LES POIREAUX

La culture des poireaux s'étale sur de nombreux mois. Ce légume savoureux apprécie énormément les sols frais, meubles et riches en matière organique des potagers en carrés.

1. Ameublissez le carreau à la griffe après un copieux apport organique, compost ancien ou fumier composté.

2. Habillez vos poireaux, c'est-à-dire coupez les racines à 1 cm du fût et rabattez le feuillage presque jusqu'au blanc.

3. Ouvrez un trou de 10 cm de profondeur environ avec l'index et le majeur réunis et faites-y glisser le plant de poireau. Bornez (c'est-à-dire comprimez la terre à hauteur du pied). Poursuivez la plantation et, une fois celle-ci achevée, arrosez au goulot.

Le poireau, qui appartient à la famille des Alliacées, est un répulsif apprécié pour éloigner la mouche de la carotte.

CARREAU 1

Réservez votre week-end du 8 mai pour mettre en place vos tomates-cerises (ou le week-end du 1er mai si l'année est précoce, celui du 16 mai si elle est tardive). Chaque carreau accueillera un pied unique. Comme ces légumes-fruits requièrent un suivi important tant pour l'arrosage que pour le tuteurage, le pincement et la récolte, ne les installez pas au centre du carré.

CARREAU 2

La lavande prépare sa floraison et ne demande actuellement pas d'attention particulière.

CARREAU 3

Cueillez régulièrement vos gousses de petits pois afin d'en prolonger la floraison et la fructification. Les pieds ne seront arrachés qu'une fois parvenus en fin de production.

CARREAU 4

Le cresson alénois produit abondamment mais pendant peu de temps. Quatre à six semaines après le semis, remplacez-le par vingt-cinq pieds de poireaux d'automne après avoir regarni le carreau d'un apport conséquent de compost de manière à satisfaire l'appétit insatiable de ces Alliacées.

CARREAU 5

Prélevez une dernière fois vos feuilles de roquette et remplacez-les par 6 minimottes de chicorées scaroles. Hormis leur suivi en eau, celles-ci ne demanderont pas d'entretien cet été. Vous pourrez donc les installer au centre du carré.

CARREAU 6

Une fois vos laitues de printemps cueillies, griffez le sol et apportez quatre ou cinq belles poignées de compost pour planter un pied de tomate. Plantez votre tuteur au milieu du carreau et déposez la tomate à son pied. Arrosez abondamment après la plantation.

CARREAU 7

Le seul effort que vous demandera votre estragon cet été, c'est d'en cueillir les rameaux à fur et à mesure de vos besoins.

CARREAU 8

Dès les premières chaleurs, la moutarde de Chine 'Métis' arrive au terme de sa production. Préparez votre carreau d'un coup de griffe, arrachez les amas racinaires de votre ancienne culture et ajoutez quatre ou cinq belles poignées de compost ancien. Ameublissez l'ensemble et repiquez six minimottes de céleris-raves qui trouveront facilement leur place cet été entre les chicorées scaroles, l'estragon et la future courgette.

CARREAU 9

De même ne ménagez pas l'apport de compost dans le carreau destiné à recevoir votre pied de courgette après récolte des dernières arroches. Videz le carreau des jeunes pousses et des racines qu'il contient encore, ajoutez quatre ou cinq poignées de compost et mélangez-le de façon homogène avec le substrat ancien. N'installez pas votre pied de courgette au milieu du carreau mais décalez-le à 10 cm environ du coin du carré. Ainsi, ses grandes et larges feuilles incommoderont peu leurs voisines, céleris-raves, chicorées et tomates, qui apprécient de croître dans une ambiance aérée.

LES TUTEURS POUR TOMATES

Quels types de tuteurs utiliser pour vos tomates ? Les tuteurs torsadés en métal sont très pratiques puisqu'ils suppriment le palissage de votre pousse : il suffit de guider le rameau en croissance dans la torsade. Cependant, ils ont tendance à s'affaisser sous le poids des fruits en fin de culture. Les tuteurs en bois – à moins de les choisir en châtaignier ou en acacia – sont solides mais éphémères. Les tuteurs en bambou sont disponibles partout, peu onéreux, durables et faciles à piquer profondément dans le sol. Choisissez-les d'une longueur de 1,80 m au moins.

VEILLEZ À...

ne pas mettre la charrue avant les bœufs et à bien piquer votre **tuteur** en place, avant de planter vos pieds de tomates.

Les poireaux sont très à l'aise dans les sols humifères et riches des carrés de culture.

PLAN DU CARRÉ DE JUIN À AOÛT

1 Tomate-cerise	2 Lavande officinale (vivace arbustive)	3 Chicorée frisée d'automne (6 plants)
4 Poireau d'automne	5 Chicorée scarole d'été	6 Tomate variété 2
7 Estragon (vivace)	8 Céleri-rave	9 Courgette variété 1

LISTE DES PLANTES **DE JUIN À AOÛT**

- Chicorée frisée d'automne (6 plants)

CARREAU 1

Tuteurez et pincez régulièrement vos tomates-cerises en croissance. La tomate pousse vigoureusement en début de culture : arrosez-la fréquemment jusqu'au rougissement des premiers fruits et espacez ensuite vos apports.

CARREAU 2

La lavande pointe maintenant ses fleurs qui vont attirer une multitude d'insectes nectarifères comme les syrphes et les chrysopes dont les larves sont particulièrement voraces en pucerons.

CARREAU 3

Dès la fin de la cueillette de vos ultimes petit pois, arrachez-en les pieds et remplacez-les par six mini-mottes de chicorées frisées qui succéderont avec bonheur à ces plantes de la famille des Fabacées.

CARREAU 4

Un voile anti-insectes posé à même les jeunes tiges de poireaux permettra de limiter les dégâts conjugués des redoutables mouches et teignes du poireau en été.

CARREAU 5

Arrosez régulièrement vos chicorées scaroles mais attendez que le dessus du substrat sèche avant de renouveler votre apport d'eau. Récoltez ces salades au fur et à mesure de leur croissance et de vos besoins.

CARREAU 6

Tuteurages, pincements et arrosages se poursuivent sur vos tomates au moins jusqu'à l'apparition des premiers fruits.

CARREAU 7

Continuez à cueillir votre estragon. Les jeunes pousses en croissance portent des feuilles plus odorantes et de goût plus délicat que les rameaux déjà anciens.

CARREAU 8

Les céleris-raves ont hérité de leur ancêtre sauvage, l'ache des marais (*Apium graveolens*), des besoins importants en eau. Arrosez-les très régulièrement sans jamais laisser se dessécher le sol qui les porte.

CARREAU 9

Cueillez régulièrement vos courgettes sans les laisser grandir : de nouveaux fruits apparaîtront alors d'autant plus facilement. Supprimez les feuilles au fur et à mesure qu'apparaissent les désagréables ponctuations blanches de l'oïdium.

POUR PLANTER LES CHICORÉES FRISÉES

Fraîches et amères, ces excellentes salades d'été (et même d'automne) investissent volontiers les potagers en carrés.

1. Ameublissez le substrat de votre carreau de culture après l'avoir débarrassé des reliquats de l'ancienne culture. Trois ou quatre poignées de compost ancien seront prisées par ces légumes-feuilles qui apprécient les substrats frais et riches en humus.

2. Posez uniformément vos minimottes de chicorées sur votre carreau, puis repiquez-les en veillant à ne pas trop enterrer le collet.

3. Débarrassez votre arrosoir de sa pomme et arrosez copieusement au goulot.

Ces salades estivales sont bien moins sensibles à la montée à graines en été que les laitues, même celles dites « d'été ».

ÉBOURGEONNER LES PIEDS DE TOMATES

Pour les variétés de tomates à port indéterminé, de loin les plus courantes, supprimez régulièrement les bourgeons qui se développent à l'aisselle des feuilles. Attention à ne pas les confondre avec les grappes de fleurs qui, elles, apparaissent toujours sur la tige principale à hauteur des entre-nœuds. La suppression des jeunes pousses axillaires se fait de façon suivie pendant les six premières semaines de culture au moins, plus occasionnellement ensuite.

En récoltant quotidiennement vos courgettes au plus fort de l'été, elles seront bien plus savoureuses et les productions ultérieures ne s'en trouveront pas compromises.

PLAN DU CARRÉ DE SEPTEMBRE

1 Tomate-cerise	2 Lavande officinale (vivace arbustive)	3 Chicorée frisée d'automne
4 Poireau d'automne	5 Chicorée italienne (6 plants)	6 Tomate variété 2
7 Estragon (vivace)	8 Céleri-rave	9 Courgette variété 1

LISTE DES PLANTES **DE SEPTEMBRE**

- Chicorée italienne 'Rouge de Vérone' (6 plants)

CARREAU 1

Le mildiou est de loin l'affection cryptogamique la plus importune pouvant affecter vos tomates. Il se développera moins vite si vous supprimez dès leur apparition les feuilles marquées sur le dessus de taches brunes et irrégulières.

CARREAU 2

Dès la fin de la floraison, coupez les fleurs passées de votre lavande. Les jeunes pousses qui ne tarderont pas à apparaître pourront être cueillies cet automne afin de parfumer agréablement un plat de riz, une soupe de poisson ou vos civets et ragoûts d'automne.

CARREAU 3

Coupez les chicorées frisées d'automne au fur et à mesure de vos besoins. Comme elles sont plantées

POUR REPIQUER LES CHICORÉES 'ROUGE DE VÉRONE'

Légumes peu exigeants et de culture très facile, les chicorées italiennes sont de précieuses salades de troisième saison, à cultiver à partir de fin août et en septembre.

1. Contentez-vous d'affiner et de niveler votre sol à la griffe avant d'y poser vos minimottes (l'apport de quelques poignées de compost ancien est possible sans être indispensable).

2. Repiquez les plants de chicorées et tassez raisonnablement.

3. Arrosez au goulot.

Ces légumes-feuilles très complaisants s'installent après, et à proximité, de tout type de légumes ou condimentaires.

Un sol frais, meuble et riche en humus permet à la grosse racine charnue du céleri-rave d'atteindre une taille conséquente.

VEILLEZ À...

arroser à hauteur du pied vos tomates, aubergines, concombres et courgettes, en évitant de mouiller leurs feuilles afin de limiter les développements d'affections cryptogamiques.

ÉTÊTER UN PIED DE TOMATE

Étêtez maintenant la tige principale des tomates au-dessus du 4e ou 5e bouquet floral. Les jeunes bouquets à fleurs qui naîtraient au-delà n'auraient de toute façon plus le temps de faire mûrir leur fruits.

serrées, leur cœur blanchira spontanément sans que vous ayez à faire quoi que ce soit.

CARREAU 4

Les premiers fûts de poireaux peuvent maintenant se récolter. Ils seront cependant plus savoureux après les premiers froids.

CARREAU 5

Très peu exigeantes, les chicorées de Vérone peuvent suivre vos chicorées scaroles maintenant récoltées. Contentez-vous de rajouter 3 ou 4 poignées de compost avant d'affiner le sol et de mettre en terre 6 minimottes de cette belle chicorée à feuilles rouges.

CARREAU 6

Une fois votre plant de tomate effeuillé par la fraîcheur des premières nuits d'automne, cueillez en vert les derniers fruits avant d'arracher le pied. Affiner la terre et nivelez-la : voilà votre carreau prêt à accueillir de nouveaux semis d'épinard.

CARREAU 7

La cueillette des feuilles et des rameaux d'estragon peut se poursuivre jusqu'en octobre. Ce sont les jeunes pousses qui présentent l'arôme le plus fin.

CARREAU 8

Maintenez les céleris-raves en place. Les premières fraîcheurs de septembre ne les empêcheront pas de poursuivre leur croissance.

Condimentaire et décorative, la lavande est par ailleurs un puissant repoussoir à pucerons.

CARREAU 9

Arrivée en fin de récolte, votre courgette a maintenant piètre allure. Arrachez le pied et affinez à la griffe la terre du carreau pour le préparer à la culture suivante.

PLAN DU CARRÉ D'OCTOBRE ET NOVEMBRE

1 Laitue pommée d'hiver (6 plants)	2 Lavande officinale (vivace arbustive)	3 Chicorée frisée d'automne
4 Poireau d'automne	5 Chicorée italienne 'Rouge de Vérone'	6 Épinard 'Symphonie' (semis)
7 Estragon (vivace)	8 Céleri-rave	9 Roquette cultivée (semis)

LISTE DES PLANTES **D'OCTOBRE ET NOVEMBRE**

- Épinard 'Symphonie' (2 g environ)
- Laitue pommée 'Val d'Orge' (6 plants)
- Roquette cultivée (0,4 g environ)

CARREAU 1

Cueillez vos dernières tomates-cerises encore vertes et maintenez-les à température ambiante à l'intérieur de la maison afin de les faire mûrir. Arrachez le pied et installez six minimottes de laitues pommées d'hiver 'Val d'Orge'.

CARREAU 2

La cueillette des jeunes pousses de lavande se poursuivra pendant tout l'automne et jusqu'au cœur de l'hiver.

CARREAU 3

Le rafraîchissement automnal met les chicorées à l'abri d'une montée à graines. Maintenez-les en place dans le carreau et contentez-vous de les cueillir au fur et à mesure de vos besoins.

CARREAU 4

Les poireaux se cueillent selon vos besoins une fois les premiers froids installés.

CARREAU 5

Laissez croître vos chicorées de Vérone. Même si un voile d'hivernage reste bienvenu pendant la mauvaise saison, ces salades sont bien rustiques et assureront vos récoltes jusqu'à la fin de l'hiver.

La souche de l'estragon disparaît entièrement en hiver pour réapparaître vigoureusement dès le printemps.

ACHE DES MONTAGNES, ANGÉLIQUE OU LAURIER-SAUCE DANS UN CARRÉ POTAGER ?

Toutes les plantes aromatiques peuvent trouver le chemin de vos carrés. Elles y sont même les bienvenues. Mais certaines, comme l'ache des montagnes, l'angélique et même le laurier-sauce, se développent si puissamment qu'elles noieraient les plantes environnantes sous leurs feuilles et leurs rameaux. Il faudrait presque réserver la totalité d'un carré pour chacune d'entre elles.

Il est donc préférable de les installer hors carré, dans une terre riche en matière organique et plutôt à l'ombre pour l'angélique et l'ache des montagnes, en sol léger et au soleil pour le laurier-sauce.

Coupées à 7 ou 8 cm de long et consommées dès la récolte, les jeunes feuilles de roquette conservent une saveur forte et amère qui évoque celle des noix fraîches.

POUR SEMER LA ROQUETTE

Avec sa saveur piquante et épicée, on est en droit de se demander si la roquette est une salade ou une plante condimentaire !

1. Ameublissez le sol en y incorporant trois ou quatre poignées de compost ancien.

2. Déposez la graine en surface et incorporez-la au sol d'un léger coup de griffe.

3. Tassez la surface et arrosez copieusement en pluie, puis régulièrement par la suite.

Sa croissance est rapide, même par temps frais, et les premières feuilles – les plus douces au palais – se cueillent quand elles atteignent 5 à 8 cm de long.

CARREAU 6

Entourés de chicorées et de roquette, les épinards poussent vigoureusement. Un premier éclaircissage vous permettra d'en cueillir les jeunes pousses environ quatre à six semaines après le semis.

CARREAU 7

En fin de période, recouvrez votre souche d'estragon d'une épaisse couche de compost afin de la protéger du froid.

CARREAU 8

Arrachez vos derniers céleris-raves avant les gelées pour les mettre à l'abri en cave.

CARREAU 9

Semez votre graine de roquette qui germera rapidement malgré la fraîcheur des températures automnales. Récoltez les jeunes feuilles de 7 à 8 cm de long au fur et à mesure des besoins. Plus tard, les feuilles racornissent et leur saveur piquante se fait âcre. Les jeunes feuilles sont particulièrement douces quand elles sont consommées dès la récolte.

LE CARRÉ N°3

Carré de juin à août

L'équilibre légumes et condimentaires reste maintenu dans ce carré où se succèdent huit légumes et quatre plantes condimentaires. Les récoltes se poursuivent pendant douze mois. Les laitues et les tomates qui doublent celles des autres carrés sont cultivées dans des variétés différentes. Les légumes-racines, légumes-fruits et légumes-feuilles se succèdent et cohabitent de façon harmonieuse. Un carreau test permettra de mettre en culture cette Solanacée singulière qu'est le tomatillo.

PLAN DU CARRÉ DE DÉCEMBRE À FÉVRIER

1 Navette en engrais vert (semis)	2 Laitue pommée d'hiver	3 Compost en surfaçage
4 Compost en surfaçage	5 Panais (semis)	6 Navette en engrais vert (semis)
7 Navette en engrais vert (semis)	8 Compost en surfaçage	9 Sauge officinale (vivace)

LISTE DES PLANTES **DE DÉCEMBRE À FÉVRIER**

- Laitue pommée d'hiver (6 plants en place)
- Navette en engrais vert (3 poignées de graines)
- Panais (100 graines)
- Sauge officinale, vivace (1 pied en place)

CARREAUX 1, 6 ET 7

Déposez une petite poignée de graines de navette dans chacun des carreaux pour ne pas les laisser vides pour l'hiver. Enterrez légèrement la graine d'un coup de griffe et tassez la surface. Le plus léger redoux leur permettra alors de germer.
Un voile d'hivernage posé sur la totalité du carré facilitera leur germination, tout en préservant du froid les laitues pommées et la sauge.

CARREAU 2

Vos six minimottes de laitues d'hiver attendront patiemment le redoux printanier pour développer leurs pommes.

CARREAUX 3, 4 ET 8

Pour ne pas laisser ces carreaux à nu, déposez en surface 5 cm de compost ancien pour l'hiver. Il est en effet préférable de ne pas semer de navette sur des carreaux destinés à recevoir d'ici à quelques semaines de la roquette ou des radis, tous trois appartenant à la famille botanique des choux. Maintenez la couche de compost en place jusqu'aux prochains semis et repiquages du printemps.

CARREAU 5

Déposez en fin de période environ 100 graines de panais dans le carreau du milieu. Cette Apiacée se maintiendra à la même place pendant près d'un an et ne demandera aucun entretien en saison, si ce n'est un arrosage occasionnel. Veillez, le cas échéant, à distribuer autour de vous les graines de panais excédentaires car leur durée de vie est courte et elles ne se conserveront pas d'une année sur l'autre.

CARREAU 9

La sauge est une vivace qui conserve son feuillage gris bleuté pendant tout l'hiver. Laissez-la en l'état et, selon vos besoins, continuez à prélever des feuilles. Patientez jusqu'au mois de mars pour la retailler très court. Cet été, de nombreux auxiliaires bénéfiques pour vos légumes seront attirés par le nectar de leurs fleurs.

POUR SEMER LE PANAIS

Dès fin février – mais il faut évidemment que le sol soit dégelé – mettez en terre vos graines de panais. Les semis précoces sont en effet les plus réguliers à la levée.

1. Émiettez finement et en profondeur le sol du carreau destiné à recevoir les panais.

2. Posez en surface leurs graines qui sont de larges akènes orbiculaires.

3. Griffez le sol pour les incorporer légèrement, tassez et arrosez en pluie.

Avant d'incorporer les graines au sol en faisant glisser les dents de votre griffe sur la surface du carreau, épandez quelques graines de radis ronds comme 'Raxe' ou 'Gaudry' qui lèveront rapidement et seront récoltés d'ici à cinq ou six semaines, laissant la place au panais de germination beaucoup plus lente.

Les variétés de sauges officinales ornementales – ici, Salvia *'Tricolor' – présentent la même saveur camphrée que celle de l'espèce originelle.*

LES ENGRAIS VERTS

Sans être aussi utiles que dans les jardins classiques, les engrais verts d'automne et d'hiver comme la navette, la moutarde et le colza restent intéressants et faciles à mettre en place dans vos carrés potagers. Ils éviteront les lessivages des éléments fertilisants et protégeront la terre tout en améliorant sa structure. Par-là même, ils vous faciliteront les travaux de préparation du sol du printemps. Ils empêcheront par ailleurs l'implantation des mauvaises herbes pendant la mauvaise saison (certains adventices comme le mouron ou la capselle se développent près de douze mois dans l'année).

PLAN DU CARRÉ DE MARS ET AVRIL

1 Persil frisé (6 plants)	2 Laitue pommée d'hiver	3 Radis rond de printemps (semis)
4 Roquette cultivée (semis)	5 Panais	6 Laitue de printemps variété 1 (6 plants)
7 Laitue à couper (semis)	8 Radis long de printemps (semis)	9 Sauge officinale (vivace)

LISTE DES PLANTES **DE MARS ET AVRIL**

- Laitue à couper (0,5 g)
- Laitue de printemps, variété 1 (6 plants)
- Persil frisé (6 plants)
- Radis long de printemps (1 g environ)
- Radis rond de printemps (200 graines)
- Roquette cultivée (0,4 g environ)

CARREAU 1

Arrachez les jeunes pousses de navette qui n'ont pas vraiment eu le temps de se développer et ajoutez trois ou quatre poignées de compost ancien. Ameublissez le sol à la griffe en mélangeant le nouveau compost et l'ancien substrat avant de repiquer six minimottes de persil frisé. Bornez énergiquement vos petites mottes et arrosez ensuite au goulot.

CARREAU 2

Vos six laitues d'hiver développeront leurs pommes dès le premier redoux. Quand leurs cœurs gagnent en densité, débutez la récolte.

CARREAU 3

Griffez le sol afin de l'affiner et de mélanger le substrat en place avec le compost épandu pour l'hiver. Déposez environ 200 graines de radis rond en surface et incorporerez-les légèrement au sol d'un coup de griffe. Tassez et arrosez en pluie. Suivant la variété et les conditions météorologiques, les récoltes commencent quatre à six semaines après le semis.

CARREAU 4

L'implantation de la roquette ressemble en tout point à celle des radis du carreau précédent : affinez le sol en mélangeant le compost de surface et le substrat ancien, déposez la graine, griffez pour l'incorporer légèrement, tassez et arrosez. La levée est elle aussi très rapide, plus rapide même que celle des radis.

Ses feuilles fortement lobées et à saveur piquante et poivrée se récoltent à partir de la quatrième semaine qui suit le semis.

CARREAU 5

Vos panais ont germé : au besoin, éclaircissez-les à 5 cm. Vos arrosages peuvent maintenant s'espacer dans le temps.

CARREAU 6

Arrachez votre navette et déposez ses feuilles et ses racines sur le tas de compost. Déposez quelques poignées de compost ancien sur le carreau et mélangez le tout à la griffe avant d'y repiquer six minimottes de laitues pommées, que vous arroserez au goulot après la plantation.

CARREAU 7

Procédez de la même façon que pour le carreau 6, mais affinez le sol de façon plus minutieuse en l'égalisant soigneusement et en le nivelant. Semez 200 graines environ de laitues à couper, soit le dixième d'un sachet standard de 5 g. Griffez, tassez et arrosez en pluie.

CARREAU 8

La préparation du sol destinée au semis d'une variété de radis long comme 'Flambo' ou 'Pontvil' est identique à celle d'un carreau recevant une variété de radis rond. Mais la graine d'un radis long doit être enfouie plus profondément, à 1 ou 2 cm environ (la graine des radis ronds est déposée en surface). Après ameublissement du sol, décapez une couche de 1 cm environ de terre. Déposez vos graines et griffez légèrement. Épandez à nouveau la terre meuble prélevée avant le semis. Tassez avec la paume de votre main ou avec une planchette et arrosez abondamment en pluie.

Veillez à bien respecter les profondeurs de semis nécessaires aux radis ronds et longs, sous risque de les voir s'effilocher sans former de racines charnues.

CARREAU 9

Taillez court votre sauge (mais pas sur du bois trop ancien cependant) afin de la faire repousser dense et compacte pour le début de l'été. La sauge se marcotte souvent de façon spontanée. Si c'est le cas, prélevez et repiquez dans des pots les tiges rampantes racinées.

POUR SEMER LES LAITUES À COUPER

Le commerce horticole propose parfois des laitues à couper en jeunes mottes. Mais leur levée en graines est tellement rapide qu'il est préférable de recourir au semis pour récolter en nombre les jeunes feuilles de ces délicieuses petites salades.

1. Ajoutez au substrat en place trois ou quatre poignées de compost ancien et mélangez le tout de façon homogène à l'aide de la griffe.

2. Nivelez la surface avant de déposer les graines de façon uniforme. Faites glisser les dents de votre griffe sur la surface du carreau afin d'enfouir les graines à 2 ou 3 mm de profondeur.

3. Tassez raisonnablement avec la paume de votre main ou une planchette et arrosez en pluie. Par la suite, ne laissez pas se dessécher la surface ensemencée.

Vous pouvez mélanger dans le même carreau des graines de variétés de laitues à couper à feuilles vertes et d'autres à feuilles rouges comme les populaires 'Bowl Verte' et 'Bowl Rouge' : l'effet à la levée sera plus spectaculaire.

PLAN DU CARRÉ DE MAI

1 Persil frisé	2 Tomatillo pourpre (1 pied) (test)	3 Aubergine (1 pied)
4 Coqueret du Pérou (1 pied)	5 Panais	6 Poivron (1 pied)
7 Basilic 'Grand Vert' (3 plants)	8 Tomate variété 1 (1 pied)	9 Sauge officinale (vivace)

LISTE DES PLANTES **DE MAI**

- Aubergine (1 pied)
- Basilic (3 plants)
- Coqueret du Pérou (1 pied)
- Poivron (1 pied)
- Tomatillo pourpre (1 pied)
- Tomate, variété 1 (1 pied)

POUR REPIQUER LES PIEDS DE BASILIC

Attendez les premières nuits douces de fin mai ou début juin pour repiquer le basilic que les températures nocturnes trop fraîches incommodent.

1. Incorporez trois à quatre poignées de compost ancien dans votre carreau et homogénéisez à la griffe le substrat destiné à accueillir vos plants.

2. Ouvrez trois trous de la taille des mottes de basilic avec votre pelle à transplanter et déposez les plants débarrassés de leurs pots.

3. Ramenez la terre autour des pieds de basilic, tassez et arrosez copieusement au goulot.

Il vous suffira de patienter quelques jours avant de commencer vos premières récoltes.

CARREAU 1

Commencez à récolter les feuilles de votre persil frisé maintenant que les pieds ont pris un beau volume. Ne le laissez pas manquer d'eau mais attendez que la surface du carreau sèche pour l'arroser à nouveau abondamment.

CARREAU 2

Votre dernière laitue d'hiver récoltée, pensez à regarnir votre carreau. Le tomatillo est une curieuse « petite tomate » – c'est ce que son nom signifie en Amérique du Sud, sa région d'origine – qui se cultive comme la tomate traditionnelle. Il possède les mêmes exigences en culture et requiert lui aussi le soutien d'un tuteur. Incorporez avant la plantation quelques poignées de compost au substrat en place. En plantant les tomatillos à la même époque que les tomates, leur récolte débutera quasiment en même temps.

CARREAU 3

Une fois vos radis récoltés, repiquez votre aubergine. Ameublissez le sol à la griffe, ouvrez le trou destiné à la motte, complétez-le avec quelques poignées de compost ancien. Repiquez directement votre pied d'aubergine en place et arrosez-le au goulot. Dans la pratique, tomate, tomatillo, aubergine, poivron et coqueret du Pérou se plantent de la même façon, voire le même jour. Pour toutes ces plantes, prévoyez un pied unique par carreau de culture.

CARREAU 4

Attendez que votre roquette monte à fleurs pour l'arracher et la remplacer par un pied de coqueret du Pérou qui rappelle beaucoup le tomatillo et se plante d'ailleurs comme lui. Apportez avant la plantation trois ou quatre poignées de compost ancien.

CARREAU 5

Le panais ne vous demandera aucun suivi jusqu'à sa récolte, si ce n'est un arrosage en période sèche.

CARREAU 6

Le poivron s'apprête souvent en cuisine avec la tomate et l'aubergine et il se cultive comme eux. Votre dernière laitue de printemps cueillie dans le carreau, ameublissez le sol à la griffe en incorporant trois ou quatre poignées de compost ancien. Ouvrez au plantoir un trou de la taille de votre pot de poivron et positionnez votre motte débarrassée de son contenant. Ramenez un peu de terre et bornez énergiquement la motte avant de l'arroser copieusement. Comme pour l'aubergine, le tuteurage n'est pas indispensable mais évitera en deuxième partie de culture le versement de la plante sous le poids de ses fruits (comme pour tous les légumes-fruits, tomates comprises, la fructification s'élève au fur et à mesure des cueillettes et déséquilibre les plants).

CARREAU 7

Le basilic est particulièrement exigeant en chaleur et requiert une mise en place tardive. Vous pouvez donc tranquillement poursuivre vos récoltes de laitues à couper jusqu'à la fin du mois. Si les soirées et les nuits restent fraîches – ce que vos laitues apprécieront –, n'hésitez pas à remettre la plantation de votre basilic au début du mois de juin. Le secret des basilics – le seul de ces condimentaires par ailleurs très complaisantes en culture – c'est leur exigence en chaleur. Prévoyez trois jeunes plants en godets à repiquer dans ce carreau.

L'ARROSAGE

À partir du mois de mai, l'eau devient essentielle dans tous les potagers, ceux en carrés comme les autres. Attention cependant : pour l'arrosage, tout est affaire de mesure. Si l'eau vient à manquer, les plantes « baissent la tête » et perdent en vigueur, bloquant quelquefois leur mise à fruit. Mais trop d'eau, et voilà vos légumes-fruits qui développent leurs feuilles au détriment de leur fructification – quand ce n'est pas leurs racines qui, en pourrissant, provoquent le dépérissement complet de la plante.

VEILLEZ À...

tuteurer tous vos légumes-fruits, les tomates bien sûr, mais aussi les aubergines et les poivrons : les sols riches en matière organique de vos carrés garantissent une récolte conséquente mais aussi une vigueur et une croissance en hauteur plus forte que celle des cultures traditionnelles en pleine terre.

CARREAU 8

Les radis récoltés, ajoutez trois ou quatre poignées de compost à votre carreau et ameublissez-le à la griffe. Piquez d'abord votre tuteur en bambou (minimum 1,80 m), puis installez votre tomate à son pied en enterrant le collet de 5 à 8 cm. Tassez raisonnablement et arrosez au goulot.

CARREAU 9

Récoltez les feuilles de votre sauge, éventuellement les jeunes pousses, au fur et à mesure de vos besoins. Les feuilles de sauge supportent le séchage à l'ombre, mais sont meilleures fraîches.

PLAN DU CARRÉ DE JUIN À AOÛT

1 Persil frisé	2 Tomatillo pourpre	3 Aubergine
4 Coqueret du Pérou	5 Panais	6 Poivron
7 Basilic 'Grand Vert'	8 Tomate variété 1	9 Sauge officinale (vivace)

LISTE DES PLANTES **DE JUIN À AOÛT**

Toutes les plantes étaient déjà présentes dans le carré de mai.

LE TOMATILLO

Le tomatillo ou «petite tomate», mené en culture test est une surprenante Solanacée dont la conduite et les besoins sont celles de la tomate classique. Ses fruits légèrement aplatis, vert à violet selon la variété ('À fruits verts', 'À fruits violets') et de 2 à 7 cm de diamètre, remplissent l'ancien calice de la fleur souvent nervuré de pourpre. Sa pulpe glutineuse sert à préparer une sauce piquante, la fameuse *salsa de tomatillo* ou *salsa mexicana verde*, servie avec des viandes blanches grillées, des saucisses ou des poissons.

CARREAU 1

Poursuivez vos récoltes de persil. Arrosez-le régulièrement mais sans excès.

CARREAU 2

Récoltez vos premiers tomatillos et apprêtez-les en cuisine, en salade ou cuits en sauce ou à la poêle. Si ce légume, qui n'est pas celui de tout le monde, vous convient, il faudra vous en souvenir l'année prochaine lors de l'établissement de votre plan de culture.

CARREAU 3

Les aubergines se cueillent au fur et à mesure de leur développement. Ne les laissez pas trop mûrir, elles gagneraient en âpreté et perdraient en saveur (et par ailleurs limiteraient l'apparition de nouvelles fleurs).

LE PINCEMENT

Le pincement est aux tout jeunes rameaux ce que la taille effective est aux branches matures. Il se fait habituellement avec les ongles de l'index et du majeur – d'où son nom – ou avec des ciseaux ou un sécateur. Il permet le redémarrage de nouvelles pousses et donc davantage de feuilles et de fleurs. Par ailleurs, les pousses jeunes sont le lieu de prédilection pour l'installation de nouvelles colonies de pucerons. En supprimant les pousses, vous limiterez naturellement la prolifération de ces insectes.

PENSEZ À...

installer un mulch de compost sur les carreaux contenant des **légumes exigeants** en eau comme l'aubergine, le poivron, la tomate, le tomatillo et le coqueret.

Comme chez tous les physalis, les baies rondes du tomatillo sont prises dans le curieux calice à texture papier de l'ancienne fleur qui s'est enflé en forme de lampion.

CARREAU 4

Votre coqueret poussera vigoureusement en été mais vos récoltes ne commenceront qu'à partir de septembre car la maturation de ses petites baies est tardive. Sa végétation est souvent ample et confuse. Si cela s'impose, tuteurez-le.

CARREAU 5

Le panais poursuit sa croissance sans demander d'entretien particulier.

CARREAU 6

Vos premiers poivrons se récolteront à partir de la mijuillet. Cueillez-les au fur et à mesure de leur développement et de vos besoins. Ne les laissez pas trop mûrir, ils perdraient en douceur et la production ultérieure du pied en serait affectée.

CARREAU 7

Pincez régulièrement vos pousses de basilic afin d'assurer vos récoltes et éviter de le voir monter à fleurs. Arrosez-les régulièrement mais attendez pour intervenir que le dessus de la terre sèche.

CARREAU 8

En début de période, palissez et ébourgeonnez votre pied de tomate. Cueillez les fruits au fur et à mesure de leur rougissement, habituellement à partir de la mi-juillet.

CARREAU 9

Laissez fleurir votre sauge. De nombreux auxiliaires de culture apprécient en été la richesse en nectar de ses élégantes fleurs bleu lilas.

PLAN DU CARRÉ DE SEPTEMBRE

1	2	3
Persil frisé	Tomatillo pourpre	Aubergine
4	**5**	**6**
Coqueret du Pérou	Panais	Poivron
7	**8**	**9**
Basilic 'Grand Vert'	Tomate variété 1	Sauge officinale (vivace)

LISTE DES PLANTES **DE SEPTEMBRE**

Toutes les plantes étaient déjà présentes dans le carré en été.

POUR RÉCOLTER ET FAIRE SÉCHER LES FEUILLES DE SAUGE

Intervenez de préférence juste avant la montée à fleurs : l'arôme et la saveur des feuilles sont alors à leur optimum.

1. Cueillez vos feuilles une à une, en sélectionnant les plus belles et les plus jeunes.

2. Déposez-les au chaud mais pas au soleil, dans une trémie offrant une bonne aération.

3. Une fois sèches, stockez-les dans une boîte en fer-blanc, que vous conserverez tout l'hiver au sec et au frais.

Une taille courte au printemps – évitez cependant de revenir sur du bois trop ancien – empêche souvent la mise à fleurs, l'arbrisseau se contentant alors de développer de jeunes pousses et des nouvelles feuilles, sans induire de floraison.

CARREAU 1

Poursuivez vos cueillettes de persil. Si celui-ci jaunit, vous pouvez encore repiquer vos derniers pieds de l'année (dans un carreau autre que celui-ci, bien évidemment).

CARREAU 2

Poursuivez vos récoltes de tomatillos. Cueillez les baies rondes de 2 à 7 cm de diamètre quand elles débordent du calice à texture papyracé qui les enveloppe. Dès que votre pied arrive en fin de production, vos laitues d'hiver le relayeront.

CARREAU 3

Continuez vos récoltes d'aubergines. Celles-ci se poursuivent habituellement jusqu'en octobre, pour peu que l'arrière-saison soit clémente. Vérifiez les attaches qui affermissent le pied sur le tuteur.

CARREAU 4

Cueillez les fruits de votre coqueret dès que les baies se teintent d'orange après que leurs calices se sont desséchés.

CARREAU 5

C'est encore trop tôt pour cueillir vos racines de panais.

CARREAU 6

Continuez à cueillir vos poivrons. Seules les premières gelées mettront fin à la récolte. Mais les fruits prélevés avant les premiers froids et maintenus en ambiance tempérée se gardent jusqu'à Noël.

CARREAU 7

Les cueillettes se poursuivent sur vos basilics mais déjà les fraîcheurs de l'automne leur font perdre l'exubérance qui était la leur cet été. Le basilic est vorace en eau. Cependant concentrez vos arrosages pendant les périodes de fortes chaleurs.

CARREAU 8

Cueillez les dernières tomates. Supprimez les feuilles tachées et noircies ou celles qui privent de soleil les derniers fruits mûrissant.

CARREAU 9

Poursuivez vos prélèvements de feuilles de sauge selon vos besoins.

LE REPIQUAGE DU PERSIL

Les premiers persils repiqués, qu'ils soient plats ou frisés, jaunissent souvent en deuxième partie d'été. Les causes en sont nombreuses – chaque jardinier à son explication. Quelles que soient les raisons avancées, éviter que les symptômes n'apparaissent est toujours une affaire délicate. La meilleure façon de faire est de renouveler ses plants pendant l'été. Ainsi, un repiquage de persil en juin assurera le relais avec celui planté en mars, et une plantation en septembre permettra souvent de poursuivre les cueillettes jusque tard dans l'hiver, parfois même jusqu'au printemps suivant. Évitez cependant de repiquer vos nouveaux persils dans les carreaux ayant accueilli les anciens.

PENSEZ À...

palisser votre coqueret du Pérou qui, parvenu en fin de culture, déborde souvent des 40 cm qui lui sont impartis.

Proche cousin du tomatillo, le coqueret du Pérou ne mûrit cependant pas ses fruits avant l'automne.

PLAN DU CARRÉ D'OCTOBRE ET NOVEMBRE

1 Persil frisé	2 Laitue pommée d'hiver (6 plants)	3 Aubergine
4 Coqueret du Pérou	5 Panais	6 Poivron
7 Basilic 'Grand Vert'	8 Roquette cultivée (semis)	9 Sauge officinale (vivace)

LISTE DES PLANTES **D'OCTOBRE ET NOVEMBRE**

- Laitue pommée d'hiver (6 plants)
- Roquette cultivée (0,4 g environ)

CARREAU 1

Continuez vos prélèvements de feuilles de persil en fonction de vos besoins. L'utilisation d'un voile d'hivernage prolonge souvent très tard leur récolte.

CARREAU 2

Une fois les derniers tomatillos encore verts cueillis et entreposés à température ambiante à l'intérieur de la maison pour leur faire achever leur mûrissement, arrachez le pied maintenant dépéri et sortez de terre son tuteur. Ajoutez quelques poignées de compost ancien et aérez l'ensemble d'un coup de griffe. Votre carreau est prêt à accueillir six minimottes de laitue d'hiver qui occuperont la place pendant toute la mauvaise saison et seront bonnes à cueillir en mars-avril de l'année prochaine.

VEILLEZ À...

réagir selon les **conditions météo** de la saison qui font souvent la loi au jardin. Si l'arrière-saison est belle, les derniers poivrons se cueillent en décembre. Un coup de gel prématuré ? Arrachez les plantes qui en ont souffert, attendez un petit redoux et semez des légumes à cueillir en jeunes pousses, de croissance rapide et peu exigeants quant aux températures.

CARREAU 3

Poursuivez vos récoltes d'aubergines jusqu'au dépérissement du plant en fin de période.

CARREAU 4

Continuez vos cueillettes de coqueret. À l'instar des tomates, les baies encore vertes aux premières gelées achèveront de mûrir à l'intérieur de la maison ou dans la véranda.

CARREAU 5

Attendez les premiers froids pour récolter vos panais. Les gelées leur permettront en effet de gagner en sucre et en saveur.

CARREAU 6

Continuez vos récoltes de poivrons jusqu'à ce que les premières gelées y mettent fin.

CARREAU 7

Les premiers froids seront fatals à vos basilics.

CARREAU 8

Les dernières tomates cueillies, contentez-vous en début de période d'aérer le sol qui a porté le pied et

POUR REPIQUER LES LAITUES D'HIVER

Les laitues d'hiver occupent vos carrés pendant la mauvaise saison et permettront vos premières récoltes de printemps.

1. Débarrassez votre carreau de ce qui reste de l'ancienne culture. Apportez trois ou quatre poignées de compost ancien.

2. Un coup de griffe permet de mélanger et d'aérer la terre destinée à recevoir vos plants.

3. Concentrez vos minimottes au centre du carreau, espacées de 15 cm les unes des autres. Arrosez au goulot.

Vos laitues d'hiver se récolteront en mars ou avril de l'année prochaine, deux ou trois semaines avant vos premières laitues de printemps.

de le niveler avant d'y déposer de façon homogène environ 200 graines de roquette (soit le quinzième d'un sachet standard de 5 g, c'est-à-dire 0,3 à 0,4 g). Un léger coup de griffe vous permettra d'enfouir superficiellement la graine. Tassez et arrosez en pluie. Si l'automne est doux, la levée est rapide : comptez moins de huit jours pour la levée, et cinq semaines pour la première cueillette. La roquette supporte sans difficultés les gelées d'entrée d'hiver.

CARREAU 9

Les feuilles de sauge peuvent continuer à se récolter pendant tout l'hiver. Cependant, elles perdront en saveur après les premiers froids. Ne taillez pas votre sauge en automne, sa sensibilité au froid s'en trouverait accrue. Laissez les feuilles en place, celles-ci opèrent comme une couverture de protection et préservent la souche des agressions combinées du froid et de l'humidité que cette aromatique d'origine méditerranéenne n'apprécie pas.

Les récoltes de panais, légume solide et rustique, se poursuivent pendant tout l'hiver.

LES CULTURES DÉROBÉES

Évitez de laisser un carreau vide de légumes et réagissez vite une fois la précédente culture parvenue à son terme. Le cas échéant, vous pourrez même introduire une culture dérobée au planning de culture initial. Celle-ci devra évidemment être courte et ne pas empêcher les semis et repiquages ultérieurs prévus. Les radis au printemps, le mesclun en été, les jeunes pousses de choux asiatiques en automne permettent une récolte rapide après semis. La laitue à couper peut même passer pour un «légume joker» : un carreau se vide plus rapidement que vous ne l'escomptiez, pensez à y déposer quelques graines de laitue à couper !

LE CARRÉ N°4

Carré de juin à août

■ Vous récolterez dans ce carré dix légumes différents et cinq condimentaires. La diversité reste maximale tant en espèces qu'en variétés. Varier les divers légumes et plantes condimentaires en pots ou en minimottes est aisé puisqu'il vous suffit de vous les procurer à l'unité ou en petite barquette de six. La diversification des légumes semés est plus délicate à mettre en œuvre puisque le conditionnement standard des sachets est souvent très important. Un carreau test est retenu pour mettre en culture le chou 'Red Russian'.

PLAN DU CARRÉ DE DÉCEMBRE À FÉVRIER

1 Compost en surfaçage	2 Navette en engrais vert (semis)	3 Navette en engrais vert (semis)
4 Navette en engrais vert (semis)	5 Romarin (vivace arbustive)	6 Navette en engrais vert (semis)
7 Compost en surfaçage	8 Laitue pommée d'hiver	9 Épinard

CARREAUX 1 ET 7

Contentez-vous de déposer une épaisse couche de compost sur ces carreaux destinés à accueillir en mars, l'un l'étonnant chou 'Red Russian', l'autre des radis de printemps.

CARREAUX 2, 3, 4 ET 6

Pour ne pas laisser ces carreaux à nu, semez dans chacun une petite poignée de graines de navette (vous les trouvez dans le commerce horticole en boîte de 500 g ou de 1 kg). Ameublissez la terre à la griffe et déposez vos graines de façon uniforme

LISTE DES PLANTES **DE DÉCEMBRE À FÉVRIER**

- Épinard (2 g environ semés en automne)
- Laitue pommée d'hiver (6 plants en place)
- Navette en engrais vert (4 poignées de graines)
- Romarin, vivace arbustive (1 pied en place)

VEILLEZ À...

poser, sur ce carré aussi, un large **voile d'hivernage**. Les épinards pourront ainsi poursuivre leur croissance, les laitues d'hiver former plus facilement leur pomme et la navette croître plus énergiquement et plus régulièrement. Jusqu'au romarin qui ne dédaignera pas cette petite protection supplémentaire !

POUR PROTÉGER LE ROMARIN DU FROID

Comme beaucoup de plantes du Sud, le romarin n'aime pas beaucoup le froid. Alors si, en plus, l'humidité s'en mêle...

1. Profitez d'un jour sec pour attacher en faisceau les rameaux du romarin en les maintenant par plusieurs tours de ficelle fine ou de cordelette.

2. Entourez-le ensuite de plusieurs lés de voile d'hivernage en veillant à protéger préférentiellement sa souche.

3. Un paillis posé autour du pied et un paillasson en paille de riz au plus fort de l'hiver pourront compléter ce dispositif.

Vous avez maintenant fait ce qui était dans vos possibilités pour protéger votre aromatique. Cependant, un hiver calamiteux risque malgré tout d'avoir le dernier mot.

dans le carreau. Enfouissez-les légèrement et tassez à la main ou avec une planchette. Arrosez le jeune semis en pluie, votre arrosoir pourvu de sa pomme. Trois semaines de températures supérieures à 7 °C suffiront pour faire germer la graine de navette. La pose d'un voile d'hivernage aidera à la levée.

CARREAU 5

Votre romarin est une vivace arbustive méditerranéenne à la souche plutôt frileuse. Il nécessite dans une bonne partie de la France une protection contre le froid pour passer l'hiver sans encombre.

CARREAU 8

Repiquées en octobre dernier, vos laitues d'hiver se maintiennent en place. Un voile de protection étendu sur la totalité du carré les préservera des grands froids de l'hiver.

LES ALLIACÉES, DÉCONSEILLÉES AU POTAGER EN CARRÉS

Les Alliacées potagères – ails, échalotes et oignons – trouvent difficilement leur place dans les jardins en carrés. Elles sont en quelque sorte les exceptions qui confirment la règle. Contrairement à la plupart des autres légumes qui apprécient les sols humifères et riches que leur proposent vos carrés (les laitues même demandent au minimum entre 3 et 5 % de matière organique dans le sol pour bien pousser), les Alliacées préfèrent les terres pauvres et anciennement fumées.

Elles goûtent par ailleurs les expositions ensoleillées et sont incommodées par l'ombre portée des plantes voisines. Une terre trop humifère et un soleil trop parcimonieux et voilà vos ails, échalotes et oignons qui « graissent », c'est-à-dire qui s'abîment avant même de pouvoir être cueillis.

Les feuilles et les jeunes pousses du romarin se cueillent en toute saison, et les sommités florales dès leur apparition.

CARREAU 9

Cueillez vos épinards feuille à feuille en commençant par celles de la périphérie et en épargnant le centre afin de prolonger vos récoltes.

PLAN DU CARRÉ DE MARS ET AVRIL

1 Chou à feuilles 'Red Russian' (semis) (test)	2 Laitue à couper (semis)	3 Persil plat (6 plants)
4 Laitue de printemps variété 2 (6 plants)	5 Romarin (vivace arbustive)	6 Pois (semis)
7 Radis rond de printemps (semis)	8 Laitue pommée d'hiver	9 Laitue de printemps variété 5 (6 plants)

LISTE DES PLANTES **DE MARS ET AVRIL**

- Chou à feuilles 'Red Russian' (150 graines)
- Laitue à couper (0,35 g)
- Laitue de printemps, variété 2 (6 plants)
- Laitue de printemps, variété 5 (6 plants)
- Persil plat (6 plants)
- Pois (30 à 35 graines)
- Radis rond de printemps (2 g)

CARREAU 1

Mélangez en les ameublissant d'un coup de griffe la couche de compost ancien déposée cet hiver et l'ancien substrat du carré. Égalisez votre carreau et déposez en surface et de façon régulière environ 150 graines de chou 'Red Russian' que vous enfouirez superficiellement d'un léger passage de griffe. Tassez et arrosez en pluie. Ce chou de Sibérie à feuilles vert-de-gris teinté de pourpre est une spécialité anglo-saxonne dont la récolte des jeunes feuilles débute 25 à 30 jours après le semis. Moins de deux mois après sa mise en culture, il laissera la place au légume suivant – ici une aubergine.

CARREAU 2

Si votre navette n'a pas gelé, arrachez-la et jetez le tout, racines et feuilles, sur le compost (si les jeunes pousses ont été détruites par le gel, un simple coup de griffe suffira à la reprise du carreau). Ajoutez au sol en place trois ou quatre poignées de compost ancien et mélangez l'ensemble d'un coup de griffe.
Nivelez finement la surface avant de semer à la volée et de façon uniforme 300 graines environ de laitue à couper, soit 0,35 g (correspondant au quinzième environ d'un sachet standard de 5 g). Faites légèrement courir les dents de votre griffe sur la surface du

carreau afin d'enterrer très superficiellement la graine, et tassez à la main ou avec une planchette.

Vous pourrez mélanger la graine de deux variétés aux feuilles de couleur différente, 'Bowl Rouge' et 'Bowl Verte' par exemple, afin de colorer et votre carré et vos premières salades de printemps.

VEILLEZ À...

ne pas maintenir en place trop longtemps les protections d'hiver sur votre **romarin**. En augmentant les températures sous les voiles, le soleil de mars – qui est parfois généreux – risque de griller ses jeunes pousses et feuilles.

CARREAU 3

Débarrassez votre carreau des racines et radicelles de navette et ajoutez trois ou quatre poignées de compost mûr. Mélangez l'ensemble d'un coup de griffe. Repiquez six minimottes de persil plat. Bornez chaque pied en appuyant vigoureusement avec vos index et majeur en carré à hauteur du collet. Arrosez au goulot chaque pied.

En mars, il vous serait possible de semer votre persil directement en place, mais sa levée est particulièrement longue – il irait faire sept fois le tour chez le diable avant de germer ! – et vous ferait perdre près d'un mois de récolte.

CARREAU 4

Libérez le carreau des racines de navette et incorporez trois ou quatre poignées d'ancien compost. Un coup de griffe vous permettra de mélanger le nouveau compost et l'ancien substrat. Repiquez six minimottes de laitues de printemps que vous arroserez au goulot. Vous récolterez votre première pomme environ six semaines après le repiquage.

Diversifiez au maximum les variétés de laitues plantées dans vos différents carrés.

CARREAU 5

Enlevez maintenant l'empaquetage hivernal de votre romarin et profitez-en pour retailler au sécateur les rameaux de l'année dernière au tiers de leur longueur.

CARREAU 6

Arrachez votre navette et semez de suite en début de période un pois à grain rond à rames comme 'Roi des conserves', en fin de période un pois à grain ridé à rames comme 'Téléphone à rames' (les pois à grain rond étant plus solides et rustiques que ceux à grain ridé). Tous deux cependant s'élèveront jusqu'à 1,50 m et nécessitent donc le support de tuteurs en bambou attachés en tipi.

CARREAU 7

Mélangez finement le compost de surface et le reste du substrat. Nivelez et déposez de façon uniforme 200 graines environ de radis rond de printemps ('Raxe', 'Gaudry', 'Cherry Bell', 'National'...) correspondant au cinquième d'un sachet standard de 10 g. Vos radis seront récoltés avant le mois de mai et pourront alors céder la place à trois pieds de marjolaine.

CARREAU 8

Cueillez vos laitues d'hiver au fur et à mesure de la formation des pommes. Une fois la dernière cueillie, épandez trois ou quatre poignées de compost ancien sur le carreau.

CARREAU 9

Débarrassez le carreau des racines et reliquats d'épinard et épandez trois ou quatre poignées de compost ancien. Mélangez le nouveau et l'ancien substrat. Repiquez six minimottes de laitues de printemps qui seront récoltées une fois pommées, dans quatre à six semaines. Ne négligez pas l'arrosage après le repiquage des salades.

PLAN DU CARRÉ DE MAI

1 Aubergine (1 pied)	2 Haricot filets à rames (semis)	3 Persil plat
4 Stévia (3 pieds)	5 Romarin (vivace arbustive)	6 Pois
7 Marjolaine (3 pieds)	8 Tomate variété 2 (1 pied)	9 Courgette variété 2 (1 pied)

LISTE DES PLANTES **DE MAI**

- Aubergine (1 pied)
- Courgette, variété 2 (1 pied)
- Haricot filets à rames (30 graines)
- Marjolaine (3 pieds)
- Stévia (3 pieds)
- Tomate, variété 2 (1 pied)

CARREAU 1

Procédez à votre dernière récolte de chou 'Red Russian' et arrachez les ultimes pousses et racines qui iront rejoindre votre compost en préparation. Apportez trois ou quatre poignées de compost ancien et homogénéisez le substrat d'un coup de griffe. Plantez votre pied d'aubergine au centre du carreau. Tassez au niveau du collet et arrosez copieusement au goulot. Piquez au pied un tuteur en bambou de 1,20 m qui le soutiendra au moment du développement des fruits, après la mi-juillet. Les variétés récentes ne nécessitent ni taille ni pincement.

HARICOTS FILETS, GRAINS ET MANGETOUT

Les tiges courtes et minces des haricots nains croissent en touffes buissonnantes de 40 cm de haut alors que les celles des haricots grimpants, vigoureuses et volubiles – plus productives aussi –, s'élèvent à plus de 2,50 m. Seuls les seconds nécessitent un support. Les uns et les autres donnent des gousses droites ou courbes, vertes en général, parfois jaunes (haricot-beurre) ou pourpres. En mûrissant, toutes développent entre cinq et huit graines par gousse, extrêmement variables en taille et en couleur. Selon les variétés, la cueillette et la consommation interviennent à différents stades de maturité. Les haricots filets sont récoltés jeunes, à la moitié de leur croissance et avant même la formation des grains. Les haricots mangetout sont cueillis alors que s'ébauchent les graines à l'intérieur de la gousse. Les haricots grains demandent à être écossés avant consommation. Ils sont alors prélevés «en vert» (une fois la gousse pleine et les graines bien formées), à mi-maturité ou en sec.

CARREAU 2

Récoltez de façon suivie vos laitues à couper. Avec les premières fortes chaleurs de fin de printemps, celles-ci auront tendance à monter en fleurs. C'est le moment que vous choisirez pour semer vos haricots à rames.

Débarrassez le carreau des racines et radicelles des dernières laitues à couper et mélangez d'un coup de griffe la terre de votre carreau (vous pourrez y ajouter trois ou quatre poignées de compost, mais ce n'est pas indispensable car les haricots ne sont pas des légumes exigeants). Piquez en triangle trois tuteurs en bambou d'au moins 2 m de haut et attachez-les dans le haut en tipi. Ouvrez à leurs pieds trois poquets en demi-lune et déposez une dizaine de graines dans

chacun. Recouvrez de 3 cm de terre et arrosez avec l'arrosoir muni de sa pomme.
Plus la levée est rapide (moins de une semaine), plus beaux seront les plants.

CARREAU 3

Cueillez très modestement vos feuilles de persil dans un premier temps. Arrosez régulièrement de façon à ne pas laisser se dessécher la terre du carreau (attention cependant à un excès d'eau permanent que le persil apprécie peu).

CARREAU 4

Votre dernière laitue pommée récoltée dans le carreau, ajoutez trois ou quatre poignées de compost ancien et incorporez-le au substrat en place avec votre griffe. Repiquez en triangle trois pieds de stévia, espacés de 15 cm environ, au centre du carreau. Arrosez avec l'arrosoir dépourvu de sa pomme. Ne repiquez pas trop tôt cette plante aromatique qui requiert entre 22 et 28 °C pour croître vigoureusement.

CARREAU 5

Votre romarin démarre lentement ? Vous n'avez pas lieu de vous inquiéter : seules les fortes chaleurs d'été lui permettront de démarrer vigoureusement.

CARREAU 6

Commencez à récolter vos petits pois dès le gonflement des gousses et cueillez-les ensuite très régulièrement. Ces plantes de la famille des Fabacées sont d'excellents antécédents de culture pour les chicorées qui assureront leur relève le mois prochain.

CARREAU 7

Débarrassez le carreau du reliquat de culture des radis ronds de printemps semés en mars et maintenant récoltés. Ajoutez trois ou quatre poignées de compost ancien et mélangez le tout à la griffe. Plantez trois pieds de marjolaine et arrosez.

SEMER LA COURGETTE

S'il faut privilégier dans vos carrés les repiquages aux semis chaque fois que les possibilités en culture de l'espèce l'exigent, c'est que la rapidité de rotation des divers légumes est essentielle. Une règle qui ne souffre pas d'exception ? Si, bien sûr. Vous perdrez à peine quelques jours entre le repiquage ou le semis de votre courgette et la récolte. Ses grosses graines sont par ailleurs faciles à manipuler et leur germination quasi assurée. Attendez les premières chaleurs de début juin pour ouvrir dans votre carreau un petit poquet et y déposer deux ou trois graines. Recouvrez de 3 cm de terre et arrosez en pluie. Ne conservez à la levée, qui est rapide, qu'une plantule et suivez-la en culture comme vous le feriez d'un jeune replant.

CARREAU 8

Votre griffe vous permettra d'aérer profondément et d'affiner la terre de votre carreau. Après la mi-mai, piquez au centre un tuteur en bambou d'au moins 1,80 m et plantez à son pied un plant de tomate. Bornez et arrosez copieusement au goulot.

CARREAU 9

Vos laitues de printemps récoltées, ajoutez à nouveau trois ou quatre poignées de compost ancien que vous incorporerez d'un coup de griffe à la terre en place. Plantez un jeune plant de courgette en le décentrant à 10 cm du coin du carreau. Ses grandes feuilles déborderont alors vers l'allée, sans incommoder ses voisins, romarin, tomate, et chicorées frisées d'automne qui prendront la place de vos petits pois. Les courgettes sont très sensibles à l'oïdium, une affection cryptogamique provoquant l'apparition de décolorations blanchâtres sur les feuilles. Dès l'apparition des premières taches suspectes, prélevez les feuilles atteintes pour limiter les contaminations ultérieures.

PLAN DU CARRÉ DE JUIN À AOÛT

1 Aubergine	2 Haricot filets à rames	3 Persil plat
4 Stévia	5 Romarin (vivace arbustive)	6 Chicorée frisée d'automne (6 plants)
7 Marjolaine	8 Tomate variété 2	9 Courgette variété 2

LISTE DES PLANTES **DE JUIN À AOÛT**

- Chicorée frisée d'automne (6 plants)

CARREAU 1

Les premières aubergines se cueillent à partir de la deuxième partie du mois de juillet. Prélevez le fruit au sécateur avant sa pleine maturité, son épiderme a alors déjà pris sa couleur définitive mais sa pulpe est encore bien ferme. Si le pied a tendance à s'affaler sous le poids des fruits, palissez-le le long d'un tuteur en bambou de 1,20 m, si ce n'est déjà fait.

CARREAU 2

Les gousses de vos haricots à rames commencent à mûrir en août. Cueillez-les très régulièrement, à la moitié de leur croissance. Elles seront alors particulièrement tendres et savoureuses. Les jeunes fruits adhèrent solidement à la plante. Tirez sur la gousse avec une main et tenez fermement la plante de l'autre de façon à ne pas arracher les jeunes pousses fleuries.

LE MULCH

« Mulcher » consiste à recouvrir de compost ou de fumier composté la surface des carreaux où poussent des plantes dont les besoins en eau sont importants. En limitant les évaporations, cette couverture fait office de paillage – le paillage vrai, de structure plus grossière, étant plus laborieux à mettre en place dans les cultures en carrés. Ce mulch protégera par ailleurs le pied de la plante et, dans un second temps, fertilisera le sol (mais seules les cultures ultérieures en bénéficieront). Il limite également l'apparition des mauvaises herbes et même, dans certains cas, les supprime totalement.

POUR RÉCOLTER ET FAIRE SÉCHER LES FEUILLES DE STÉVIA

Les feuilles de stévia remplacent le sucre dans divers desserts et boissons. Elles s'utilisent fraîches ou séchées.

1. Coupez les rameaux de l'année longs de 50 cm, le soir de préférence.

2. Enlevez une à une les longues feuilles légèrement velues et dentelées et déposez-les sur une grille fine, au chaud mais à l'ombre.

3. Sèches, les feuilles s'effritent entre les doigts par simple frottement. Une fois pulvérisées, stockez-les dans des boîtes hermétiques.

Les feuilles de stévia perdent leur pouvoir sucrant à la chaleur. Ajoutez-les au dernier moment dans vos desserts cuisinés.

CARREAU 3

Prélevez régulièrement les feuilles de persil au fur et à mesure de vos besoins. Arrosez abondamment mais laissez sécher la terre en surface avant tout nouvel apport d'eau.

CARREAU 4

Quand les pousses de stévia atteignent 50 cm de long, coupez-les pour les faire sécher. Une seconde pousse ne tardera pas à se développer. Ne laissez pas vos pieds de stévia manquer d'eau jusqu'à la seconde récolte de septembre.

CARREAU 5

Cueillez pendant tout l'été et selon vos besoins les jeunes pousses à saveur camphrée et tonique du romarin.

CARREAU 6

Les premières grosses chaleurs correspondent à la fin de vos récoltes de petits pois, qui sont par ailleurs d'excellents antécédents de culture pour les diverses chicorées. Enlevez leurs tuteurs et arrachez leurs pieds qui iront rejoindre le tas de compost de l'année. Ajoutez trois ou quatre poignées de compost ancien et homogénéisez le substrat du carreau d'un coup de griffe.

Repiquez six minimottes de chicorées frisées d'automne comme 'De Ruffec' ou 'Grosse Pancalière' qui sont deux variétés particulièrement rustiques. Arrosez-les au goulot après la plantation.

CARREAU 7

Prélevez régulièrement les jeunes pousses de marjolaine pour aromatiser vos plats de tomates, aubergines et poivrons. Coupez les jeunes pousses en début de floraison et faites-les sécher à l'ombre. Une fois racornis, les boutons à fleurs gardent leur parfum pendant plusieurs mois.

CARREAU 8

Palissez et pincez régulièrement votre pied de tomate. Récolez les premiers fruits parvenus à maturité à partir de la mi-juillet. Comme pour les aubergines, poivrons, courgettes, concombres – qui sont toutes des plantes exigeantes en eau – un épais mulch de compost en couverture sera le bienvenu en été.

CARREAU 9

Cueillez régulièrement vos courgettes (une simple torsion suffit à les séparer de leur attache). Ne négligez pas les arrosages car les courgettes aiment peu manquer d'eau – sans d'ailleurs en apprécier l'excès.

VEILLEZ À...

supprimer régulièrement les feuilles de la partie inférieure de vos pieds de **tomates** afin d'améliorer la circulation de l'air à la base des plantes.

■ PLAN DU CARRÉ DE SEPTEMBRE

1 Aubergine	2 Haricot filets à rames	3 Persil plat
4 Stévia	5 Romarin (vivace arbustive)	6 Chicorée frisée d'automne
7 Marjolaine	8 Tomate variété 2	9 Courgette variété 2

LISTE DES PLANTES
DE SEPTEMBRE

Toutes les plantes étaient déjà présentes dans le carré en été.

CARREAU 1

Poursuivez vos récoltes d'aubergines en septembre qui est souvent un mois de forte production pour ce légume-fruit.

CARREAU 2

Continuez les cueillettes de haricots filets. Prévoyez des passages réguliers pour prolonger vos récoltes le plus tard possible.

CARREAU 3

Continuez à prélever les feuilles de persil au fur et à mesure de vos besoins. Si votre persil plat jaunit de façon importante, prévoyez une nouvelle plantation dans un carreau qui se libère. Dès que les persils nouvellement repiqués sont suffisamment vigoureux pour permettre une première récolte, arrachez les anciens (le carreau maintenant disponible pourra encore accueillir de la mâche, des jeunes pousses de légumes asiatiques ou des épinards).

VEILLEZ À...
anticiper l'arrachage de vos **courgettes** abîmées par les attaques d'oïdium et de vos tomates défoliées par le mildiou. Ces deux champignons parasites sont omniprésents dans les potagers, qu'ils soient en carrés ou traditionnels. Les pieds arrachés, passez tout de suite à la culture suivante !

CARREAU 4

Les soirées et les nuits fraîches de septembre sont généralement fatales aux stévias. Coupez court les rameaux nés de la seconde pousse et faites-les sécher à l'ombre comme vous l'avez déjà fait pour ceux de la première récolte. Arrachez les pieds une fois vos rameaux coupés.

CARREAU 5

Poursuivez vos prélèvements de jeunes rameaux de romarin. Au besoin, séchez-les à l'ombre avant de les conserver dans des boîtes hermétiques.

CARREAU 6

Vos chicorées frisées d'automne trouvent leur place entre le persil, le romarin et la courgette. Dès que leur simili-pomme atteint 30 cm de diamètre environ, commencez les récoltes. Prélevez un pied sur deux afin de permettre aux chicorées restantes de se développer à l'aise.

CARREAU 7

Poursuivez vos cueillettes de marjolaine en prélevant pendant tout l'automne les jeunes pousses et les feuilles apparues après les coupes estivales.

CARREAU 8

Poursuivez vos récoltes et cueillez vos dernières tomates encore vertes pour les faire mûrir en ambiance tempérée à l'intérieur de la maison. Arrachez votre pied parvenu en fin de culture et débarrassez le carreau de son tuteur.

CARREAU 9

La courgette, qui aura donné sa pleine mesure en été, parvient maintenant en fin de récolte.

Une fois mûres et bien colorées, les tomates sont cueillies une à une, au fur et à mesure des besoins et tout au long de la saison.

POUR SEMER LE PERSIL

Les graines de persil sont lentes à levée. Vous hâterez leur germination en les faisant tremper pendant 24 heures dans une eau à température ambiante.

1. Videz votre carreau des résidus de son ancienne culture et ajoutez trois ou quatre poignées de compost que vous mélangerez de façon homogène au substrat en place.

2. Épandez vos graines préalablement trempées sur la surface du carreau et griffez légèrement pour les incorporer superficiellement au sol.

3. Tassez fortement et arrosez abondamment en pluie.

Le commerce horticole propose quelquefois des graines prégermées de persil, qui permettent de diviser par trois le temps de germination. Ces graines pelliculées sont plus rapides à lever et plus homogènes en croissance.

PLUS VOUS CUEILLEZ, PLUS VOUS RÉCOLTEZ !

La plupart des légumes-feuilles et légumes-fruits produisent d'autant mieux et plus que les cueillettes sont régulières. Les feuilles prélevées sont alors remplacées par de nouvelles pousses et les fruits cueillis jeunes permettent l'apparition de nouvelles fleurs, précurseurs d'autres fruits. L'arrêt de la production est particulièrement manifeste chez les courgettes : laissez-les grossir et votre pied cessera de produire de nouvelles fleurs, dépensant toute son énergie à faire mûrir ses fruits (que leur peau coriace et leur chair filandreuse rendra d'ailleurs rapidement impropres à la consommation).

PLAN DU CARRÉ D'OCTOBRE ET NOVEMBRE

1 Aubergine	2 Haricot filets à rames	3 Persil plat
4 Roquette cultivée (semis)	5 Romarin (vivace arbustive)	6 Chicorée frisée d'automne
7 Marjolaine	8 Laitue pommée d'hiver (6 plants)	9 Épinard (semis)

LISTE DES PLANTES
D'OCTOBRE ET NOVEMBRE

- Épinard (2 g)
- Laitue pommée d'hiver (6 plants)
- Roquette cultivée (0,4 g environ)

MARJOLAINE OU ORIGAN ?

La marjolaine est un origan (*Origanum majorana*), plus fragile cependant et plus éphémère que l'origan «vulgaire» (*Origanum vulgare*) et d'ailleurs souvent cultivé comme aromatique annuelle. Ses fleurs blanches ou rosées – elles sont pourpres chez l'origan – paraissent un peu ternes et ses tiges sont recouvertes de petites feuilles grisâtres et duveteuses d'une curieuse forme concave qui a valu à la plante le nom populaire de marjolaine à coquille. Elle est préférée à l'origan comme plante condimentaire du fait de sa saveur plus fine et moins agressive.

CARREAU 1

Les récoltes d'aubergines s'amenuisent en automne mais sans s'arrêter tout à fait. Si votre pied conserve encore quelques petits fruits alors que menacent les premières gelées, arrachez-le pour les maintenir au chaud et au sec : vos ultimes fruits achèveront ainsi leur maturation.

CARREAU 2

Vos récoltes de haricots iront également en diminuant. Quand les fraîcheurs crépusculaires et nocturnes ne permettront plus l'apparition de nouvelles gousses, sortez de terre vos tuteurs et arrachez vos pieds maintenant défeuillés.

CARREAU 3

Votre persil est peu incommodé par la fraîcheur automnale, bien au contraire. Les récoltes se poursuivront même jusqu'au cœur de l'hiver pour peu que vous preniez soin de le recouvrir d'un voile d'hivernage.

CARREAU 4

Une fois vos souches de stévia sorties de terre, épandez dans votre carré trois ou quatre poignées de compost ancien. Travaillez le tout à la griffe, nivelez et déposez vos graines de roquette. Incorporez la graine très superficiellement, toujours à la griffe, tassez et arrosez en pluie. Une fois développée, la roquette supporte

VEILLEZ À...

ne prélever dans un premier temps qu'un plant de **chicorée** sur deux. Les trois pieds restant en place pourront alors continuer à grossir et à se développer. Ne tardez cependant pas trop pour les récolter.

'Ronde blanche' est une curieuse aubergine dont les fruits lisses et ovales évoquent immanquablement des œufs d'oie.

POUR SEMER LES ÉPINARDS

Légumes typiques des «jours courts», les épinards trouvent leur place dans vos carrés de culture de l'automne au printemps.

1. Émiettez le sol d'un coup de griffe avant de le niveler.

2. Déposez vos graines à la volée et enterrez-les très légèrement (moins de 1 cm), toujours à la griffe.

3. Tassez le sol de votre carreau à la main ou avec une petite planchette et arrosez ensuite en pluie.

Les semis de fin d'automne – comme d'ailleurs ceux de fin d'hiver – gagnent à être recouverts d'un voile de «non tissé» qui favorisera la germination.

jusqu'à – 15 °C. Un hiver doux et tardif lui permettra donc de passer la mauvaise saison sans encombre (le voile d'hivernage sera, ici aussi, très apprécié).

CARREAU 5

Contentez-vous dans un premier temps d'attacher les rameaux du romarin en faisceau. Attendez les premières prévisions de froid intense pour l'emmitoufler dans plusieurs lés de voile de protection.

CARREAU 6

Plantées serrées, vos chicorées frisées blanchiront spontanément en croissant. Récoltez leurs grosses têtes au fur et à mesure de vos besoins.

CARREAU 7

Vos cueillettes de marjolaine se maintiennent jusqu'à ce que les premiers gels y mettent un terme.

CARREAU 8

Le carreau vidé de son pied de tomate, ajoutez trois ou quatre poignées de compost ancien que vous mélangerez à la terre en place à l'aide de la griffe. Repiquez six minimottes de laitues d'hiver que vous arroserez au goulot à la plantation. Bien encadrées par les épinards, le romarin et la marjolaine, vos plants de laitues s'épanouiront pendant l'hiver pour être cueillis en mars ou avril de l'année prochaine.

CARREAU 9

Les dernières courgettes cueillies, arrachez-en le pied et amendez le carreau de trois ou quatre poignées de compost ancien que vous mélangerez avec la griffe à la terre en place. Égalisez la surface et déposez de façon homogène 200 graines d'épinard, soit environ 2 g (ce qui correspond au huitième environ d'un sachet standard de 15 g). Griffez en surface pour incorporer la graine, tassez avec la paume de la main ou une planchette et arrosez copieusement en pluie. La cueillette ne se fera pas avant le printemps de l'année prochaine.

LE CARRÉ N°5

Carré de juin à août

■ Vous pouvez escompter récolter dans ce carré dix espèces de légumes (en plusieurs variétés) et quatre condimentaires. Comme dans les autres parcelles, des plantes de faible envergure cohabitent avec d'autres d'une plus forte emprise au sol. Les petits conditionnements en barquette de six des diverses laitues permettent d'implanter une variété différente par carreau planté. Solanacées, Cucurbitacées, Brassicacées, Fabacées, Chénopodiacées, Astéracées : toutes les familles botaniques s'y sont donné rendez-vous.

PLAN DU CARRÉ DE DÉCEMBRE À FÉVRIER

1 Compost en surfaçage	2 Thym commun (vivace arbustive)	3 Navette en engrais vert (semis)
4 Épinard	5 Navette en engrais vert (semis)	6 Mâche
7 Poirée à cardes blanches	8 Compost en surfaçage	9 Navette en engrais vert (semis)

CARREAUX 1 ET 8

Pour ne pas laisser à nu ces carreaux destinés à recevoir en mars respectivement des radis et de la roquette, épandez une couche de 4 à 5 cm de compost ancien.

CARREAU 2

Il est encore trop tôt pour retailler votre thym : patientez jusqu'au mois de mars.

CARREAUX 3, 5 ET 9

Comme la navette requiert très peu de suivi, semez-la indifféremment dans les carreaux du pourtour ou celui du milieu, pour peu qu'ils soient libres de culture.

LISTE DES PLANTES **DE DÉCEMBRE À FÉVRIER**

- Épinard (2 g semés en août)
- Mâche (250 graines semées en automne)
- Navette en engrais vert (3 poignées de graines)
- Poirée à cardes blanches (1 à 3 pieds en place)
- Thym commun, vivace arbustive (1 pied en place)

VEILLEZ À...

recouvrir votre carré d'un **voile d'hivernage** avant les grands froids. Il préservera en partie des gelées vos poirées et permettra à vos mâches et épinards de poursuivre leur croissance au cœur même de l'hiver.

POUR ÉPANDRE DU COMPOST SUR LA SURFACE D'UN CARRÉ

Le compost maison suffit en général pour assurer les besoins courants des carrés.

1. Griffez le sol de vos carreaux dépourvus de végétaux en production en automne ou en entrée d'hiver, après les avoir débarrassés des reliquats des anciennes cultures.

2. Versez sur chaque carreau un seau de compost ancien, « mûr » et bien décomposé, soit 10 litres environ.

3. Étalez-le à la main pour constituer une couche uniforme.

Ces épandages peuvent se perpétuer d'une année sur l'autre car le substrat riche en matières organiques de vos carrés possède un fort coefficient de tassement et demande à être régulièrement complété.

LES QUALITÉS DE L'ÉPINARD

De saveur légèrement acidulée, les feuilles d'épinard se consomment délicatement ébouillantées et édulcorées à la crème, ou revenues dans de l'huile d'olive ou une noisette de beurre. Certes, sa richesse en fer est un mythe ! Mais ses teneurs en substances hydrocarbonées en font un énergique stimulant des fonctions vitales (voir Popeye !). Par ailleurs, pour le jardinier, sa croissance à contre-saison et sa capacité à stocker les matières azotées au niveau de ses feuilles en font un engrais vert d'hiver de premier plan pour éviter le « lessivage » des carreaux – c'est-à-dire l'évacuation par l'eau des substances minérales que contient naturellement le substrat.

Bien sûr, pour qu'elle germe, il faut que l'hiver soit doux (quelques jours au-dessus de 7 °C). Si les graines ne lèvent pas ou mal, ou si les jeunes pousses gèlent après une forte chute de températures en janvier ou février, épandez un compost ancien sur les carreaux ensemencés pour ne pas les laisser à nu.

Les rosettes de mâche restent tendres et douces jusqu'à l'apparition des premières pousses florales.

CARREAU 4

Laissez croître vos épinards. Les semis de fin août permettent souvent des récoltes conséquentes dès octobre et novembre. Prélevez les feuilles selon les besoins, en commençant par les plus avancées.

CARREAU 6

Cueillez les rosettes de mâche les plus développées au fur et à mesure des besoins en les coupant au collet. Les plantes prélevées permettront à celles qui restent en place de poursuivre leur croissance. La cueillette se poursuivra jusqu'au printemps de l'année prochaine.

CARREAU 7

Les froids intenses de janvier signent généralement la fin de vos poirées. Mais si l'hiver est doux, elles se maintiendront intactes jusqu'au départ de la végétation. Continuez à prélever les cardes tant que les plants n'ont pas gelé, en les arrachant au niveau du sol.

PLAN DU CARRÉ DE MARS ET AVRIL

1 Radis rond de printemps (semis)	2 Thym commun (vivace arbustive)	3 Laitue de printemps variété 3 (6 plants)
4 Épinard	5 Laitue de printemps variété 4 (6 plants)	6 Pois à grain rond (semis)
7 Laitue de printemps variété 1 (6 plants)	8 Roquette cultivée (semis)	9 Pois mangetout 'Carouby de Maussane' (semis)

PLANTES **DE MARS ET AVRIL**

- Laitue de printemps, variété 1 (6 plants)
- Laitue de printemps, variété 3 (6 plants)
- Laitue de printemps, variété 4 (6 plants)
- Pois à grain rond (30 à 35 graines)
- Pois mangetout (3 poquets de 10 graines)
- Radis rond de printemps (2 g)
- Roquette cultivée (200 graines)

CARREAU 1

Mélangez à la griffe le compost déposé cet hiver et votre ancien substrat en l'ameublissant et en l'affinant. Déposez de façon uniforme sur le sol travaillé quelque 200 graines de radis, soit environ 2 g (le cinquième d'un sachet standard de 10 g). Incorporez superficiellement la graine d'un coup de griffe, tassez en surface avec la paume de la main ou une planchette et arrosez en pluie. Décalez d'une quinzaine de jours les divers semis de radis ronds pratiqués dans vos différents carrés afin d'en échelonner les récoltes. Diversifiez les variétés ('Raxe', 'Gaudry', 'Cherry Bell', 'National'...). Si ces radis se sèment en mars, leur récolte s'achève dès avril.

CARREAU 2

Taillez maintenant votre thym raisonnablement court en évitant de revenir sur du bois trop âgé qui rejette difficilement de nouvelles pousses.

CARREAU 3

Dès début mars – pour peu que les températures soient positives –, arrachez vos jeunes pousses de navette que vous porterez sur votre compost en cours. Ajoutez trois ou quatre poignées de compost ancien et travaillez le sol du carreau à la griffe pour l'ameublir. Repiquez six minimottes de laitues de printemps.

Celles-ci se développeront très rapidement pour être prélevées dans quatre à six semaines.

CARREAU 4

Récoltez vos feuilles d'épinard au fur et à mesure de leur croissance en se concentrant sur celles de la périphérie et en épargnant le cœur. Pour la dernière récolte, coupez la rosette au ras du sol.

CARREAU 5

Arrachez les pousses et les radicelles éventuelles de la navette semée en automne ou en entrée d'hiver et ajoutez trois ou quatre poignées de compost au carreau. Plantez six minimottes de laitues de printemps qui se sentiront en bonne compagnie entre le thym, les petits pois, la roquette et les épinards. Elles demanderont peu d'entretien et s'installent sans difficulté dans le carreau du milieu où elles ne s'attarderont d'ailleurs pas très longtemps.

CARREAU 6

Récoltez vos ultimes rosettes de mâche avant d'aérer la terre de votre carreau à la griffe. Vous pouvez éventuellement ajouter trois ou quatre poignées de compost ancien avant d'implanter vos pois (les besoins de ces derniers sont faibles et cet apport n'est pas indispensable). En début de période, optez pour des petits pois à grain rond – les moins sensibles au froid –, en fin de période, des petits pois à grain ridé – moins rustiques mais plus tendres.

CARREAU 7

Même si vos bettes survivent à l'hiver, arrachez-les car elles ne manqueraient pas de monter rapidement à graines. Ajoutez au carreau trois ou quatre poignées de compost ancien et mélangez le tout. Repiquez six minimottes de laitues de printemps que vous arroserez copieusement au goulot.

CARREAU 8

Préparez finement votre sol en mélangeant le compost déposé cet hiver et la terre du carreau. Épandez environ 200 graines de roquette que vous enfouirez légèrement avec la griffe. Tassez et arrosez en pluie. Par la suite, ne laissez pas sécher votre carreau pour éviter que ne s'installent ces petites puces de terre que sont les altises (très discrète, leur présence se manifeste le plus souvent par les innombrables petits trous qui en perforent les jeunes feuilles).

CARREAU 9

Les pois mangetout 'Carouby de Maussane' sont des pois vigoureux de plus de 1 m de haut, aussi rustiques que les petits pois à grains ridés. Videz votre carreau des derniers reliquats de navette et ajoutez éventuellement trois ou quatre poignées de compost ancien. Mélangez le tout et piquez en triangle trois tuteurs en bambou de 1,20 m de long. Ouvrez à leurs pieds trois poquets espacés de 30 cm et déposez dans chacun environ dix graines que vous enterrerez de 3 cm. Vos pois mangetout cohabiteront sans difficulté avec vos autres pois, les laitues de printemps et la roquette.

LE THYM

Si le thym se développe seul et sans entrave dans toutes les garrigues des régions du Bassin méditerranéen, ses caprices en culture, eux, ont fait tourner en bourrique plus d'un jardinier. Atypique, cette incontournable condimentaire préfère en effet les terres pauvres, supporte la sécheresse en été mais abhorre l'eau en hiver, surtout quand l'humidité se double de températures très basses. Soyez attentif à ce que la terre du carreau qui l'accueille ne se gorge pas d'eau en entrée d'hiver (en le recouvrant par exemple d'un carré de polypropylène le mettant à l'abri des pluies), et recouvrez-le au plus fort des gelées d'un voile de protection.

PLAN DU CARRÉ DE MAI

1 Poivron (1 pied)	2 Thym commun (vivace arbustive)	3 Concombre (1 pied)
4 Tomate variété 1 (1 pied)	5 Verveine citronnelle (3 pieds)	6 Pois à grain rond
7 Poirée à cardes blanches (1 à 3 pieds)	8 Piment 'de Cayenne' (1 pied)	9 Pois mangetout

LISTES DES PLANTES **DE MAI**

- Concombre (1 pied)
- Piment 'de Cayenne' (1 pied)
- Poirée à cardes blanches (1 à 3 pieds)
- Poivron (1 pied)
- Tomate, variété 1 (1 pied)
- Verveine citronnelle (3 pieds)

CARREAU 1

Les derniers radis récoltés, débarrassez le carreau des ultimes reliquats de culture. Déposez trois ou quatre poignées de compost ancien et mélangez-le avec la terre en place. Vous pourrez maintenant repiquer au centre du carreau votre pied de poivron. Placez un tuteur en bambou de 1,20 m qui permettra de le soutenir lors des mises à fruits d'été et d'automne.

CARREAU 2

Pour être directement utilisées en cuisine, les inflorescences et les feuilles de thym se cueillent du mois de mai jusqu'à la fin de l'été.

CARREAU 3

Attendez la fin du mois de mai et les premières chaleurs crépusculaires pour mettre en terre votre pied de concombre. Mélangez quelques vigoureuses poignées de compost au sol en place (n'économisez pas votre compost car les concombres apprécient énormément les sols légers bien pourvus en matières organiques). Plantez alors votre pied – un seul par carreau – sans l'enterrer trop profondément et en prévoyant dès la plantation un solide dispositif de palissage.

CARREAU 4

Une fois vos derniers épinards récoltés, arrachez leurs racines et jetez-les au compost. Ajoutez trois ou quatre poignées, ou plus, de compost ancien et mélangez-les à la griffe au sol en place. Piquez au centre du carreau un tuteur en bambou de 1,80 m au moins et repiquez à son pied votre tomate en enterrant le collet de plusieurs centimètres. Tassez à hauteur de la motte et arrosez copieusement au goulot.

CARREAU 5

Une fois votre dernière laitue de printemps récoltée, ajoutez trois ou quatre poignées de compost ancien et mélangez-le avec le sol d'origine du carré. Repiquez au centre du carreau trois petites mottes de verveine

VEILLEZ À...

ne pas laisser s'attarder trop longtemps en culture vos **petits pois** à écosser ou vos **pois mangetout**. Continuez vos récoltes tant que les nuits restent fraîches. Cependant, une fois les premières chaleurs installées, terminez vos cueillettes, arrachez vos pieds et passez à la culture suivante.

POUR PLANTER LE CONCOMBRE

Habituellement conduits à ras de terre dans les potagers traditionnels, les concombres seront cultivés en hauteur dans vos carrés, soutenus par un support de palissage.

1. S'il est un légume qui apprécie les sols riches en matières organiques, c'est bien le concombre. Incorporez jusqu'à une dizaine de poignées de compost ancien, que vous mélangerez intimement au sol en place.

2. Piquez en triangle trois tuteurs en bambou de 1,80 m de long au moins que vous assemblerez en tipi au sommet.

3. Repiquez votre concombre au milieu. Huit à dix jours après le repiquage, coupez la première pousse à deux yeux et guidez au fur et à mesure de leur croissance les jeunes pousses le long de leur support.

Par la suite, ne laissez pas le concombre manquer d'eau – mais sans jamais le noyer non plus !

citronnelle espacées de 10 cm. Arrosez copieusement à la plantation et évitez par la suite de laisser se dessécher la terre qui les porte (la verveine citronnelle n'est pas vraiment incommodée par la sécheresse, mais la récolte de ses élégantes feuilles lancéolées à délicieuse saveur citronnée s'en trouve amoindrie).

CARREAU 6

Commencez la récolte de vos cosses de petits pois en sélectionnant les gousses vertes dont les grains sont bien formés.

CARREAU 7

La dernière laitue de printemps récoltée, videz votre carreau des restes de récoltes, feuilles et éventuellement racines, et amendez-le de trois ou quatre poignées de compost ancien. Repiquez une à trois bettes à cardes au centre du carreau et arrosez copieusement. Ne laissez pas vos bettes manquer d'eau pendant toute leur saison de végétation.

CARREAU 8

Le piment est un proche cousin à saveur piquante du poivron. Tous deux relèvent des mêmes exigences en culture et se repiquent de la même façon. Le pied du piment est cependant plus filiforme que celui du poivron et, même si les fruits sont généralement plus petits et plus légers, le risque de voir s'affaisser le pied sous leur poids est important. Posez là aussi un tuteur en bambou de 1,20 m.

CARREAU 9

Les mangetout ou pois « sans parchemin » s'apprêtent tels quels en cuisine, non écossés. Pour profiter d'une saveur optimale, récoltez vos gousses très régulièrement et avant que les grains ne commencent à gonfler la cosse.

LA DENSITÉ DES SEMIS ET REPIQUAGES DANS UN POTAGER EN CARRÉS

Les concentrations des divers légumes semés ou repiqués dans les carrés sont généralement bien supérieures à celles des cultures traditionnelles en lignes ou en banquettes. Vos minimottes de laitues ou de chicorées se planteront à mois de 15 cm d'écartement (de 20 à 25 cm en culture traditionnelle) et les semis de carottes, de radis ou de navets seront pratiqués plus denses dans les carreaux où les premières récoltes permettront généralement un premier éclaircissage. La densité de culture des légumes « rampants » comme les concombres, les melons ou les courges à petits fruits est aussi considérablement augmentée dans les carrés potagers où ils sont conduits sur structure palissée.

PLAN DU CARRÉ DE JUIN À AOÛT

1 Poivron	2 Thym commun (vivace arbustive)	3 Concombre
4 Tomate variété 1	5 Verveine citronnelle	6 Chicorée scarole d'automne (6 plants)
7 Poirée à cardes blanches	8 Piment 'de Cayenne'	9 Laitue d'été variété 2 (6 plants)

LISTE DES PLANTES **DE JUIN À AOÛT**

- Chicorée scarole d'automne (6 plants)
- Laitue d'été, variété 2 (6 plants)

CARREAU 1

Cueillez au sécateur les premiers poivrons au fur et à mesure de leur apparition et de leur développement. Poursuivez le palissage pour éviter que le pied ne s'affaisse sous le poids des fruits.

CARREAU 2

Pour sécher quelques petits rameaux de thym, prélevez-les juste avant la floraison, rassemblez-les en petite botte et suspendez-les au sec. Ils conserveront ainsi leur puissant arôme balsamique jusqu'à la fin de l'hiver.

CARREAU 3

Les premiers concombres se récoltent quatre semaines après le repiquage. Ne les laissez pas grandir et cueillez-les à 25 cm de long, afin de favoriser la production de nouvelles fleurs et d'autres fruits. Cueillez-les bien verts : une fois qu'ils se colorent de jaune, ils gagnent en amertume.

CARREAU 4

Palissez la pousse principale de la tomate sur le tuteur au fur et à mesure de sa croissance. Pincez les jeunes gourmands dès leur apparition à l'aisselle des feuilles. Cueillez vos premiers fruits à partir de la mi-juillet.

CARREAU 5

Prélevez une à une, selon vos besoins, les délicieuses feuilles à saveur citronnée de votre verveine citronnelle qui a maintenant pris de l'ampleur.

POUR MULTIPLIER LE THYM

Le thym est habituellement multiplié par bouturage. Mais si quelques pieds vous suffisent pour implanter un nouveau carreau, vous pouvez très bien le marcotter.

1. En février ou mars, après avoir taillé votre thym, épandez une épaisse couche de terreau fin et léger à son pied en enterrant la partie inférieure des pousses.

2. Arrosez régulièrement le carreau en pluie, afin de ne pas laisser dessécher le terreau nouvellement épandu.

3. Dès le mois de juin, prélevez au sécateur les plus belles pousses de votre thym, maintenant racinées, et repiquez-les directement en place.

Si le nombre de marcottes racinées dépasse vos besoins, prélevez-les malgré tout et rempotez-les dans des petits contenants, godets ou conteneurs. Après un mois de culture, vous pourrez les distribuer autour de vous et faire le bonheur de vos voisins.

ÉCHANGE DE BONS PROCÉDÉS

Les feuilles et les gourmands de tomates macérés dans de l'eau limitent les pullulations sur les choux et les radis de ces petites puces de terre que sont les altises. Quelques orties qui envahissent votre potager vous permettront de confectionner un purin qui, dilué à 10 % dans votre eau d'arrosage et épandu une fois par semaine sur vos carrés, stimulera la croissance de vos tomates.

VEILLEZ À...

conserver la fraîcheur des carreaux accueillant vos **laitues d'été** par des arrosages suivis et répétés. Un apport d'eau important qui suivrait un coup de sécheresse les ferait irrémédiablement monter à graines.

CARREAU 6

Parvenus au bout de leur production, arrachez vos pieds de petits pois et apportez-les sur votre compost en cours. Ajoutez trois ou quatre poignées de compost ancien et mélangez le tout à la griffe. Installez dans le carré six minimottes de chicorées scaroles d'automne. Moins sujettes à la montée à graines en période de sécheresse que les laitues d'été, ne les laissez toutefois pas manquer d'eau.

CARREAU 7

Vos cardes se récolteront maintenant de façon continue jusqu'aux gelées. Arrachez d'abord celles du pourtour en ménageant le cœur. Apprêtez-les en cuisine sitôt récoltées.

CARREAU 8

A partir de la mi-juillet, les piments se cueillent selon les goûts, verts ou colorés.

CARREAU 9

Incommodés par les chaleurs, vos pois mangetout sont parvenus en fin de production. Arrachez les pieds et prélevez les tuteurs. Ajoutez trois ou quatre poignées de compost ancien et incorporez-le à l'ancienne terre avec votre griffe. Repiquez six laitues d'été que vous arroserez au goulot dès la plantation. Optez maintenant pour des variétés lentes à monter à graines comme 'Merveille des quatre saisons', 'Milan', 'Matilda', 'Nadine' ou 'Rouge grenobloise'. Veillez à ne jamais les laisser manquer d'eau dans les semaines à venir.

PLAN DU CARRÉ DE SEPTEMBRE

1 Poivron	2 Thym commun (vivace arbustive)	3 Radis d'automne (semis)
4 Tomate variété 1	5 Verveine citronnelle	6 Chicorée scarole d'automne
7 Poirée à cardes blanches	8 Piment 'de Cayenne'	9 Mâche (semis)

LISTE DES PLANTES **DE SEPTEMBRE**

- Mâche (environ 250 graines, soit 0,25 g)
- Radis d'automne (environ 150 graines, soit 1 g)

POUR SEMER LA MÂCHE

La mâche est la salade d'automne, d'hiver et de printemps la plus populaire.

1. Débarrassez votre carreau des reliquats de la culture précédente et contentez-vous de griffer votre sol en surface (la mâche est un des rares légumes à apprécier les terres bien compactées).

2. Déposez vos graines de façon homogène, idéalement à 1 cm les unes des autres, et griffez à nouveau en surface afin de les incorporer très superficiellement.

3. Tassez énergiquement et arrosez en pluie. Votre carreau ne devra pas se dessécher, au moins jusqu'à la levée de la graine.

La très grande majorité des variétés – 'À grosses graines' fait ici exception – est parfaitement rustique et très peu incommodée par les grands froids.

CARREAU 1

Continuez la cueillette et le palissage de vos poivrons.

CARREAU 2

Poursuivez le prélèvement des jeunes rameaux de thym au fur et à mesure de vos besoins.

CARREAU 3

Dès fin août, les attaques conjuguées des acariens et de l'oïdium auront raison de votre pied de concombre. Enlevez les tuteurs et sortez de terre le pied complet, racines comprises. Inutile d'apporter du compost, puisque vous en avez copieusement enrichi votre carreau lors de la mise en place de votre pied à la fin du mois de mai. Ameublissez le sol et déposez environ 150 graines de radis d'hiver ou d'automne ('Green Meat' ou 'Rose de Chine' en sont des variétés savoureuses et de croissance rapide). Incorporez légèrement la graine à la griffe, puis tassez et arrosez copieusement en pluie.

CARREAU 4

Vos tomates parviennent en fin de production. Cueillez les derniers fruits encore verts et faites-les mûrir à l'intérieur de la maison. Débarrassez le carreau de son tuteur et du pied de tomate.

CARREAU 5

Les dernières feuilles de verveine citronnelle conservent leur délicieux arôme citronné même en automne. Pour vos ultimes cueillettes, prélevez les rameaux entiers.

VEILLEZ À...
maintenir les rameaux des diverses **plantes palissées** au plus près de leur support. Taillez les pousses qui pourraient incommoder les plantes voisines ou guidez-les le long de leurs tuteurs.

La bette à cardes se récolte de façon continue de juillet aux gelées, en prélevant les feuilles au niveau du sol et en commençant par celles du pourtour.

CARREAU 6

Plantées serrées – à 15 cm environ –, les chicorées scaroles blanchiront spontanément en prenant du volume. Cueillez dans un premier temps une chicorée sur deux, les trois restantes auront alors la place pour se développer et se maintiendront jusqu'à l'entrée de l'hiver.

CARREAU 7

Prélevez vos cardes régulièrement, au fur et à mesure de leur croissance et de vos besoins. En entrée d'automne, vos bettes porteront beau non loin des derniers pieds de tomates, de la verveine citronnelle et du piment 'de Cayenne'.

CARREAU 8

Cueillez les fruits verts ou mûrs de votre pied de piment au fur et à mesure des besoins.

CARREAU 9

Dès la dernière laitue d'été récoltée, griffez la terre du carreau et semez 250 graines de mâche (optez pour une variété rapide à croître et rustique comme 'Jade', 'Vit' ou 'Topaze'). Tassez énergiquement le sol sans trop enfouir la graine et arrosez en pluie. Ne laissez pas le sol se dessécher jusqu'à la levée de la graine, qui peut prendre plus de trois semaines. La récolte des rosettes de mâche étant assez fastidieuse, il est préférable de les semer dans un carreau de bordure. Commencez vos récoltes une fois les rosettes formées en les sectionnant au collet entre le pouce et l'index.

LE MILDIOU SUR LES TOMATES
Les premières taches de mildiou se manifestent sur vos tomates en été pour se généraliser en automne. Le dessus des feuilles se marque dans un premier temps de taches brunes et circonscrites. Celles-ci finissent par se généraliser à tout le limbe. Les feuilles se dessèchent et la maladie passe alors sur les fruits, d'abord sous forme de taches jaunâtres plus ou moins marbrées. En fin de saison les fruits se bossellent, noircissent et finissent par pourrir. En optant au départ pour des variétés dont la sensibilité au mildiou est moindre ('Ferline', 'Maestria, 'Bali', 'Pyros'...) vous poursuivrez vos récoltes de tomates tard en saison, jusque fin septembre, voire octobre.

PLAN DU CARRÉ D'OCTOBRE ET NOVEMBRE

1 Poivron	2 Thym commun (vivace arbustive)	3 Radis d'automne
4 Épinard (semis)	5 Verveine citronnelle	6 Chicorée scarole d'automne
7 Poirée à cardes blanches	8 Piment 'de Cayenne'	9 Mâche

LISTE DES PLANTES
D'OCTOBRE ET NOVEMBRE

- Épinard (2 g environ)

LES LÉGUMES À CONSOMMER EN JEUNES POUSSES

Ces jeunes légumes représentent une aubaine pour les potagers en carrés tant au printemps qu'à l'automne. Ils requièrent souvent moins de quatre semaines après le semis pour être récoltés. Les laitues à couper ou la roquette en sont les plus connues. Mais nombre de légumes classiques comme les épinards – certaines variétés s'y prêtent mieux que d'autres –, les bettes et les betteraves se cueillent aussi en jeunes pousses. Ces dernières peuvent aussi se récolter «en baby», c'est-à-dire en toutes jeunes racines de moins de 3 cm de diamètre. Elles sont alors particulièrement succulentes et n'occuperont vos carrés que 6 à 8 semaines.

De formes très diverses, les poivrons et les piments se ressemblent parfois au point que seule leur saveur permet de les distinguer.

CARREAU 1

Poursuivez la cueillette de vos poivrons jusqu'aux premières gelées qui mettront un terme aux récoltes (le pied muni de ses ultimes fruits, arraché avant les premières températures négatives et conservé à l'intérieur de la maison, permettra de préserver vos poivrons jusqu'à Noël).

CARREAU 2

Un carreau peut recevoir jusqu'à cinq pieds de thym. Ces aromatiques méditerranéennes apprécient peu les hivers froids et humides. La meilleure façon de faire est encore de laisser ces arbustes en l'état, sans les tailler, jusqu'au mois de mars de l'année prochaine.

CARREAU 3

Les radis d'hiver se récoltent en automne, généralement à partir de début novembre. Arrachez-les au fur et à mesure des besoins. La récolte peut se poursuivre très tard en saison, souvent jusqu'en décembre et même janvier.

CARREAU 4

Votre carreau est débarrassé de son pied de tomate. Ajoutez trois ou quatre poignées de compost ancien. Mélangez le tout d'un coup de griffe énergique et semez vos épinards. Prévoyez environ 200 graines (le huitième d'un sachet standard de 15 g). Incorporez très légèrement la graine, tassez et arrosez en pluie.

CARREAU 5

La verveine citronnelle est un arbuste aromatique pérenne mais gélif. Sortez de terre vos trois mottes et maintenez-les hors gel jusqu'au printemps – en cave par exemple.

CARREAU 6

Si les premiers grésils incommodent peu les chicorées scaroles, il vous faudra cependant cueillir les derniers pieds avant les fortes gelées.

CARREAU 7

Poursuivez vos récoltes de cardes jusque tard en saison, en conservant leurs cœurs intacts.

CARREAU 8

Récoltez vos piments le plus tard possible, mais avant les premières gelées, même légères. Ils auront alors pris une belle couleur feu. En les faisant sécher à l'intérieur de la maison, vous les conserverez jusqu'à la récolte de l'année prochaine.

POUR HIVERNER LA VERVEINE CITRONNELLE

Délicieuse plante condimentaire à saveur citronnée, la verveine citronnelle demande à être maintenue à l'abri du gel en hiver.

1. Taillez à 30 ou 40 cm de haut vos pieds de verveine et sortez-les de terre. Retaillez les souches de façon à ce qu'elles se maintiennent en petites mottes compactes.

2. Entreposez-les pendant tout l'hiver dans un endroit frais mais hors gel.

3. Repiquez directement en place vos souches au mois d'avril de l'année suivante après avoir recoupé à ras leurs rameaux. Dès le mois de mai, leurs nouvelles pousses jailliront, vigoureuses.

En renouvelant l'opération tout les ans, vous pourrez conserver vos pieds de verveine citronnelle pendant 5 à 8 ans.

CARREAU 9

Débutez vos récoltes de mâche en commençant par les plus grandes, dès que leurs rosettes sont suffisamment développées. Si celles-ci se conservent sans difficulté quelques jours dans le bac à légumes du réfrigérateur, il est préférable de les consommer rapidement car leurs larges feuilles spatulées se fanent vite.

VEILLEZ À...

récolter vos **piments** à conserver avant les premiers froids. Une façon simple et élégante de les maintenir d'une année sur l'autre consiste à les enfiler en guirlande sur une fine ficelle alimentaire en sisal.

Carré de juin à août

LE CARRÉ N°6

■ Vous récolterez sur les neuf carreaux douze légumes et trois plantes condimentaires. Certaines cultures sont très courtes, d'autres s'attarderont pendant quelques mois. Hormis au cœur même de l'hiver, les divers carreaux sont occupés en permanence. Le cas échéant, une culture intercalaire peut là aussi trouver sa place entre deux mises en culture planifiées. Le carré comprend deux carreaux test où seront semés des légumes asiatiques dont les jeunes pousses se consomment sitôt cueillies.

■ PLAN DU CARRÉ DE DÉCEMBRE À FÉVRIER

1 Navette en engrais vert (semis)	2 Mâche	3 Menthe verte (vivace)
4 Navette en engrais vert (semis)	5 Compost en surfaçage	6 Compost en surfaçage
7 Compost en surfaçage	8 Poireau d'automne	9 Laitue pommée d'hiver

LISTE DES PLANTES **DE DÉCEMBRE À FÉVRIER**

- Laitue pommée d'hiver (6 plants en place)
- Mâche (250 graines semées en automne)
- Menthe verte, vivace (1 pied en place)
- Navette en engrais vert (2 poignées de graines)
- Poireau d'automne (25 pieds en place)

CARREAUX 1 ET 4

Allégez le sol à la griffe et ajoutez trois ou quatre poignées de compost. Semez dru votre navette afin de ne pas laisser votre carré nu, exposé aux pluies d'hiver et aux lessivages d'éléments fertilisants qui en résultent.

La menthe est une plante condimentaire, aromatique et même médicinale qui tient à distance fourmis et pucerons.

La navette est vendue dans le commerce horticole en boite de 500 g ou de 1 kg. Comme beaucoup de plantes de sa famille (Brassicacées), elle maintient son pouvoir germinatif pendant de longues années, au moins cinq à six ans. Veillez cependant à conserver toujours votre paquet de graines au frais et à l'abri de l'humidité.

CARREAU 2

Poursuivez la récolte des rosettes de mâche pendant tout l'hiver. Chaque récolte correspond à un éclaircissage qui permet aux jeunes plants qui restent en place de poursuivre leur croissance.

CARREAU 3

La menthe est vivace par son système racinaire. Quoique parfaitement rustique, sa partie aérienne va se dessécher pendant la mauvaise saison. De nouvelles pousses apparaîtront à hauteur de souche au printemps prochain.

CARREAUX 5, 6 ET 7

Ces carreaux recevront en mars prochain des jeunes semis ou replants de Brassicacées. Il est donc préférable de se contenter d'épandre en surface une épaisse couche de compost ancien qui ne sera incorporé au sol qu'au moment des mises en culture du mois de mars.

CARREAU 8

Poursuivez vos récoltes de poireaux selon vos besoins. Une fois votre carreau vidé, recouvrez-le en surface d'une épaisse couche de compost ancien.

CARREAU 9

Les laitues pommées d'hiver se maintiendront en place jusqu'à leur récolte de mars ou d'avril prochain. Avant les premières vagues de froid, recouvrez votre carré d'un voile d'hivernage qui les protégera des intempéries et hâtera l'apparition de leur pomme.

Même si leur culture est longue, les poireaux restent des légumes incontournables au potager.

POUR PLANTER LA MENTHE VERTE

La menthe est une plante vivace énergique, trop exubérante même, qui se maintient en place de nombreuses années. Il faut veiller dès le départ à ce qu'elle n'aille pas incommoder ses voisines.

1. Aérez le sol à la griffe et ouvrez un trou de plantation de 25 cm de profondeur et de diamètre.

2. Positionnez dans ce trou un ancien conteneur de cette taille, dont vous aurez préalablement découpé le fond. Veillez à ce que le rebord supérieur du conteneur déborde de la surface du sol de 2 cm environ.

3. Comblez le conteneur avec la terre récupérée lors de l'excavation et repiquez votre menthe. Arrosez fortement au goulot.

La multiplication de la menthe en saison est particulièrement aisée. De simples marcottes repiquées dans de petits pots donneront en quelques semaines des jeunes plants qui feront le bonheur de vos amis.

PLAN DU CARRÉ DE MARS ET AVRIL

1 Pois (semis)	2 Mélange asiatique jeunes pousses (semis) (test)	3 Menthe verte (vivace)
4 Laitue de printemps variété 2 (6 plants)	5 Mélange asiatique jeunes pousses (semis) (test)	6 Radis rond de printemps (semis)
7 Cresson alénois (semis)	8 Radis rond de printemps (semis)	9 Carotte primeur (semis)

LISTE DES PLANTES **DE MARS ET AVRIL**

- Carotte primeur (0,20 g)
- Cresson alénois (1 g)
- Laitue de printemps, variété 2 (6 plants)
- Mélange asiatique de jeunes pousses (1 g)
- Pois (3 poquets de 10 graines environ)
- Radis rond de printemps (2 g)

CARREAU 1

Arrachez les jeunes pousses et racines de navette si celles-ci n'ont pas gelé (si c'est le cas, un simple griffage du sol suffira). Aérez le carreau à la griffe en ajoutant éventuellement trois ou quatre poignées de compost (cet ajout n'est pas indispensable car les petits pois qui suivent en culture sont des légumes particulièrement frugaux). En début de période, semez des pois à grain rond, en fin de période des pois à grain ridé, chacun en trois poquets d'une dizaine de graines. Optez pour des variétés à rames qui sont de loin les plus productives.

CARREAUX 2 ET 5

Débarrassez le carreau 2 des derniers reliquats de mâche, feuilles et racines, et apportez trois ou quatre poignées de compost ancien. Le carreau 5 se contentera de la couche de compost épandue en fin d'automne. Ameublissez les deux carreaux avec votre griffe. Égalisez leur surface et déposez sur chacun 200 graines d'un mélange du commerce de légumes-feuilles asiatiques (amsoï, komatsuna, mizuna) — soit 400 graines correspondant environ au cinquième d'un sachet standard de 5 g. Incorporez la graine en surface avec la griffe, tassez et arrosez en pluie. La levée sera rapide et les récoltes qui débutent quatre à cinq semaines après le semis se termineront vers la mi-mai. Cédant la place aux mises en culture estivales !

CARREAU 3

Coupez les tiges desséchées de votre menthe avant que les nouvelles pousses ne commencent à pointer.

CARREAU 4

Arrachez les reliquats de navette dans votre carreau et incorporez à la griffe trois ou quatre poignées de compost mûr. Repiquez six minimottes de laitues de printemps. Elles se récolteront entre quatre et six semaines après leur mise en terre, libérant la place à temps pour les repiquages de mai.

CARREAUX 6 ET 8

En début de période, mélangez intimement la terre de votre carreau et le compost épandu cet hiver. Affinez le mélange et déposez de façon homogène environ 250 graines de radis rond de printemps par carreau, soit environ un dixième d'un sachet standard de 8 à 10 g. Enfouissez superficiellement les graines avec la griffe et tassez fortement avec la paume de la main ou une planchette. Arrosez abondamment en pluie après le semis et très régulièrement par la suite, jusqu'à la dernière récolte.

Les radis n'aiment ni la sécheresse ni les coups de chaud en été : arrosez-les le cas échéant. À la récolte, commencez par prélever les plus gros.

CARREAU 7

Mélangez compost et terre en place. Nivelez la surface du carreau et épandez environ 500 graines de cresson alénois, soit le vingtième d'un sachet standard de 20 g. Tassez énergiquement et arrosez abondamment en pluie. Ne laissez pas la surface de votre carreau se dessécher pendant les six semaines que durera votre culture. Prélevez au ciseau vos jeunes tiges et feuilles de cresson moins de trois semaines après le semis.

POUR SEMER LES CAROTTES PRIMEURS

Optez pour 'Marché de Paris', une variété de minicarottes qui développe rapidement de délicieuses petites racines sucrées en forme de toupie.

1. Préparez très délicatement votre sol et ajoutez au carreau le compost le plus fin que vous ayez à votre disposition, pour éviter de récolter des carottes fourchues.

2. Éparpillez de façon régulière vos graines à la volée et griffez légèrement le sol pour les enfouir très superficiellement à la terre.

3. Tassez énergiquement avec la paume de votre main ou en utilisant une planchette. Arrosez ensuite abondamment en pluie.

Ces carottes miniatures se récoltent dix à douze semaines après le semis, soit à partir du mois de mai.

CARREAU 9

Votre dernière laitue d'hiver récoltée, mélangez à votre carreau trois ou quatre poignées de compost ancien. Veillez à préparer très finement la terre qui accueillera vos carottes primeurs. Épandez de façon très homogène sur la totalité du carreau 200 graines de carottes primeurs environ (correspondant au quinzième d'un paquet standard de 3 g). Un léger passage de griffe enfouira très superficiellement la graine. Tassez énergiquement et arrosez raisonnablement en pluie. Il est préférable de semer vos carottes dans un carré de bordure car ce légume requiert un entretien suivi et régulier.

Les mauvaises herbes lèveront aussi rapidement que vos carottes. Intervenez tôt, avant qu'elles n'aient le temps de croître. Arrosez après chaque désherbage, après avoir épandu une légère couche de terreau ou de compost fin.

PLAN DU CARRÉ DE MAI

1	2	3
Pois	Chicorée frisée d'été (6 plants)	Menthe verte (vivace)
4 Chicorée frisée d'été (6 plants)	5 Haricots filets à rames 'Fortex' (semis)	6 Céleri-branche (6 plants)
7 Basilic (3 pieds)	8 Poireau d'automne (25 pieds)	9 Carotte primeur

LISTE DES PLANTES **DE MAI**

- Basilic (3 pieds)
- Céleri-branche (6 plants)
- Chicorée frisée d'été (12 plants)
- Haricot filets à rames 'Fortex' (3 poquets de 10 graines)
- Poireau d'automne (25 pieds)

CARREAU 1

Débutez vos récoltes de petits pois dès que les graines font relief dans leurs cosses. Les petits pois « extra-fins » – les plus sucrés et les plus délicats – ne relèvent pas d'une variété particulière mais signalent des petits pois cueillis très jeunes, en tout début de maturation. Maintenez vos récoltes jusqu'aux premières chaleurs estivales qui marqueront la fin des cueillettes.

CARREAU 2

Les premières chaleurs signeront également la fin des récoltes de vos jeunes pousses de légumes asiatiques. Videz votre carreau des derniers résidus de feuilles et de racines, ajoutez trois ou quatre poignées de compost ancien et mélangez l'ensemble d'un coup de griffe. Plantez six minimottes de chicorées frisées que vous arroserez au goulot une fois la plantation achevée.

LE BASILIC

Le basilic est une plante aromatique à la mode, résolument portée par la popularité de la cuisine méditerranéenne – alors qu'il nous vient d'Inde ! Fortes de cette notoriété, les diverses variétés de basilic se sont considérablement multipliées ces dernières années et leurs arômes toujours puissants et pénétrants se sont nuancés de fragrance de clou de girofle, de citron, d'anis, de thym, de jasmin et de cannelle. Vous aurez donc le choix : 'Grand vert' – qui reste le plus cultivé –, 'Fin vert', 'À feuilles de laitue', 'Lemon', 'Cannelle', 'Marseillais', thaï ('Sacré de Thaïlande'), etc. Le choix, mais aussi l'embarras, car les uns sont aussi faciles de culture que les autres, et tout aussi savoureux.

CARREAU 3

La récolte de la menthe peut commencer et se poursuivra de façon continue jusqu'à l'entrée de l'hiver. Si vous souhaitez la multiplier, c'est le moment ! Arrachez une jeune marcotte racinée et repiquez-la directement en place, éventuellement dans un nouveau pot.

CARREAU 4

Une fois la dernière laitue de printemps prélevée, ajoutez trois ou quatre poignées de compost ancien et ameublissez le carreau à la griffe. Repiquez six minimottes de chicorées frisées d'été. Quoique assez proche d'un point de vue botanique, laitues et chicorées cohabitent ou se succèdent en culture sans difficulté.

CARREAU 5

Avec les premières chaleurs, les jeunes pousses asiatiques monteront en graines. Arrachez-les et épandez trois ou quatre poignées d'ancien compost que vous mélangerez au sol en place. Piquez en triangle trois tuteurs en bambou de 2 m de haut au moins, attachez-les en tipi. Ouvrez à leurs pieds trois poquets dans lesquels vous déposerez chaque fois 10 graines de haricots grimpants (optez pour 'Fortex', une variété à la fois productive et savoureuse). Enterrez les grains de 3 cm environ et arrosez abondamment en pluie.

CARREAU 6

Videz votre carreau des derniers reliquats de radis et ajoutez sept à dix poignées de compost ancien. Mélangez de façon homogène nouveau compost et ancien substrat. Repiquez six minimottes de céleris-branches dont vous bornerez énergiquement les pieds. Arrosez-les copieusement au goulot.

CARREAU 7

Poursuivez vos récoltes de cresson alénois pendant tout le mois de mai, très régulièrement (plus vous le couperez, plus il repoussera vigoureusement, alors qu'il montera très rapidement à graines si vous ne le taillez pas). Attendez fin mai et les premières chaleurs de fin de printemps pour arracher les plants. Mélangez alors trois ou quatre poignées de compost ancien à la terre du carreau et plantez trois pieds de basilic qui, eux, exigent de fortes chaleurs pour bien pousser.

CARREAU 8

Débarrassez le carreau des dernières feuilles et racines de radis et ajoutez huit à dix poignées de compost ancien (le poireau est un légume particulièrement vorace). Homogénéisez à la griffe le nouveau compost et la terre en place. Repiquez 25 pieds de poireaux d'automne que vous récolterez à partir d'octobre ou de novembre. Plus vous espacerez vos plants, plus leurs fûts seront volumineux à la récolte.

POUR PLANTER LES CÉLERIS-BRANCHES

Moins populaire que son cousin le céleri-rave, le céleri-branche présente pourtant le même type de saveur légèrement poivrée et piquante.

1. Trempez les minimottes de céleris-branches dans une bassine d'eau pendant un quart d'heure pour les gorger d'eau à saturation.

2. Avant de repiquer vos plants, amendez fortement le carreau de compost car les céleris sont des légumes voraces.

3. Tassez énergiquement au pied et arrosez chaque plant individuellement au goulot.

Arrosez souvent et régulièrement vos céleris-branches car le sol doit rester frais pour conserver à leurs côtes leur tendreté.

VEILLEZ À...

ne pas laisser la **menthe** prendre ses aises car cette délicieuse sauvageonne, sans être une mégère, demande à être apprivoisée, même et surtout dans un jardin au carré.

CARREAU 9

Récoltez vos petites toupies de carottes primeurs en commençant par les plus développées. Arrosez, voire terreautez – c'est-à-dire épandez en surface une fine couche de terreau –, après chaque prélèvement. Les carottes primeurs se consomment dès leur récolte. Préparez-les crues, râpées, assaisonnées de jus de citron et d'un peu d'huile d'olive, ou cuites à la vapeur avec une noisette de beurre ou un peu de crème, voire en tartes salées ou sucrées. Trois ou quatre récoltes se succéderont dans votre carreau jusqu'en début juin.

PLAN DU CARRÉ DE JUIN À AOÛT

1 Chicorée 'Pain de sucre' (6 plants)	2 Chicorée frisée d'été	3 Menthe verte (vivace)
4 Chicorée frisée d'été	5 Haricots filets à rames 'Fortex'	6 Céleri-branche
7 Basilic	8 Poireau d'automne	9 Melon (1 pied)

LISTE DES PLANTES **DE JUIN À AOÛT**

- Chicorée 'Pain de sucre' (6 plants)
- Melon (1 pied)

CARREAU 1

Débarrassez le carreau des plants de petits pois parvenus en fin de production et épandez trois ou quatre poignées de compost. Mélangez le tout d'un coup de griffe avant de repiquer six minimottes de chicorées 'Pain de Sucre'. Cette variété de chicorée sauvage à faux air de chou est particulièrement douce et savoureuse.

CARREAU 2

Une fois vos chicorées frisées d'été devenues suffisamment volumineuses, commencez la récolte en prélevant dans un premier temps un plant sur deux.

CARREAU 3

Plus vous couperez vos rameaux de menthe, plus elle développera de nouvelles pousses. En particulier, ne la laissez pas monter à fleurs : la plante perdrait ainsi de sa vigueur.

CARREAU 4

Récoltez au fur et à mesure de leur développement et de vos besoins vos chicorées frisées. Laissez-les pousser serrées : elles perdent en amertume et gagnent en douceur.

CARREAU 5

Cueillez vos gousses de haricots au fur et à mesure de leur croissance, les plus jeunes étant les plus savoureuses. Prélevez-les très régulièrement pour permettre l'apparition de nouvelles fleurs et de nouveaux fruits.

CARREAU 6

Arrosez abondamment et de façon suivie vos céleris-branches. Privilégiez les arrosages au goulot, un arro-

POUR PLANTER LE MELON

Délicat, exigeant et capricieux, le melon n'est pas la plante la plus facile à cultiver dans vos carrés. Mais comment résister à la chair fondante et sucrée de ce fruit particulièrement aromatique ?

1. Préparez votre carreau en y incorporant une dizaine de poignées de compost ancien (avec le concombre, le melon est le légume qui apprécie le plus de croître dans un sol puissamment humifère).

2. Plantez votre pied de melon sans trop l'enterrer et veillez à ce que sa motte soit raisonnablement humide lors de la mise en terre.

3. Arrosez au goulot après la plantation, puis régulièrement et minutieusement jusqu'à la maturation de ses fruits. Prévoyez un système de tuteurage (tuteurs ou grillage circulaire) pour lui permettre de se déployer en hauteur.

Sachez patienter et n'installez votre melon qu'en juin, quand les fortes chaleurs permettront sa croissance rapide.

sage en pluie provoquant sur les feuilles des variétés sensibles l'apparition de taches noires suivies de dessèchement. Attendez que les pieds soient forts et vigoureux pour commencer vos récoltes.

CARREAU 7

Arrosez régulièrement vos basilics. Prélevez les jeunes pousses par pincements successifs afin de ne pas les laisser monter à fleurs. Au plus fort de la production, confectionnez du pistou (ou pesto) en mélangeant des feuilles de basilic et de l'ail pilé, le tout lié avec une huile d'olive. Une fois préparé, vous pourrez conserver votre pistou pendant plusieurs semaines au réfrigérateur et vous en servir selon vos besoins, pour agrémenter vos légumes et vos pâtes.

VEILLEZ À...

recouvrir en été les carreaux où poussent des **légumes-fruits** avec 4 à 5 cm de compost même grossier. En limitant l'évaporation et en retenant l'eau un peu comme une éponge, ce «paillis» fin évitera à votre arrosoir bien des allers-retours !

LES EXCLUS DES CARRÉS

La plupart des légumes trouvent facilement leur place dans les carrés de culture. Seuls certaines plantes géantes s'y sentent trop à l'étroit. Comment demander au vigoureux potiron de se cantonner à un modeste carreau de 40 cm de côté, lui qui aime prendre ses aises et s'étaler généreusement ? De même, les artichauts risqueraient de déborder du petit espace dans lequel vous chercheriez à les contraindre. Que dire alors du topinambour ? Sa tige florale atteint 2,50 m de haut et ses tubercules ont tendance à tout envahir. La solution serait de consacrer à chacun un carré entier !

CARREAU 8

Arrosez régulièrement et abondamment vos poireaux en veillant malgré tout à laisser sécher le sol en surface entre deux arrosages.

CARREAU 9

Attendez la fin des récoltes de vos carottes primeurs – fin mai à courant juin – pour repiquer un pied de melon au centre du carreau. Cédez-lui une exposition chaude et très ensoleillée et ne lésinez pas sur l'apport de compost. Prévoyez un dispositif de soutien.

PLAN DU CARRÉ DE SEPTEMBRE

1 Chicorée 'Pain de sucre'	2 Mâche (semis)	3 Menthe verte (vivace)
4 Chicorée italienne d'automne (6 plants)	5 Haricots filets à rames 'Fortex'	6 Céleri-branche
7 Basilic	8 Poireau d'automne	9 Melon

Les haricots grimpants croissent rapidement, produisent tôt et abondamment, souvent jusque fin septembre.

LISTE DES PLANTES **DE SEPTEMBRE**

- Chicorée italienne d'automne (6 plants)
- Mâche (0,25 g)

CARREAU 1

Prélevez au fur et à mesure des besoins vos chicorées 'Pain de Sucre' en ne récoltant dans un premier temps qu'un plant sur deux.

CARREAU 2

La cueillette de vos chicorées frisées d'été achevée, griffez le sol en l'égalisant. Déposez en surface environ 250 graines de mâche de croissance rapide comme 'À grosse graine' ou 'Vit' et griffez légèrement la surface du carreau pour les enfouir. Tassez de façon énergique avec une planchette et arrosez copieusement en pluie.

CARREAU 3

Poursuivez vos récoltes de menthe au fur et à mesure de vos besoins.

CARREAU 4

Vos chicorées frisées maintenant récoltées, incorporez au sol trois ou quatre poignées de compost ancien et repiquez de nouvelles chicorées, italiennes celles-ci (six minimottes). Leurs exigences en culture étant faibles, faire suivre une chicorée par d'autres chicorées ne présente aucun inconvénient. Optez pour une variété à saveur douce comme 'Castelfranco di Lusia' que vous récolterez en octobre ou novembre.

POUR CONSERVER LES FEUILLES DE BASILIC

S'il est toujours préférable d'utiliser fraîches vos feuilles de basilic, celles-ci peuvent également se congeler. Un comble pour cette plante aromatique particulièrement amatrice de soleil et de chaleur !

1. Versez une petite quantité d'huile d'olive dans un mixeur et ajoutez les feuilles fraîches de basilic.

2. Mélangez le tout jusqu'à obtenir une préparation homogène dont vous garnirez des bacs à glaçons vides.

3. Mettez-les ensuite à congeler au freezer.

Ces «glaçons de basilic» resteront disponibles tout l'hiver et jusqu'aux nouvelles récoltes de l'année prochaine. Il vous suffira de les ajouter au dernier moment dans vos plats cuisinés.

LE MELON

«Les melons ne peuvent souffrir retardement aucun en leur cueillette», affirmait déjà vers 1600 Olivier de Serres. Le moment de la récolte est arrivé quand, le nez posé sur le fruit, vous sentez distinctement son arôme caractéristique. En y regardant de près, vous verrez son pédoncule se fendiller en cercle à la hauteur du fruit... Si fruit il y a ! Car la culture du melon reste très aléatoire dans la plus grande partie de la France, très soumise aux caprices de la météo. Sur trois ans, vous pourrez compter sur une année excellente, une autre moyenne et la dernière nulle – c'est-à-dire sans même un melon à récolter !

VEILLEZ À...

ajouter quelques poignées de compost au pied de vos **céleris-branches**. Les côtes en seront plus tendres et surtout vos cueillettes pourront se poursuivre même après les premières gelées blanches qui surviendront en automne.

CARREAU 5

Poursuivez les cueillettes de vos haricots-filets en rames. Prélevez-les à 15-20 cm de long. En les laissant croître, les gousses seront moins savoureuses et vos pieds cesseront de renouveler leur floraison, et donc leur fructification.

CARREAU 6

Les récoltes de céleris-branches se font maintenant très régulièrement. Comme vos pieds de céleri sont plantés très serrés, les côtes seront tout naturellement tendres sans même que vous ayez à les butter ou à les blanchir.

CARREAU 7

Poursuivez vos cueillettes de feuilles de basilic. Si vos pieds ont été régulièrement pincés en été, la production en septembre reste excellente.

CARREAU 8

Les premières pluies d'automne devraient pourvoir aux besoins en eau de vos poireaux. Les premiers prélèvements peuvent bientôt débuter.

CARREAU 9

Récoltez vos melons à maturité. En prenant le fruit en main, celui-ci se détache spontanément : il ne vous reste qu'à le déguster. Une fois cueillis, consommez vos melons très rapidement.

PLAN DU CARRÉ D'OCTOBRE ET NOVEMBRE

1 Chicorée 'Pain de sucre'	2 Mâche	3 Menthe verte (vivace)
4 Chicorée italienne d'automne	5 Haricots filets à rames 'Fortex'	6 Céleri-branche
7 Basilic	8 Poireau d'automne	9 Laitue pommée d'hiver (6 plants)

POUR REPIQUER LES CHICORÉES D'AUTOMNE, ITALIENNES ET 'PAIN DE SUCRE'

Leur croissance qui se poursuit malgré les nuits fraîches de l'automne permet d'installer ces chicorées dans vos carrés en septembre et jusqu'au début octobre.

1. Préparez le sol en l'affinant d'un coup de griffe et en nivelant sa surface. Un apport de compost est bienvenu, sans pour autant être indispensable.

2. Immergez vos minimottes dans une cuvette d'eau à température ambiante pendant quelques minutes.

3. Repiquez-les en place, en ouvrant une petite excavation avec vos index et majeur rassemblés en crochet. Bornez-les énergiquement à hauteur du collet.

Les récoltes débuteront quatre ou cinq semaines après la plantation et se poursuivront jusqu'aux premiers gels conséquents de l'hiver, voire au-delà pour les plus rustiques d'entre elles.

LISTE DES PLANTES **D'OCTOBRE ET NOVEMBRE**

- Laitue pommée d'hiver 'Val d'Orge' (6 plants)

CARREAU 1

Terminez vos prélèvements de chicorées 'Pain de sucre' avant les premiers grands froids. Un voile d'hivernage vous permettra de « tricher » un peu et de poursuivre vos récoltes jusqu'à Noël.

CARREAU 2

Commencez ou continuez la récolte des rosettes de mâche. Prélevez en priorité les plus vigoureuses pour permettre aux plus chétives de gagner en volume.

CARREAU 3

Les récoltes de menthe s'achèvent. Supprimez les jeunes pousses et marcottes qui débordent du carreau. Épandez à la surface du carreau une épaisse couche de compost ancien en prévision de l'hiver.

CARREAU 4

Récoltez vos chicorées italiennes au fur et mesure du développement de leur pomme. Chez certaines variétés comme la chicorée de Chiogga 'Palla Rossa', le feuillage noircira et desséchera lors des premières gelées. Mais sa puissante racine développera en janvier ou février de nouvelles petites pommes rouge violacé à larges nervures blanches.

CARREAU 5

Poursuivez vos récoltes de haricots jusqu'à ce que les premières nuits fraîches y mettent un terme. Supprimez alors les tuteurs et arrachez les pieds. Prenez la précuation de recouvrir tout de suite le carreau d'une épaisse couche de compost ancien.

CARREAU 6

Prélevez vos branches de céleri pendant tout l'automne. Si vos cueillettes ne sont pas achevées avant les premières fortes gelées de novembre ou décembre, arrachez les pieds et conservez-les en cave pendant trois ou quatre semaines.

Récoltée en automne, la saveur de l'élégante pomme de la chicorée 'Pain de sucre' évoque celle de la noisette.

CARREAU 7

Continuez vos récoltes de basilic jusqu'à ce que les premières nuits froides d'automne en marquent la fin.

CARREAU 8

Prélevez vos poireaux au fur et à mesure des besoins. La récolte de ces poireaux d'automne pourra se poursuivre jusqu'en janvier.

CARREAU 9

'Val d'Orge' est une solide variété de laitue d'hiver qui forme en mars ou avril une pomme dense et compacte, d'un beau vert franc. Ses six minimottes seront installées dans votre carreau dès l'arrachage de votre pied de melon.

VEILLEZ À...

recouvrir vos **mâches** d'un voile de forçage. Leur croissance – donc leur cueillette – se poursuivra pendant tout l'hiver. Les rosettes seront par ailleurs indemnes de macules de terre et un simple passage sous un filet d'eau suffira pour les apprêter en cuisine.

LES LÉGUMES PRÉSENTS TOUT AU LONG DE L'HIVER DANS LES CARRÉS

Certains légumes poussent la complaisance jusqu'à se maintenir tels quels dans vos carrés pendant tout l'hiver. Continuez à prélever, au fur et à mesure de vos besoins, vos choux frisés non pommés, vos choux de Milan, ceux de Bruxelles, vos racines de panais et vos poireaux. Les mâches et les épinards ne reprendront leur croissance qu'en mars mais, si l'hiver est doux, il n'est pas rare de pouvoir les cueillir au cœur même de décembre ou janvier.

DES CARRÉS POTAGERS THÉMATIQUES

Une nouvelle aire du carré du jardin est née. Voici huit carrés différents pour cultiver des légumes, des fleurs et des herbes aromatiques. Tous les carrés peuvent se cultiver séparément ou en association les uns avec autres selon vos goûts. Que vous soyez débutant ou expérimenté dans le jardinage, les carrés vous offrent une autre façon de cultiver. Ne vous détrompez pas, vous récolterez des légumes à

foison sur quelques mètres carrés. Que vous disposiez d'un jardin, d'une pelouse ou d'une terrasse de deux petits mètres carrés, vous serez étonné du résultat. Préparez-vous à couper de bonnes herbes, à récolter des kilos de tomates, courgettes, concombres, aubergines, poivrons, salades, radis, betteraves rouges, navets, haricots, choux, carottes, oignons, roquettes, pois... et de nombreuses fleurs.

LE CARRÉ D'AROMATIQUES

■ Dans mon carré d'aromatiques, je n'utilise ni pesticide, ni désherbant, et je ne désherbe pas ! Les herbes vivent et se cultivent. Elles seront précieuses aux cuisiniers pour assaisonner les plats, aux herboristes qui soignent les maux avec de bonnes herbes médicinales et officinales, et aux abeilles bien entendu qui se nourrissent de plantes mellifères.

PLAN DU CARRÉ

Menthe poivrée (1 touffe)	Sarriette (1 pied)	Romarin (1 pied)	Origan (1 pied)
Persil plat (semis)	Céleri perpétuel (1 pied)	Angélique (1 pied)	Ciboulette (15 bulbes)
Basilic (semis)	Camomille romaine (1 pied)	Coriandre (semis)	Persil 'Frisé Vert Foncé' (semis)
Sauge (1 pied)	Ciboule (15 bulbes)	Estragon (1 pied)	Thym (1 pied)

LISTE DES PLANTES **DU CARRÉ**

- Angélique (1 pied)
- Basilic 'Grand Vert' (0,5 g, soit 1 pincée)
- Camomille romaine (1 pied)
- Céleri perpétuel (1 pied)
- Ciboule (15 bulbes)
- Ciboulette (15 bulbes)
- Coriandre (1 g)
- Estragon (1 pied)
- Menthe poivrée (1 touffe)
- Origan vulgaire doré (1 pied)
- Persil commun plat (0,5 g, soit 1 pincée)
- Persil 'Frisé Vert Foncé' (0,5 g, soit 1 pincée)
- Romarin (1 pied)
- Sarriette (1 pied)
- Sauge (1 pied)
- Thym ordinaire (1 pied)

L'ORGANISATION

Dans ce carré, préférez des plantes aromatiques vivaces, c'est-à-dire des plantes que vous retrouverez d'une année sur l'autre. Ainsi, vous n'aurez pas besoin de les replanter chaque année. Les herbes non vivaces comme le persil, l'aneth ou le basilic peuvent être cultivées dans les autres carrés.

Attention : la sauge et le romarin sont de petits arbustes capables d'occuper la surface assez rapidement dès la première année et d'étouffer leurs voisins. Soyez donc vigilant, n'hésitez pas à cueillir, tailler, couper ceux qui prennent leurs aises. Plus sournoise, la menthe, comme le chiendent, possède des racines qui drageonnent là où il y a de la place. Il est judicieux de les emprisonner en les maintenant dans un pot pour ralentir leur progression, mais même en pot elles sont capables de passer par-dessus ou par-dessous pour s'en échapper. À vous d'avoir l'œil !

LE BONHEUR EST DANS LE CARRÉ

En règle générale, les herbes aromatiques sont très heureuses de vivre ensemble dans un carré de jardin. Dans un jardin « conventionnel », il n'est pas rare d'en perdre quelques-unes pendant l'hiver, pas directement à cause du froid mais en raison d'une terre imbibée d'humidité. L'eau stagnante fait pourrir les racines, c'est la raison pour laquelle il faut prendre soin de drainer ce carré si votre terre est argileuse. Il suffit d'épandre un lit de 10 cm de gravillons, gravats, billes d'argile ou tuiles cassées au fond de la jauge avant de remettre la terre par-dessus.

PANIER D'HERBES

N'hésitez pas à orner votre carré d'aromatiques d'un panier en osier, d'un bac, d'une vieille lessiveuse en zinc percée ou de tout autre récipient pour peu qu'il ait un volume minimum de 40 x 40 x 40 cm et résiste au gel. Le principe est toujours le même : percez le fond et ajoutez un drainage. Remplissez pour moitiés de terre de jardin et de terreau universel, additionné d'un peu de sable si votre terre est argileuse. Sur un balcon, remplacez la terre de jardin par du terreau à géraniums ou rosiers. Si vous choisissez un panier, protégez l'osier avec un sac en plastique troué dans le fond, de type sac poubelle.

LES FICHES DE CULTURE CARREAU PAR CARREAU

Menthe poivrée

Plantation : toute l'année, sauf l'hiver.

Exposition : soleil, mi-ombre, ombre.

Multiplication : division d'éclats de racines, marcottes ou semis au printemps.

Conservation : le séchage doit être très rapide pour éviter le noircissement des feuilles et des tiges. Quand les feuilles sont sèches, détachez-les des tiges et mettez-les dans des boîtes hermétiques, conservez à l'obscurité.

> BON À SAVOIR : la menthe a tendance à gagner du terrain et à étouffer d'autres plantes plus fragiles qu'elle.

Sarriette

Plantation : au printemps.

Exposition : soleil.

Multiplication : semis au printemps, bouture de tête, marcottage ou division de pied.

Récolte et conservation : les feuilles se récoltent toute l'année. Faites-les sécher à l'ombre.

> BON À SAVOIR : un pied de sarriette rabattu à 10 cm du sol au printemps se révèle plus prolifique par la suite.

Romarin

Plantation : au printemps.

Exposition : soleil.

Multiplication : le bouturage est la solution la plus simple et la plus rapide. Divisez les touffes à l'automne ou au printemps.

Récolte et conservation : toute l'année. Sec, le romarin conserve ses arômes dans une boîte fermée hermétiquement et placée à l'abri de la lumière.

> BON À SAVOIR : congeler le romarin accentue son parfum.

Origan vulgaire doré

Plantation : au printemps.

Exposition : soleil.

Multiplication : division de touffe au printemps et semis.

Récolte et conservation : toute l'année.

> BON À SAVOIR : l'origan se cultive de la même manière que le thym.

L'origan vulgaire doré est largement utilisé dans les pizzas.

Persil commun ou frisé

Plantation : au printemps (en godet).
Exposition : soleil ou mi-ombre.
Multiplication : semis en juin pour éviter la mouche, ou en avril pour une récolte précoce.
Récolte et conservation : séché, le persil perd son arôme. En revanche, il garde toute sa saveur lorsqu'il est congelé. Passez les feuilles sous l'eau, hachez-les finement et placez-les immédiatement au congélateur, dans plusieurs boîtes ou bien dans de petits sachets en plastique.

MON ASTUCE : tracez de petits sillons de 2 cm de profondeur. Arrosez copieusement le fond du sillon. Répartissez vos graines en y associant quelques bulbes de ciboulette. Couvrez les graines d'une fine pellicule de terre sèche. Cachez le semis sous une feuille de journal ou de la toile de jute. Arrosez par-dessus. Maintenez humide jusqu'à la levée. Une à deux semaines plus tard, les graines germent. Retirez la feuille de journal ou la toile de jute. Saupoudrez le semis avec de la terre sèche pour le protéger du soleil.

> BON À SAVOIR : pour obtenir des feuilles fraîches pendant l'hiver, protégez les pieds de persil avec un voile d'hivernage.

Le persil est riche en vitamine C.

Le céleri perpétuel est vivace : il n'est pas besoin de le replanter tous les ans.

Céleri perpétuel (ou ache des montagnes, ou livèche)

Plantation : au printemps (en godet).
Exposition : mi-ombre ou soleil.
Multiplication : division de touffe au printemps ou semis en août.
Récolte et conservation : cueillez les feuilles fraîches au fur et à mesure de vos besoins. Au bout de deux à trois ans, lorsque le pied devient important, vous avez la possibilité d'arracher quelques racines à l'automne. Coupez-les en morceaux et faites-les sécher. Fraîches, les racines se congèlent très bien.

> BON À SAVOIR : les feuilles fraîches s'utilisent comme le céleri-branche, pour agrémenter salades, soupes, sauces ou viandes. Les racines sèches remplacent le poivre. Les graines, au goût piquant, sont utilisées avec les légumes au vinaigre.

Angélique

Plantation : au printemps.
Exposition : soleil.
Multiplication : l'angélique se sème immédiatement après la récolte ou au printemps suivant car les graines ne se conservent pas. Recouvrez légèrement

Les graines et les tiges de l'angélique servent à confectionner des liqueurs.

les graines avec un peu de terreau. S'il fait sec, arrosez tous les jours jusqu'à la levée des plantules. Attention, les graines doivent être peu enterrées. Servez-vous d'un journal pour garder l'humidité jusqu'à la levée. En septembre, repiquez les jeunes plants.

Récolte : les tiges sont bonnes à couper de mai à juin l'année suivante.

> BON À SAVOIR : les tiges, les côtes ou les pétioles peuvent être confits au sucre.

Ciboulette ou ciboule

Plantation : toute l'année, sauf l'hiver.

Exposition : soleil, mi-ombre ou ombre.

Multiplication : semis ou division de touffe (bulbes).

MON ASTUCE : pour avoir des brins frais en hiver, rempotez une touffe dans un pot et rentrez-le au chaud. Au bout de quelques jours, les fines herbes sortent de terre. Il ne vous reste plus qu'à les couper pour l'omelette.

> BON À SAVOIR : la fleur de ciboulette est délicieuse en salade.

Basilic 'Grand Vert'

Plantation : au printemps, après les gelées.

Exposition : soleil.

Multiplication : semis en avril-mai lorsque la terre est chaude et que les températures dépassent 15 °C.

Récolte et conservation : un mois après la plantation, prélevez délicatement les tiges et les jeunes feuilles par pincement, au fur et à mesure des besoins. Les feuilles se congèlent en juillet-août. Séché, le basilic perd ses arômes. Si vous le mixez en pâte avec de l'huile d'olive, il se conservera plusieurs jours dans le réfrigérateur.

MON ASTUCE : puisque le basilic est une plante frileuse, procurez-vous des plants développés afin de cueillir les premières feuilles dès le mois de mai.

> BON À SAVOIR : le basilic nécessite 5 heures d'ensoleillement par jour.

Quelques variétés

- Basilic 'Purpurascens' : feuillage violet et fleurs roses.
- Basilic 'Horapha' : possède une odeur poivrée légèrement anisée.
- Basilic 'Anisé' : dégage une odeur très anisée (cuisine asiatique).
- Basilic *citriodorum* : odeur de citron (idéal avec le poisson).
- Basilic 'Cinnamon' : basilic cannelle à fleurs roses (bon avec les haricots).
- Basilic 'African Blue' : odeur poivrée et de réglisse, feuilles mouchetées (excellent avec le riz et les céréales).
- Basilic vert commun *basilicum* : le plus connu et le plus utilisé (cuisine orientale).

Camomille romaine

Plantation : au printemps.

Exposition : soleil ou mi-ombre.

Multiplication : semis d'avril à juillet pour les camomilles à fleurs simples ; les camomilles à fleurs doubles se multiplient, quant à elles, par division de touffe.

Récolte : seules les fleurs sont conservées.

> BON À SAVOIR : la ville de Chemillé (Maine-et-Loire), en Anjou, est réputée pour sa production de camomille.

Coriandre (ou persil arabe)

Plantation : au printemps.

Exposition : soleil.

Multiplication : semis au printemps. Les graines sont capricieuses, la levée s'effectue sur une terre chaude (plus de 15 °C).

Récolte : de juin à août, dès que les graines sont presque mûres, mais avant l'épanouissement total des fruits.

> BON À SAVOIR : si les graines sont couramment utilisées dans la cuisine, les feuilles ne sont pas appréciées par tout le monde. Les racines blond clair sont fibreuses et fuselées, un peu comme celles de la carotte.

La coriandre se récolte à partir du mois de juin.

Sauge officinale

Plantation : en godet toute l'année, sauf en période de gel.

Exposition : soleil ou mi-ombre.

Multiplication : bouturez pratiquement toute l'année, sauf en période de gel et de floraison.

> BON À SAVOIR : la sauge est la plante médicinale de tous les temps, elle ne craint pas les extrêmes (chaleur, froid, humidité, sécheresse).

Estragon français

Plantation : au printemps.

Exposition : soleil ou mi-ombre.

Multiplication : division d'éclats au printemps, boutures en été.

> BON À SAVOIR : ne confondez pas l'estragon français (*Artemisia dracunculus*) et l'estragon russe (*Artemisia dracunculoides*), issu de semis, qui est insipide.

Thym ordinaire

Plantation : au printemps.

Exposition : soleil.

Multiplication : semis de printemps dans une terre légère sans terreau, bouture de tête ou marcottage toute l'année.

Récolte et conservation : cueillez les rameaux le matin après la rosée mais avant que le soleil chauffe, sinon les huiles essentielles s'évaporent. Faites sécher les branches en bouquet, la tête en bas, à l'ombre dans une pièce aérée. Une fois séché, le thym se conserve à l'abri de la lumière dans des bocaux en verre ou des récipients en plastique. Il se garde pendant environ un an, puis perd peu à peu sa teneur en huiles essentielles.

MON ASTUCE : tous les trois ans, en avril, éclatez le pied en plusieurs morceaux comportant des racines. Coupez les tiges à 10 cm du collet et enterrez chaque éclat de façon que les rameaux dépassent légèrement.

> BON À SAVOIR : le thym citron est le plus approprié pour les poissons, crèmes anglaises, salades de fruits et sirops.

LE CARRÉ DE MELONS

■ La pièce maîtresse de ce carré est le melon. La fierté du jardinier ! S'il y a un fruit qui fait parler de lui dans l'assiette, c'est bien celui-ci : bon, pas bon, sucré, pas de goût, succulent... Nul besoin d'épiloguer sur le sujet, on est déçu ou très fier d'avoir réussi sa culture de melons !

PLAN DU CARRÉ DE LA PREMIÈRE ROTATION (D'AVRIL ET MAI)

Courgette (semis)	Balsamine (semis)	Melon 'Charentais' (1 pied)
Laitue pommée (3 pieds)	Melon 'Charentais' (1 pied)	Laitue batavia de printemps (6 pieds)
Melon 'Charentais' (1 pied)	Laitue batavia de printemps (6 pieds)	Amarante (1 pied)

LISTE DES PLANTES **DE LA PREMIÈRE ROTATION**

- Amarante (1 pied)
- Balsamine 'À Fleur de Camélia' (1 g)
- Courgette 'Belor' (3 graines)
- Laitue batavia de printemps (6 pieds)
- Laitue pommée (3 pieds)
- Melon 'Charentais' (3 pieds)

L'ORGANISATION

Première rotation (d'avril et mai)

Avant de démarrer une culture de melons, faites une bonne réserve de nourriture. Commencez par décaisser votre carré. Retirez 20 cm de terre de surface pour la remplacer par une à deux brouettes de fumier frais. Cette technique permet de nourrir et de réchauffer la terre en même temps. S'il ne gèle plus, semez ou repiquez vos melons. Dans un premier temps, il est judicieux de couvrir le carré avec un voile d'hivernage ou un tunnel en plastique. Profitez de ce réchaud pour associer aux melons un semis de laitues et de batavias de printemps, trois graines de courgette ainsi que des balsamines.

Le melon 'Charentais' a une chair sucrée de couleur orangée.

APRÈS LE MELON, LA CHICORÉE

Depuis le mois de mai, les melons éprouvaient un malin plaisir à se faufiler dans le carré pour rejoindre les courgettes. Pendant les mois de juin et juillet, ils occupaient presque toute la place du carré. Prêts à déborder du carré, il fallait parfois couper les extrémités des pousses pour les maintenir à l'intérieur. La récolte terminée, le carré est libéré de moitié : les courgettes respirent et peuvent continuer à fructifier d'autant plus. À leur côté, la chicorée 'Pain de Sucre' est juste bonne à repiquer. Par ailleurs, n'hésitez pas à ajouter une petite poignée d'engrais organique, et le carré restera en bonne forme jusqu'en automne. Laissez les derniers melons mûrir au soleil sur le rebord d'une fenêtre.

PLAN DU CARRÉ DE LA SECONDE ROTATION (D'AOÛT ET SEPTEMBRE)

Courgette	Balsamine	Chicorée 'Pain de Sucre' (sud de la France) (semis)
Mâche 'À Grosse Graine' (semis)	Chicorée 'Pain de Sucre' (semis)	Mâche 'À Grosse Graine' (semis)
Chicorée 'Pain de Sucre' (semis)	Mâche 'À Grosse Graine' (semis)	Amarante

LISTE DES PLANTES **DE LA SECONDE ROTATION**

- Mâche 'À Grosse Graine' (3 g)
- Chicorée 'Améliorée Pain de Sucre' (2 g)

Seconde rotation (d'août et septembre)
Les melons sont récoltés, les balsamines superbes, les courgettes continuent à rapporter. Sans attendre, arrachez les pieds de melons et remplacez-les par des mâches 'À Grosse Graine' ou bien des variétés telles que 'Verte de Cambrai', 'Coquille de Louviers' ou 'Vit', résistantes au froid. Après avoir désherbé, passez un simple petit coup de griffe en surface et jetez les graines sur la terre. N'hésitez pas à les disperser sous les autres plantes (courgettes). Un bon arrosage et vous êtes quasiment certain de manger de petites salades à la fin de l'hiver. Mais ne soyez pas trop impatient, permettez à la nature de faire son travail, laissez aux salades le temps de lever. Libre à vous par la suite de repiquer les jeunes plantules dans un autre carré.

Les fleurs de balsamine se cachent sous ses feuilles.

FABRIQUER UN RÉCHAUD

Le principe est le même que pour une couche chaude. Procurez-vous du fumier frais de bovin, de mouton ou de cheval. Tassez fortement le tas. Arrosez copieusement (un arrosoir de 10 litres par mètre carré). Remettez votre terre par-dessus. En se décomposant, le fumier ou la matière organique monte en température (plus de 60 °C). De ce fait, la terre se réchauffe par-dessous sans brûler les végétaux cultivés. Plantez ou semez vos plantes et couvrez-les avec un voile d'hivernage ou de forçage.

MON ASTUCE : utilisez les déchets verts, tontes de gazon, branches broyées, feuilles mortes, épluchures, sciure mélangée avec de la paille... Tassez. Épandez un activateur de compost organique, qui va accélérer la dégradation. Arrosez copieusement le tout et recouvrez de 10 à 15 cm de terre. La décomposition de la matière organique fera monter la température, de quoi réchauffer la terre et protéger les plantes du gel.

> BON À SAVOIR : ce système permet d'améliorer considérablement la qualité de la terre qui, petit à petit, se transforme en terreau.

LES FICHES DE CULTURE DE LA PREMIÈRE ROTATION, CARREAU PAR CARREAU

■ Courgette 'Belor' et melon 'Charentais' (même culture)

Semis : mars (à la chaleur), avril (sous abri), mai (en pleine terre).

Germination : une semaine (à 20 °C) ou 10 jours en pleine terre (entre 12 et 15 °C).

Repiquage : lorsque les gelées ne sont plus à craindre.

Soins : paillez le pied pour garder l'humidité et tenir les fruits au propre.

MON ASTUCE : faites germer des graines de courgettes ou de melons dans une bouteille en plastique. Coupez la bouteille aux deux tiers, mettez une couche de billes d'argile de 2 cm d'épaisseur, puis 5 cm de terreau pour semis. Semez trois graines à 1 cm de profondeur, arrosez le terreau (environ un verre d'eau). Fermez hermétiquement la bouteille avec du ruban adhésif. Installez la bouteille devant une fenêtre, à la chaleur. Retirez le bouchon lorsque les graines sont germées (à peine une semaine plus tard). Ouvrez complètement la bouteille lorsque les feuilles la remplissent, versez un verre d'eau. Repiquez les courgettes ou les melons en pleine terre lorsque les gelées ne sont plus à craindre.

■ Balsamine 'À Fleur de Camélia'

Semis : en avril-mai directement en place.

Fleurs : annuelle blanche, rose ou rouge.

Exposition : soleil ou bien à l'ombre d'une autre plante.

Période de floraison : de juin à septembre.

Sol : riche en humus.
MON ASTUCE : couvrez le semis jusqu'à la germination (au bout d'une semaine) avec un journal humide, puis saupoudrez une fine couche de terreau par-dessus pour éviter le dessèchement des germes.
> BON À SAVOIR : les balsamines fleurissent à l'intérieur des feuilles.

Laitue pommée

Semis : de mars à fin août en pleine terre, sans trop enterrer les graines.
Repiquage : opérez quatre ou cinq semaines plus tard, lorsque les laitues possèdent cinq feuilles. Trop grosses, elles risquent de monter avant de pommer.
MON ASTUCE : repiquez vos laitues un jour de pluie, la reprise est plus facile et vous faites des économies d'eau.
> BON À SAVOIR : le stress hydrique (manque d'eau) fait monter prématurément les laitues.

Laitue batavia de printemps

Semis : de janvier à avril sous abri (tunnel, mini-serre...).
Repiquage : en avril-mai.
Soins : paillez entre les pieds pour maintenir le sol humide. Attention aux limaces.
MON ASTUCE : repiquez les pieds trois par trois. Cette technique permet aux salades de pousser au fur et à mesure des prélèvements. La dernière laitue a alors la place pour pommer tranquillement.
> BON À SAVOIR : la laitue batavia 'Dorée de Printemps' est adaptée à une culture très précoce. La laitue batavia 'De Pierre Bénite' se sème un à deux mois plus tard. La batavia 'Rouge Grenobloise', plus résistante à la chaleur, se sème jusqu'en juillet pour une récolte de fin d'été ou d'automne.

Amarante

Semis : en mars-avril, puis elle se ressème toute seule.
Soins : comme la bourrache, l'amarante aurait tendance à envahir un carré. Il suffit de la maîtriser en arrachant le surplus (c'est un excellent engrais vert).
MON ASTUCE : associez les amarantes avec les fleurs champêtres, les oiseaux se régalent de leurs graines.
> BON À SAVOIR : les graines d'amarante sont riches en glucides et en protéines. Les feuilles fraîches se consomment jeunes en salade au fur et à mesure de vos besoins. On peut les cuisiner comme les épinards. Les Incas utilisaient ses graines comme céréale.

LES FICHES DE CULTURE DE LA SECONDE ROTATION, CARREAU PAR CARREAU

Mâche 'À Grosse Graine'

Semis : en août sur une terre ferme. Couvrez le semis avec un journal ou une toile de jute jusqu'à la levée.
Soins : désherbez manuellement entre les pieds de mâche.
Récolte : d'octobre à décembre.
MON ASTUCE : repiquez les mâches dans les espaces vides ; elles reprennent très bien, à condition de le faire lorsque le temps est couvert ou pluvieux.
> BON À SAVOIR : cette variété est très précoce : elle se consomme à l'automne avant les grandes gelées.

Chicorée 'Améliorée Pain de Sucre'

Semis : de mai à juillet (culture d'été) ou août (janvier à avril).
Repiquage : quand les chicorées ont trois ou quatre feuilles.
Soins : surveillez les limaces.
MON ASTUCE : protégez les chicorées avec un voile d'hivernage pour la culture d'hiver.
> BON À SAVOIR : les chicorées 'Pain de Sucre' contiennent des vitamines (A, B, C et K), des fibres et des minéraux (calcium, potassium et fer).

LE CARRÉ DE TOMATES

■ Pour faire une bonne ratatouille, il faut notamment des tomates, des poivrons, des aubergines, des courgettes, des oignons et de l'ail. Et les légumes sont meilleurs quand ils viennent d'être cueillis. Prévoyez une exposition chaude pour ce carré, qui vous fournira presque tous les ingrédients de votre plat estival préféré.

■ PLAN DU CARRÉ

Tomate (1 pied) Tagète (1 pied)	Haricot grain (semis)	Capucine naine (1 pied)	Tagète (1 pied) Tomate (1 pied)
Aubergine (1 pied)	Haricot grain (semis)	Haricot grain (semis)	Poivron (1 pied)
Aubergine (1 pied)	Haricot grain (semis)	Haricot grain (semis)	Poivron (1 pied)
Tomate (1 pied) Tagète (1 pied)	Capucine naine (1 pied)	Haricot grain (semis)	Tagète (1 pied) Tomate (1 pied)

LISTE DES PLANTES **DU CARRÉ**

- Aubergine (2 pieds)
- Capucine naine (2 pieds)
- Haricot grain (3 grains par poquet x 6)
- Poivron (2 pieds)
- Tagète (4 pieds)
- Tomates (1 tomate-cerise, 1 'Cœur de Bœuf', 1 'Montfavet', 1 à chair jaune)

L'ORGANISATION

Première période (d'avril à août)

Attention, nous sommes en présence de plantes frileuses qui risquent de geler. En région froide, attendez le 15 mai pour planter définitivement vos tomates, poivrons et aubergines, à moins que vous ne construisiez un abri pour les protéger du gel et empêcher la pluie de mouiller les feuilles des tomates, très sensibles au mildiou.

Comme il ne pleut pas à l'intérieur, il va falloir les arroser, de préférence au goutte-à-goutte. Cette technique d'arrosage permet de mettre de l'eau là où il en faut. Paillez entre les pieds à partir du mois de juin pour conserver l'humidité au sol.

Piquez à chaque coin du carré quatre beaux tuteurs de 2 m de haut. Inclinez-les vers le centre pour faire une pyramide. Plantez vos tomates au pied. Liez les tomates au fur et à mesure qu'elles poussent. En principe, elles atteignent facilement la cime de la pyramide. À l'intérieur, semez des haricots grains (trois grains par poquet) dans les six espaces vides. L'association haricot-tomate est très bénéfique.

Veillez à maintenir le carré humide, tout l'été, en faisant attention à ne pas mouiller le feuillage des tomates.

Deuxième période (de septembre et octobre)

Sélectionnez des graines de fleurs et de fruits (sauf les hybrides) pour les récolter et les utiliser l'année suivante. En septembre, arrachez les pieds de haricots pour les faire sécher la tête en bas.

Troisième période (d'octobre et novembre)
Démontez l'abri et désinfectez à l'eau de Javel les tuteurs et les planches du carré. Par mesure d'hygiène, vous choisirez l'année prochaine un autre carré pour planter vos pieds de tomates.

TAILLER LES GOURMANDS

Retirez au fur et à mesure les gourmands qui poussent le long de la tige principale. N'attendez pas trop longtemps car vous risquez de déchirer les tissus et de provoquer des maladies. Si la tige est trop grosse, coupez avec un sécateur. Gardez une seule tige pour cinq bouquets de fleurs. Si vous cultivez sous serre, vous augmenterez ainsi le nombre de bouquets.

LES MALADIES DES TOMATES

• **Le pied noir (*didymella*) :** la base de la tige noircit. Arrachez les pieds malades.

• **Le cul noir (*blossom-end rot*) :** les tomates présentent une tache noire à la base. Le fruit pourrit. Arrosez régulièrement et apportez de la cendre de bois à la plantation.

• **L'alternariose :** les feuilles sont maculées de taches noires qui gagnent les tiges. Cette maladie est favorisée par de fortes rosées ou un arrosage trop copieux.

• **Le mildiou :** les feuilles prennent un aspect huileux, jaunâtre, puis brunissent. Les fruits sont bosselés avec des taches brunes à partir du pédoncule. Ce champignon apparaît par temps humide ou après un arrosage sur les feuilles. Abritez les pieds.

• **Les nématodes :** le pied de tomate reste chétif. De petits asticots se trouvent à l'intérieur des tiges. Pratiquez de longues rotations de culture. Associez aux pieds de tomates des plantes antagonistes (tagètes, soucis...). Épandez du tourteau de neem.

• **La carence en potasse :** les tomates, au moment de la récolte, présentent un collet jaune ou vert pâle atteignant parfois le cœur. Utilisez un engrais « spécial tomate » riche en potasse. Apportez de la cendre de bois à la plantation.

Attachez la tige principale des tomates à un tuteur.

LES FICHES DE CULTURE CARREAU PAR CARREAU

■ Tomate

Semis : de février à avril, en terrine à l'intérieur (véranda), en serre chauffée ou en pépinière sur couche chaude, à une température de 20 °C.
Repiquage : en avril-mai sous abri dans une terre riche en humus.
Soins : arrosez au pied et jamais sur le feuillage pour éviter les attaques de mildiou.
Récolte : de fin juin à octobre (sous abri).
MON ASTUCE : repiquez en même temps les tagètes au pied des tomates.
> BON À SAVOIR : conservez cinq bouquets de fleurs pour assurer une belle production.

■ Tagète

Semis : de février à mai à l'intérieur, ou en mai-juin en pleine terre.
Repiquage : en mai-juin, en même temps que les pieds de tomates.
Soins : les tagètes, comme les roses d'Inde ou les œillets d'Inde, doivent pousser seuls. Ils détestent les traitements. L'acharnement thérapeutique est néfaste sur cette famille de plantes.

MON ASTUCE : récupérez les graines en suspendant les pieds la tête en bas dans un local sec et aéré.

> **BON À SAVOIR :** les tagètes sont nématicides, elles repoussent les nématodes aux pieds des tomates. En revanche, elles n'ont aucun effet contre le mildiou.

Haricot grain

Semis : d'avril à juin.

Récolte : cent-vingt jours après le semis (d'août à octobre).

Soins : les haricots «grains», comme les «verts», se sèment lorsque la terre est réchauffée. Comptez une température du sol de 12 °C minimum. En dessous, les graines risquent de pourrir et les haricots restent chétifs. Mieux vaut recommencer un semis si les haricots subissent le froid.

MON ASTUCE : paillez entre les poquets de haricots pour maintenir l'humidité.

> **BON À SAVOIR :** passez les graines de haricots 48 heures dans le congélateur pour éliminer la bruche. Celle-ci est une larve issue d'un charançon qui ronge l'intérieur des grains au moment de la conservation.

Capucine naine

Semis : en avril-mai, en poquets de trois-cinq graines.

Récolte : les jeunes feuilles et les fleurs sont excellentes dans les salades. Comme celles des câpres, les graines de capucine peuvent aromatiser un vinaigre.

MON ASTUCE : récupérez les graines et faites-les sécher pour les semer l'année suivante.

> **BON À SAVOIR :** la capucine est aussi un répulsif contre les aleurodes (mouches blanches) et les doryphores.

Aubergine

Semis : de février à avril, en terrine à l'intérieur (véranda), en serre chauffée ou en pépinière sur couche chaude, à une température de 20 °C.

Repiquage : en avril-mai sous abri dans une terre riche en humus.

Soins : au début, ne conservez qu'une seule tige et pensez à éliminer les gourmands situés au pied.

Récolte : en août-septembre.

MON ASTUCE : lorsque les fruits sont formés, ajoutez un engrais pour tomates au pied.

> **BON À SAVOIR :** l'aubergine se repique après les gelées, lorsque l'aubépine est à nouveau en fleur.

Poivron

Semis : de février à avril, en terrine à l'intérieur (véranda), en serre chauffée ou en pépinière sur couche chaude, à une température de 20 °C.

Repiquage : en avril-mai sous abri, dans une terre riche en humus.

Soins : laissez au maximum une dizaine de fruits par pied.

Récolte : en août-septembre.

MON ASTUCE : placez une tuile côté nord pour abriter du froid les premières semaines de culture (avril-mai).

> **BON À SAVOIR :** les piments «brûlants» ou «doux» se cultivent comme les poivrons.

Les poivrons verts rougissent lorsqu'ils sont mûrs.

LE CARRÉ DE CONCOMBRES

■ Les concombres ont la faculté de se faufiler partout. Si vous les laissez faire, ils sont capables d'investir plusieurs mètres carrés. Dans un espace de moins de 1,50 m², il est hors de question de perdre toute cette surface. Nous allons rester maîtres des lieux en les obligeant à grimper sur un support !

■ PLAN DU CARRÉ

LISTE DES PLANTES
DU CARRÉ

- Aneth (0,5 g)
- Chou-fleur (6 pieds)
- Concombre (5 graines)
- Haricot vert (5 graines ou pieds repiqués)
- Laitue (12 pieds)
- Souci (1 pied)

L'ORGANISATION

Première période (d'avril et mai)

Les concombres, comme la plupart des Cucurbitacées, sont gourmands. La terre doit être améliorée en humus. Dans un carré de jardin, la surélévation permet d'ajouter du terreau et du compost. Comptez une bonne brouette de compost pour 10 litres de terreau universel.

Au centre du carré, déversez les 10 litres de terreau. Enfoncez votre poing dans la terre pour obtenir une petite cuvette de 3 cm de profondeur. Apportez entre 2 et 5 litres d'eau dans la cavité. Le terreau doit être imbibé mais pas détrempé. Semez cinq graines de concombre en rond, une à une, à l'intérieur du trou. Couvrez avec du terreau sec. Enterrez une colonne fabriquée avec du grillage soudé, de manière que les graines se retrouvent à l'intérieur du grillage. Les cornichons, comme les concombres, sont frileux : la moindre petite gelée en début de culture peut les anéantir. Utilisez un film alimentaire étirable pour protéger le jeune semis du froid. Il suffit de filmer la colonne le plus haut possible. Cette technique accélère la germination des graines.

Autour de la colonne à concombres, plantez six choux-fleurs. Gourmands aussi, ils profiteront de la richesse du compost.

En début de culture, il reste de la place entre les pieds. Repiquez des laitues (trois par trois), elles seront bonnes à cueillir en juillet, c'est-à-dire deux mois avant les choux-fleurs. Glissez cinq graines de haricots, qui termineront de combler les espaces libres. Vous pouvez aussi repiquer des haricots issus d'un autre carré.

Deuxième période (de juin à août)
C'est la période où les concombres se développent. Encouragez les tiges à grimper sur le grillage. Coupez au départ celles qui partent en dehors du support. Cueillez au fur et à mesure les concombres pour qu'ils continuent à produire. Maintenez humide et paillez entre les légumes. Attention, l'humidité attire les limaces.

Troisième période (de septembre et octobre)
Cette série de concombres a maintenant terminé de rapporter. C'est le moment d'arracher les fanes maculées de taches d'oïdium (blanc), ce fameux champignon qui marque la fin de l'été. Les choux-fleurs sont bien gonflés, prêts à passer à la casserole. Ils se congèlent facilement. Une fois les récoltes terminées, laissez pousser les soucis.

La colonne en grillage permet aux concombres de grimper et de prendre moins de place.

FABRIQUER UNE COLONNE À CONCOMBRES

Utilisez un grillage soudé plastifié de 1,50 m de hauteur. Coupez une bande de 1 m. Faites un cylindre et accrochez les extrémités ensemble de façon à obtenir une colonne.

LES MALADIES DU CHOU-FLEUR

• **La piéride :** les choux sont envahis de chenilles. Une myriade de papillons virevolte sur le potager… Les chenilles vertes rongent l'épiderme des feuilles.
Remède : échenillez. Les poules et les oiseaux adorent les chenilles.

• **L'altise :** les jeunes choux sont percés d'une multitude de petits trous. De petites puces noires (coléoptères) sautillent autour des crucifères.
Remèdes : bassinez fréquemment le feuillage. Couvrez les choux avec un voile à mailles très fines. Saupoudrez les choux avec de la cendre de bois.

• **La hernie du chou :** les choux ne poussent plus et présentent des boursouflures à la base de la tige et sur les racines. La hernie du chou est un champignon favorisé par l'acidité du sol (pH inférieur à 7).
Remèdes : apportez de la cendre de bois. Désinfectez les jeunes plants avec une décoction de prêle. Respectez les rotations de cultures et évitez de planter d'autres crucifères au même endroit.

LES FICHES DE CULTURE CARREAU PAR CARREAU

■ Souci

Semis : en mars-avril. Il se ressème seul.

MON ASTUCE : à l'automne, laissez les graines germer sur la terre. Avant l'hiver, elles auront le temps de pousser et surtout de faire fuir les nématodes en prévision de prochaines cultures. Vous pourrez en profiter l'année suivante pour planter des tomates.

> BON À SAVOIR : indirectement, le souci est un insecticide car il fournit du nectar aux syrphes, qui consomment une grande quantité de pucerons.

Haricot vert

Semis : d'avril à août.

MON ASTUCE : ici, vous pouvez repiquer quelques haricots issus d'un autre carré. En principe, les haricots ne se repiquent pas car ils risquent de contenir des fils plus tard. Mais si le temps est humide et doux, vous pouvez tenter l'expérience et espérer récolter des haricots tendres.

> BON À SAVOIR : les haricots enrichissent la terre du carré.

Aneth

Semis : de mars à juin, à la volée.

MON ASTUCE : l'odeur anisée de l'aneth attire les abeilles, qui vont pouvoir féconder les fleurs des concombres à proximité.

> BON À SAVOIR : dotées de vertus digestives, les feuilles fraîches ou sèches de l'aneth aromatisent de nombreux plats.

Chou-fleur

Semis : de février à mai, puis repiquez les plantes en place.

Le chou-fleur pousse dans un sol très riche en humus.

Soins : apportez un engrais organique au pied des choux le deuxième mois de culture. Arrosez copieusement, puis paillez pour garder l'humidité jusqu'à la récolte.

MON ASTUCE : par temps de pluie ou très couvert, repiquez de très jeunes plants de haricots près des choux-fleurs en début de culture. L'association haricot-chou s'avère des plus bénéfiques.

> BON À SAVOIR : pour de petites quantités, il vaut mieux se procurer de jeunes plants « prêts à planter » en barquette chez un professionnel du jardin.

Concombre

Semis : de février à avril, en terrine à l'intérieur (véranda), en serre chauffée ou en pépinière sur couche chaude, à une température de 20 °C.

Repiquage : en mai sous abri dans une terre riche en humus.

Soins : maintenez le pied humide sans arroser le feuillage.

Récolte : de juillet à septembre.

MON ASTUCE : faites grimper vos concombres sur un grillage pour qu'ils occupent moins de place. De plus, le fruit sera ainsi vert partout (pas de face jaune).

> BON À SAVOIR : ne récoltez jamais les graines d'un concombre hybride.

Laitue 'Reine de Mai' de pleine terre

Semis : de février à avril.

Repiquage : de mars à mai.

Soins : comme toutes les laitues, elle ne doit pas subir de stress hydrique. Le moindre manque d'eau risque de la faire monter prématurément.

Récolte : d'avril à juin.

MON ASTUCE : repiquez les laitues quand elles sont encore très petites, lorsqu'il pleut ou que le temps est couvert.

> BON À SAVOIR : les feuilles de la laitue 'Reine de Mai' sont très tendres et fondantes. Cette salade est pourtant rarement vendue dans le commerce.

LE CARRÉ PORTE-GRAINES

■ Pédagogique et ludique, ce carré est bon et beau à la fois. Le but est de laisser fleurir les légumes que l'on n'a pas récoltés. Rien ne vous empêche de faire vous-même vos graines de radis, salades, persil, artichauts, aneth, fleurs... À condition de sélectionner les plus beaux plants non hybrides. Pour rendre cet espace plus agréable, un dahlia accompagne les pieds mères.

PLAN DU CARRÉ DE LA DEUXIÈME PÉRIODE (D'AVRIL ET MAI)

Dahlia (1 tubercule)	Aneth (semis)	Radis en fleur (3 pieds)	Radis en fleur (3 pieds)
Laitue en fleur (3 pieds)	Laitue en fleur (3 pieds)	Poireau (semis)	Persil en fleur (2e année) (3 pieds)
Amarante (1 pied)	Bourrache (semis)	Arroche rouge (1 pied)	Souci (3 pieds)
Artichaut (1 œilleton)	Souci (3 pieds)	Cinéraire maritime (1 pied)	Artichaut (1 œilleton)

Bouton d'artichaut : son cœur est le meilleur.

LISTE DES PLANTES **DE LA PREMIÈRE PÉRIODE**

(Semis à la volée)

- Laitue 'Saint Antoine' et/ou 'Gotte Jaune d'Or' et/ou 'Reine de Mai' et/ou 'Divina' (3 g)
- Radis 'De Dix-Huit Jours' (10 g)

LISTE DES PLANTES **DE LA DEUXIÈME PÉRIODE**

- Amarante (1 pied)
- Aneth 'Tetra Gold' (0,5 g)
- Arroche rouge (1 pied)
- Artichaut (2 œilletons)
- Bourrache (0,5 g)
- Cinéraire maritime (1 pied)
- Dahlia pompon (1 tubercule)
- Laitue 'Saint Antoine' (6 pieds)
- Persil (3 pieds)
- Poireau (1 g)
- Radis 'De Dix-Huit Jours' (6 pieds)
- Souci (6 pieds)

■ PLAN DU CARRÉ D'AOÛT ET SEPTEMBRE

Dahlia	Aneth montée en graines	Radis monté en graines	Radis monté en graines
Laitue montée en graines	Laitue montée en graines	Poireau	Persil en fleur (2e année)
Amarante montée en graines	Bourrache montée en graines	Arroche rouge montée en graines	Souci monté en graines
Artichaut	Souci monté en graines	Cinéraire maritime	Artichaut

LISTE DES PLANTES **D'AOÛT ET SEPTEMBRE**

Toutes ces plantes étaient déjà mises en culture au printemps, en avril et mai. On les a laissées croître et, pour certaines d'entre elles, monter en fleur puis en graines.

L'ORGANISATION

Première période (de janvier à mars)

Lorsque la terre est dégelée en surface et non trempée, semez à la volée des graines de radis (variétés hâtives) ronds ou demi-longs, mélangées avec des laitues de printemps résistantes au froid de type 'Saint Antoine', 'Reine de Mai', 'Gotte Jaune d'Or' ou 'Divina'. C'est l'occasion d'utiliser de vieux paquets de graines dont la date du pouvoir germinatif serait passée.

Deuxième période (d'avril et mai)

La récolte de radis et laitues est terminée, sauf pour les porte-graines. La culture d'artichauts peut prêter à sourire dans un carré de jardin de 1,20 m de côté mais elle vaut le coup d'être tentée. Dans un carré de jardin, on peut pratiquement tout se permettre sauf les topinambours, trop envahissants. Les premiers mois de culture, l'artichaut laisse de la place, profitez-en pour occuper le terrain. Accompagnez par exemple l'artichaut 'Gros Vert de Laon' avec des salades, du persil, des dahlias et autres fleurs... Sélectionnez les plus beaux radis et laitues du carré pour en faire de la graine. En ce qui concerne le persil, profitez d'une année de récolte et attendez la deuxième année pour le laisser monter en fleur.

Troisième période (d'août et septembre)

Le carré prend de plus en plus de hauteur, les plantes grandissent. La plupart des porte-graines sont tuteurés et attachés pour rester droits et isolés du sol. Les radis qui habituellement mesurent à peine 10 cm en période de production, atteignent maintenant plus de 50 cm de hauteur avec de jolies fleurs blanches très surprenantes. Puis les cosses se forment avec à l'intérieur plus ou moins cinq graines. L'aneth porte des ombelles fleuries qui attirent une nuée d'insectes, puis viennent les graines pouvant servir de semence ou condiment. Les laitues attendent rarement la récolte, de nombreuses petites plantules fourmillent au pied des tiges dénudées. L'arroche rouge est montée à plus de 1,50 mètre de hauteur avec des graines en début de formation de couleur rouge carmin. La bourrache peut être arrachée car ses graines sont tombées sur le sol.

Après le 15 août, vous pouvez transplanter avec une petite motte des plantes porte-graines qui fourniront des semences l'année suivante.

FABRIQUER UN CARRÉ DE FORÇAGE

Il vous faut :

- 1 planche de 120 cm x 20 cm (côté sud) ;
- 1 planche de 120 cm x 30 cm (côté nord) ;
- 2 planches de 120 cm x 30 cm d'un côté et x 20 cm de l'autre ;
- 1 ou 2 châssis ou tunnels suivant les dimensions de ceux-ci.

Le principe est de profiter d'un maximum d'ensoleillement. En janvier-février, le soleil reste bas, il faut donc incliner la surface du sol côté sud. L'idéal est d'installer ce carré de forçage le long d'un mur ou d'une haie naturelle exposés au sud. Comptez 25 à 30 cm de dénivellement au mètre.

Si la terre est humide, mélangez un peu de terreau (environ 20 litres) pour une surface de 1 m^2. Avec un râteau, égalisez puis tassez légèrement. Semez directement à la volée vos graines de radis avec la laitue (comptez 0,5 cm entre les graines). Recouvrez le semis avec 1 cm de terreau (horticole ou universel). La surface doit être de couleur noire pour emmagasiner la chaleur. Tassez régulièrement la terre avec une planchette pour égaliser.

Apportez 10 litres d'eau avec un arrosoir muni d'une pomme douce (pour éviter le ruissellement). Si la terre est humide, divisez par deux le volume d'eau. Posez plusieurs épaisseurs de voile d'hivernage pardessus le semis. Posez le châssis ou le tunnel sur le carré. Vous n'avez plus rien à faire ; il suffit d'attendre la levée, qui est plus ou moins longue selon le temps du moment.

LA RÉCOLTE

Vous êtes tributaire du temps, il est franchement aléatoire d'établir des dates de récoltes. Une fois votre semis levé, aérez les châssis la journée et refermez le soir. L'air endurcit les laitues et favorise la formation des radis. Les radis confinés (sans air et trop serrés) filent sans faire de raves.

Les radis seront les premiers à être bons à manger, ils vont laisser la place aux laitues. Puis, commencez à cueillir les salades, petites et tendres. Surtout, réservez-vous de jeunes laitues à repiquer dans d'autres carrés avec ou sans protection.

POURQUOI FAIRE SES GRAINES ?

Choisissez les plantes qui vous ont charmé cet été parce que les fleurs étaient résistantes à la pluie ou à la sécheresse. Sélectionnez les plus belles tomates, goûteuses, sucrées, résistantes aux maladies... Libre à vous de choisir les critères ! Surtout, ne gardez pas des fleurs, fruits ou légumes « hybrides » car même si cette année vous étiez satisfait des résultats, il n'en sera pas de même l'année suivante car les enfants ne ressembleront pas exactement aux parents, pire vous obtiendrez un curieux mélange !

COMMENT FAIRE SES GRAINES ?

Récoltez la plante entière un jour sec, l'après-midi de préférence. Suspendez les tiges tête en bas dans un endroit abrité et bien aéré. Par exemple, accrochées le long d'une grange exposée à l'est (là où il ne pleut pas) ou à l'intérieur d'un garage ou d'un abri non chauffé. Enveloppez les tiges dans un journal ou un sac en papier mais jamais en plastique (à cause de la condensation). Ainsi, les graines qui tomberont seront plus faciles à récupérer. Profitez du sac pour y mettre quelques graines de neem, un répulsif efficace contre les charançons.

Quelques semaines plus tard, battez les tiges sur un sol propre ou, mieux encore, dans un sac solide. Il est important à ce stade de trier les impuretés (barbes, poussières, vers et petits coléoptères). Puis, rangez les graines dans une enveloppe sans oublier de noter le nom de la plante, la couleur, la hauteur et l'année de la récolte. Le pouvoir germinatif est souvent de plusieurs années.

> BON À SAVOIR : surtout, ne rentrez jamais les graines dans une pièce chauffée car vous risqueriez de perturber leur future germination. Si tel était le cas, il faudrait alors, avant de semer vos graines au printemps, les passer quelques jours au réfrigérateur. Il en va de même lorsque vous vous procurez des paquets de graines exposés à la chaleur dans un magasin. Vous réaliserez de cette manière de plus belles levées. Éliminez les charançons des pois et des haricots en passant les graines sèches quelques jours au congélateur. Faire ses graines soi-même est une opération très intéressante car vous sélectionnez vos propres fleurs et légumes avec des critères particuliers.

Les différentes espèces et variétés seront adaptées à votre goût. Vous pouvez par exemple sélectionner les

Les graines de laitue se sèment dès le mois de mars.

radis les plus hâtifs ou ceux qui ne creusent pas en été, des tomates résistantes au mildiou, des fleurs dont les couleurs sont rares dans le commerce... En outre, vous réalisez de cette manière de petites économies.

COMMENT RÉUSSIR SES GRAINES ?

- Sélectionnez les plus beaux pieds.
- Ramassez vos graines lorsqu'il fait sec.
- Faites-les sécher dans un endroit aéré.
- Triez les graines avant de les enfermer. Vérifiez qu'il n'y ait pas d'insectes (charançons pour les haricots).
- Conservez les graines dans une enveloppe ou un bocal en verre pour les plus grosses.
- Notez le nom, la variété, la couleur et les critères qui vous ont satisfait.
- Entreposez les graines dans un endroit sec et frais. Inutile de les stocker à la chaleur, elles se comportent mieux au froid, dans un garage par exemple.

LES FICHES DE CULTURE DE LA PREMIÈRE PÉRIODE, CARREAU PAR CARREAU

■ Laitue 'Gotte Jaune d'Or'

Semis : en février sous abri (châssis ou tunnel), en mars en pleine terre.

Soins : repiquez deux ou trois semaines après la levée.

Récolte : en mai pour le semis sous abri, en juin en plein terre.

MON ASTUCE : posez un voile d'hivernage sur le semis puis après le repiquage.

> BON À SAVOIR : cette laitue se consomme également en jeunes plants.

■ Radis 'De Dix-Huit Jours'

Semis : de février à septembre.

Soins : les radis doivent pousser rapidement pour être savoureux. Ils apprécient une terre douce, fraîche et riche en humus. Dans une terre sèche, ils sont piquants et souvent attaqués par l'altiste (petite puce) qui empêche le développement normal du radis.

Mon astuce : semez très fin. Ne laissez qu'un demi-centimètre entre les graines de radis. Ainsi, les raves se forment plus facilement et ne filent pas.

> BON À SAVOIR : le radis 'De Dix-Huit Jours' est un radis demi-long, rouge rosé à bout blanc et à chair blanche. Il est capable de supporter une petite gelée. Ce carré a déjà rapporté une fois depuis le début de l'année. Mars-avril est le moment de la plantation des artichauts avec d'autres légumes et fleurs. Les plantes de ce carré vont aussi servir de futurs porte-graines.

LES FICHES DE CULTURE DE LA DEUXIÈME PÉRIODE, CARREAU PAR CARREAU

■ Dahlia

Plantation : en mars-avril.

Soins : paillez et tenez le sol humide.

Maladies : limaces et escargots. Remède : installez une barrière antilimace le premier mois suivant la plantation.

MON ASTUCE : bouturez les jeunes pousses au printemps. Pour cela, plantez les tiges à l'étouffée sous une bouteille en plastique.

> BON À SAVOIR : les Mexicains considéraient le dahlia comme un légume, dont ils mangeaient les tubercules présentant un goût d'artichaut.

■ Aneth

Semis : de mars à juin, à la volée.

MON ASTUCE : l'odeur anisée de l'aneth attire les abeilles, qui vont pouvoir féconder les fleurs des plantes situées à proximité.

> BON À SAVOIR : de nature digestive, les feuilles fraîches ou sèches de l'aneth aromatisent de nombreux plats.

Poireau 'Électra'

Semis : en mars-avril, à la volée.
Repiquage : en juin.
Soins : paillez et tenez le sol humide.
Parasites : principalement la mineuse.
Remède : couvrez les poireaux avec un voile.
MON ASTUCE : pulvérisez de l'eau à l'intérieur du fût pour que les poireaux restent humides et ainsi empêcher la teigne et la mouche de la mineuse de pondre à l'intérieur.
> BON À SAVOIR : respectez une rotation des cultures. Attendez au moins trois ans avant de repiquer des poireaux au même endroit ainsi que l'échalote, l'oignon et l'ail.

Persil commun ou frisé

Plantation : au printemps (en godet).
Exposition : soleil ou mi-ombre.
Multiplication : semis en juin pour éviter la mouche, ou en avril pour une récolte précoce.
Récolte et conservation : séché, le persil perd son arôme. En revanche, il garde toute sa saveur lorsqu'il est congelé. Passez les feuilles sous l'eau, hachez-les finement et placez-les immédiatement au congélateur, dans plusieurs boîtes ou bien dans de petits sachets en plastique.
> BON À SAVOIR : pour obtenir des feuilles fraîches pendant l'hiver, protégez les pieds de persil avec un voile d'hivernage.

Amarante *caudatus*

Semis : en mars-avril, puis l'amarante se ressème seule.
Soins : comme la bourrache, l'amarante aurait tendance à envahir un carré. Il suffit de la maîtriser en arrachant le surplus (c'est un excellent engrais vert).
MON ASTUCE : associez les amarantes avec les fleurs champêtres, les oiseaux se régalent de leurs graines.
> BON À SAVOIR : les graines d'amarante sont riches en glucides et en protéines. Les feuilles fraîches se consomment jeunes en salade au fur et à mesure de vos besoins. On peut les cuisiner comme les épinards. Les Incas utilisaient ses graines comme céréale.

Quelques autres espèces comestibles

- ***Amaranthus blitum*** : originaire de Chine, riche en vitamines A, B et C.
- ***Amaranthus campestris*** : originaire des Indes, consommée comme légume au Sri Lanka.
- ***Amaranthus cruentus*** : originaire du Guatemala.
- ***Amaranthus frumentaceous*** : originaire des Indes, feuillage comestible.
- ***Amaranthus hypochondriacus*** : originaire d'Amérique centrale, du Mexique.

Bourrache (*Borago officinalis*)

Semis : du mois de mars jusqu'en été.
Soins : la bourrache se cultive comme une fleur annuelle, c'est-à-dire qu'elle se sème en ligne ou à la volée, idéalement dans une bonne terre de jardin. Cette méthode concerne la première année de culture. Par la suite, la bourrache se débrouille toute seule dans

Amarante caudatus*, une plante comestible.*

vos carrés. Attention cependant, elle peut devenir envahissante.

MON ASTUCE : utilisez la bourrache comme engrais vert ; en effet, son feuillage est très riche en nitrate et en potassium.

> BON À SAVOIR : les jeunes feuilles et fleurs de la bourrache ont une saveur de concombre. Comme le persil, elle est très riche en vitamine C. Ses fleurs mellifères attirent les abeilles et favorisent la fécondation des fleurs de tomate. Elle se consomme cuite à la vapeur comme les épinards. Les feuilles de la bourrache s'ajoutent aux salades ou soupes. Les fleurs servent à parfumer les boissons. Quelques fleurs de bourrache jetées sur de la charcuterie, une salade ou un dessert décoreront vos plats d'étoiles bleues. Elles peuvent aussi se confire.

Arroche rouge (*Atriplex hortensis* 'Rubra')

Semis : de mars à juillet.

Soins : ne vous laissez pas envahir par l'arroche, ne conservez que quelques pieds au milieu des autres légumes. Les feuilles rouges donnent du charme aux carrés.

MON ASTUCE : laissez monter un pied à graines pour ne pas avoir à en ressemer au printemps suivant.

> BON À SAVOIR : l'arroche remplace les épinards. Les feuilles se cueillent au fur et à mesure de vos besoins.

Souci

Semis : en mars-avril. Ensuite, le souci se ressème seul.

MON ASTUCE : à l'automne, laissez les graines germer sur la terre. Avant l'hiver, elles auront le temps de lever et surtout de repousser les nématodes pour de prochaines cultures. Profitez-en l'année suivante pour planter des tomates à proximité.

> BON À SAVOIR : le souci est un insecticide car il fournit du nectar aux syrphes qui consomment une grande quantité de pucerons présents sur les artichauts.

Artichaut

Plantation : en avril après les grosses gelées, dans un sol riche et filtrant.

Soins : drainez le fond du carré avec des gravillons grossiers ou des poteries concassées. Plantez l'œilleton jusqu'au collet. Serrez la terre autour du plant pour faire une petite cuvette. Arrosez copieusement pendant plusieurs jours, puis paillez les pieds pour conserver l'humidité. La première année, vous pouvez récolter quelques artichauts.

En hiver, nouez les feuilles en les rassemblant au milieu. Dans les régions froides, recouvrez la souche avec des feuilles mortes ou de la paille sur au moins 30 cm d'épaisseur.

Le printemps suivant (en avril), dégagez la terre autour et prélevez quelques rejets (ou œilletons) pour multiplier les artichauts. Quatre ou cinq démarrages par pied suffisent pour espérer une bonne récolte.

MON ASTUCE : pour avoir de plus grosses têtes, fendez la tige par le milieu dans le sens de la longueur et introduisez un petit morceau de bois dans la fente. Pour attendrir les têtes, enveloppez-les dans un sac en papier.

> BON À SAVOIR : l'artichaut possède de nombreuses propriétés : il est antidiarrhéique, apéritif, cholagogue, cholérétique, dépuratif, diurétique, hypoglycémiant et tonique.

Cinéraire maritime

Soins : il est indispensable de couper ses fleurs au fur et à mesure, car elles se développent au détriment du feuillage.

Multiplication : par bouture de mai à août ou par semis.

MON ASTUCE : la deuxième année de culture, mieux vaut la rabattre et bouturer les tiges pour renouveler la plante.

> BON À SAVOIR : la cinéraire maritime est vivace et ne gèle pas. Mais en cas de fortes gelées, il est préférable de la protéger avec un voile d'hivernage.

LE CARRÉ DE POCHE

■ Ce carré de 1,20 x 1,20 m est partagé en seize parcelles, ou carreaux, de 30 cm de côté. Cette technique permet de récolter de nombreux légumes frais en petite quantité et pratiquement toute l'année. Ce carré est intéressant à installer sur de petits espaces (balcon, terrasse, gazon...) ou dans une cour d'école.

PLAN DU CARRÉ DE LA PREMIERE ROTATION (DE MARS À MAI)

Carotte demi-longue 'Touchon' (semis)	Poireau 'Électra' (semis)	Cerfeuil (semis)	Pois nain 'D'Annonay' (semis)
Haricot vert mangetout 'Argus' (semis)	Chicorée frisée (semis) + radis	Fleurs champêtres (semis)	Roquette (semis)
Radis 'De Dix-Huit Jours' (semis)	Laitue à couper en mélange (semis)	Haricot beurre à rames (semis)	Betterave rouge 'Noire d'Égypte' (semis)
Laitue batavia 'Sierra' (semis)	Oignon blanc 'De Vaugirard' (semis)	Navet hâtif (semis)	Laitue 'Gotte Jaune d'Or' (semis)

Maïs

La betterave rouge 'Noire d'Égypte' est une variété très précoce.

LISTE DES PLANTES **DE LA PREMIÈRE ROTATION**

- Betterave rouge 'Noire d'Égypte' (20 graines)
- Carotte demi-longue 'Touchon' (1 g)
- Cerfeuil (1 g)
- Chicorée frisée 'Fine de Louviers' (1 g)
- Fleurs champêtres (1 g)
- Haricot beurre mangetout à rames 'Ramdor' (5 graines)
- Haricot vert mangetout 'Argus' (15 graines)
- Laitue batavia 'Sierra' (0,5 g)
- Laitue à couper en mélange (1 g)
- Laitue pommée 'Gotte Jaune d'Or' (0,5 g)
- Maïs doux 'Golden Bantam' (1 pied)
- Navet 'Rouge Plat Hâtif à Feuille Entière' (1 g)
- Oignon blanc hâtif 'De Vaugirard' (1 g)
- Poireau 'Électra' (1 g)
- Pois nain 'D'Annonay' (15 graines)
- Radis 'De Dix-Huit Jours' (1 g)
- Roquette (1 g)

PLAN DU CARRÉ DE LA DEUXIÈME ROTATION (DE JUIN ET JUILLET)

Carotte	Chicorée scarole (semis)	Cerfeuil	Pois
Haricot vert	Chicorée frisée (repiquée)	Fleurs champêtres	Chicorée frisée (repiquée)
Laitue batavia 'Sierra' (repiquée)	Laitue à couper	Haricot beurre à rames	Betterave rouge
Laitue batavia 'Sierra' (repiquée)	Haricot vert 'Slenderette' (semis)	Laitue 'Gotte' (repiquée)	Laitue 'Gotte' (desserrée)

Maïs + haricot à rames

LISTE DES PLANTES **DE LA DEUXIÈME ROTATION**

- Chicorée scarole 'Grosse Bouclée' (0,5 g)
- Haricot vert 'Slenderette' (15 graines)

Le haricot vert se récolte soixante jours après le semis.

La chicorée scarole résiste mieux au froid que la frisée.

PLAN DU CARRÉ DE LA TROISIÈME ROTATION (D'AOÛT ET SEPTEMBRE)

Carotte	Chicorée scarole (repiquée)	Chicorée scarole (repiquée)	Radis de Chine (semis)
Chicorée scarole (repiquée)	Navet 'Boule d'Or' (semis)	Fleurs champêtres	Chicorée frisée (repiquée)
Radis 'De Dix-Huit Jours' (semis)	Navet 'Boule d'Or' (semis)	Haricot beurre à rames	Betterave rouge
Radis 'De Dix-Huit Jours' (semis)	Haricot vert 'Slenderette' (semis)	Haricot vert 'Slenderette' (semis)	Radis 'De Dix-Huit Jours' (semis)

Maïs doux + haricot à rames

LISTE DES PLANTES **DE LA TROISIÈME ROTATION**

- Haricot vert 'Slenderette' (15 graines)
- Navet 'Boule d'Or' (2 g)
- Radis de Chine (1 g)
- Radis 'De Dix-Huit Jours' (3 g)

Le radis de Chine se consomme comme le navet.

Le navet jaune 'Boule D'or' pour des récoltes d'automne.

PLAN DU CARRÉ DE LA QUATRIÈME ROTATION (DE SEPTEMBRE ET OCTOBRE)

Épinard 'Géant d'Hiver' (semis)	Chicorée scarole	Chicorée scarole	Radis de Chine
Chicorée scarole	Navet 'Boule d'Or'	Échalote grise (9 bulbes) + mâche 'Verte de Cambrai' (semis)	Épinard 'Géant d'Hiver' (semis)
Ail blanc (6 bulbes) + mâche 'Verte de Cambrai' (semis)	Navet 'Boule d'Or'	Haricot beurre à rames	Ail blanc (6 bulbes) + mâche 'Verte de Cambrai' (semis)
Échalote grise (9 bulbes) + mâche 'Verte de Cambrai' (semis)	Épinard 'Géant d'Hiver' (semis)	Échalote grise (9 bulbes) + mâche 'Verte de Cambrai' (semis)	Ail blanc (6 bulbes) + mâche 'Verte de Cambrai' (semis)

LISTE DES PLANTES
DE LA QUATRIÈME ROTATION

- Ail blanc (18 bulbes)
- Échalote grise (27 bulbes)
- Épinard 'Géant d'Hiver' (4 x 1 g)
- Mâche de printemps 'Verte de Cambrai' (6 x 1 g)

L'ORGANISATION

Première rotation (de mars à mai)

Commencez par tracer les seize parcelles ou carreaux avec des fils, des baguettes ou directement sur la terre. Ensemencez chaque petit carré de 30 x 30 cm avec une variété ou espèce différente. La réussite passe par de bonnes associations : chaque légume apprécie ou non son voisin.

Respectez quelques règles de bon voisinage. Les carottes sont ravies de sentir la proximité des poireaux et réciproquement. En symbiose, ils s'entraident : l'odeur du poireau repousse la mouche de la carotte et la carotte éloigne la teigne du poireau. En principe, les haricots sont de bonne compagnie pour les autres plantes car ils les alimentent en azote.

Deuxième rotation (de juin et juillet)

Certains légumes sont déjà récoltés, comme les radis 'De Dix-Huit Jours', qui laissent la place pour repiquer des laitues batavias. Comptez trois plants sur 30 cm. Les haricots verts commencent à rapporter et la récolte peut s'étaler sur plusieurs semaines. Régalez-vous grâce aux primeurs (carotte, betterave rouge, pois, haricot vert...). Cueillez les premières petites salades pour les desserrer. Les autres pieds grossiront au fur et à mesure des prélèvements.

Troisième rotation (d'août et septembre)

La première série de haricots verts est achevée. Repiquez à la place les chicorées scaroles semées le mois

PLAN DU CARRÉ DE LA CINQUIÈME ROTATION (DE JANVIER ET FÉVRIER)

Épinard 'Géant d'Hiver'	Laitue 'Gotte' + radis sous cloche	Laitue 'Gotte' + radis sous cloche	Laitue 'Gotte' + radis sous cloche
Laitue 'Gotte' + radis sous cloche	Laitue 'Gotte' + radis sous cloche	Échalote grise + mâche 'Verte de Cambrai'	Épinard 'Géant d'Hiver'
Ail blanc + mâche 'Verte de Cambrai'	Laitue 'Gotte' + radis sous cloche	Épinard 'Géant d'Hiver'	Ail blanc + mâche 'Verte de Cambrai'
Échalote grise + mâche 'Verte de Cambrai'	Épinard 'Géant d'Hiver'	Échalote grise + mâche 'Verte de Cambrai'	Ail blanc + mâche 'Verte de Cambrai'

LISTE DES PLANTES
DE LA CINQUIÈME ROTATION

- Laitue pommée 'Gotte jaune d'Or' (0,5 g)
- Radis 'De Dix-huit Jours ' (1 g)

dernier. Tentez un dernier semis de haricots verts. Si l'automne est doux, vous récolterez début octobre, une époque où les haricots commencent à se faire rares sur le marché. Il reste encore du temps pour semer une petite série de radis 'De Dix-Huit Jours' ; à cette époque de l'année, avec un peu d'humidité, ils sont très tendres et moins piquants.

Quatrième rotation (de septembre et octobre)

Selon les régions et les variations climatiques, le mois de septembre est à cheval sur la fin des récoltes d'été et le début des semis d'automne. Les carottes, chicorées frisées et haricots verts sont récoltés et remplacés par un semis d'épinards 'Géant d'hiver' et de mâche 'Verte de Cambrai'. Les chicorées scaroles grossissent toujours. C'est le moment de planter les condimentaires (ail blanc et échalote grise) à la place des radis et betteraves rouges. Les dernières fleurs champêtres sont suspendues la tête en bas dans un local à l'abri de la pluie pour récolter des graines. Restent encore les haricots beurre à rames et les navets.

Cinquième rotation (de janvier et février)

En novembre-décembre, vous aurez récolté les navets d'automne et les dernières chicorées scaroles. Malgré la neige, la pluie, le gel, les aulx et échalotes grises continuent à pousser. Les épinards sont protégés avec un voile d'hivernage.

Janvier et février sont sans aucun doute les mois les plus rudes à traverser. Selon les régions, les températures peuvent rester négatives pendant plusieurs semaines sans pouvoir mettre une graine en terre. Mais il suffit d'un rayon de soleil, d'un léger réchauffement pour oser un semis de laitue 'Gotte' mélangée aux radis 'De Dix-Huit Jours'. Rien n'est gagné, mais si vous abritez bien votre premier semis de l'année sous une cloche, vous serez peut-être le premier à récolter des radis en primeur avec en outre quelques jeunes feuilles de salade.

LES FICHES DE CULTURE DE LA PREMIÈRE ROTATION, CARREAU PAR CARREAU

Carotte demi-longue 'Touchon'

Semis : en avril-mai, à la volée dans ce carré. Griffez bien la terre, arrosez copieusement (comptez 10 litres par mètre carré).

Soins : les carottes apprécient de pousser dans un sol profond, léger et frais.

MON ASTUCE : ajoutez quelques graines de poireaux au semis pour éviter la mouche.

> BON À SAVOIR : les carottes courtes conviennent pour les cultures précoces et forcées. Elles se sèment tôt, en mars-avril. La culture est rapide (soixante-quinze jours environ) sous abri ou sous un film de forçage.

Poireau 'Électra'

Semis : en mars-avril, à la volée.

Repiquage : en juin.

Soins : paillez et tenez le sol humide.

Maladies : principalement la mineuse. Couvrez les poireaux avec un voile.

Les poireaux apprécient un sol riche en compost.

MON ASTUCE : pulvérisez de l'eau à l'intérieur du fût des poireaux pour empêcher la teigne et la mouche de la mineuse de pondre à l'intérieur.

> BON À SAVOIR : attendez au moins trois ans avant de repiquer des poireaux au même endroit.

Cerfeuil

Semis : à partir du mois de mars et jusqu'en été.

Soins : cueillez les feuilles au fur et à mesure pour la cuisine.

MON ASTUCE : en été, semez le cerfeuil à l'ombre.

> BON À SAVOIR : comme le persil, le cerfeuil est très riche en vitamine C.

Pois nain 'D'Annonay'

Semis : de février à avril ou de septembre à novembre (seulement dans l'Ouest, le Sud-Ouest et le Midi).

Soins : binez et buttez les pieds des pois pour maintenir l'humidité.

MON ASTUCE : bien qu'il s'agisse de pois nains, plantez de petites rames pour maintenir les pois dressés.

> BON À SAVOIR : les pois ridés se sèment après les pois ronds.

Haricot vert mangetout 'Argus'

Semis : d'avril à fin juillet ou mi-septembre au sud de la Loire.

Soins : maintenez humide jusqu'à la récolte pour que les haricots restent tendres.

MON ASTUCE : prenez la température de la terre avec un thermomètre qui sert pour les stérilisateurs. Il faut au minimum 12 °C pour assurer une belle levée des haricots verts.

> BON À SAVOIR : la récolte intervient soixante jours après le semis.

Chicorée frisée 'Fine de Louviers'

Semis : d'avril à juillet dans une terre fine.

Repiquage : lorsque les salades possèdent trois ou quatre feuilles.

Soins : maintenez le pied humide sans mouiller le feuillage. Paillez et protégez contre les limaces.

MON ASTUCE : pour que les chicorées aient le cœur blanc, liez les feuilles sèches huit à dix jours avant la récolte.

> BON À SAVOIR : les frisées sont peu caloriques, riches en fibres ainsi qu'en vitamines (A, B1, B2 et C).

Fleurs champêtres

Centaurée, coréopsis, cosmos, lavatère, reine-marguerite ou eschscholtzia.

Semis : de mars à juin, à la volée.

Soins : peu, les graines se débrouillent au gré du sol.

MON ASTUCE : le fait de couper les fleurs fanées favorise une remontée de boutons.

> BON À SAVOIR : les fleurs champêtres attirent les papillons et les abeilles.

Roquette cultivée

Semis : de mai à août.

Soins : la roquette pousse partout mais préfère les situations ombragées.

MON ASTUCE : arrosez fréquemment pour conserver les feuilles tendres.

> BON À SAVOIR : la roquette se consomme crue en salade ou encore cuite comme les épinards.

Radis 'De Dix-Huit Jours'

Semis : de février à septembre.

Soins : les radis doivent pousser rapidement pour être savoureux. Ils apprécient une terre douce, fraîche et riche en humus. Dans une terre sèche, ils sont piquants et souvent attaqués par l'altiste (petite puce) qui empêche le développement normal du radis.

MON ASTUCE : semez très fin (0,5 cm entre les graines), ainsi les raves se formeront plus facilement et ne fileront pas.

> BON À SAVOIR : c'est un radis demi-long, rouge rosé à bout blanc et à chair blanche.

Laitue à couper en mélange (mesclun)

Semis : de mars à juillet. Dès janvier dans le Sud.

Soins : maintenez humide et surveillez les limaces.

MON ASTUCE : fabriquez vous-même le mesclun en réunissant vos fonds de paquets (parfois périmés).

> BON À SAVOIR : mesclun signifie « mélange de feuilles de salades ».

Maïs doux 'Golden Bantam'

Semis : en avril-mai, lorsque la terre est réchauffée.

Soins : arrosez, binez et buttez le pied pour maintenir l'humidité.

MON ASTUCE : plantez des haricots à rames au pied du maïs qui leur servira de tuteur.

> BON À SAVOIR : ce maïs est l'un des derniers « non hybrides ».

Haricot beurre mangetout à rames 'Ramdor'

Semis : d'avril à juin.

Soins : les mêmes que pour le maïs.

MON ASTUCE : plantez les haricots à rames au pied du maïs doux qui va leur servir de tuteur.

> BON À SAVOIR : les haricots à rames permettent d'augmenter une production sans occuper beaucoup de place au sol.

Betterave rouge 'Noire d'Égypte'

Semis : d'avril à juin.

Soins : maintenez humide en été.

MON ASTUCE : en automne, rempotez une betterave rouge dans un pot à l'intérieur. Au bout de quelques jours, de nouvelles feuilles rouges vont apparaître.

> BON À SAVOIR : repiquez les betteraves lorsqu'elles possèdent deux à quatre feuilles.

Laitue batavia 'Sierra'

Semis : de mars à mai en pleine terre.

Soins : paillez entre les pieds pour maintenir le sol humide.

MON ASTUCE : repiquez les pieds trois par trois. Cette technique permet aux salades de pousser au fur et à mesure des prélèvements. La dernière laitue pomme tranquillement sans être gênée.

> BON À SAVOIR : la laitue batavia 'Sierra' est très résistante à la chaleur.

Oignon blanc hâtif 'De Vaugirard'

Semis : de février à mai ou en août-septembre.

Soins : l'oignon préfère une terre légère et craint l'excès d'humidité.

MON ASTUCE : arrachez les bulbes lorsqu'ils sont encore petits pour les conserver au vinaigre avec des cornichons.

> BON À SAVOIR : l'oignon est un stimulant riche en vitamines A, B et C ainsi qu'en sels minéraux.

Navet 'Rouge Plat Hâtif à Feuille Entière'

Semis : en mars-avril.

Récolte : de mai à juillet.

Soins : les navets doivent pousser rapidement pour empêcher la prolifération des puces.

MON ASTUCE : pour avoir des navets tendres, maintenez la terre humide.

> BON À SAVOIR : cette variété de navet précoce permet de récolter très tôt au printemps. Ces navets sont succulents mélangés avec les pois et les carottes hâtives.

Laitue pommée 'Gotte Jaune d'Or'

Semis : en février sous abri (châssis ou tunnel), en mars en pleine terre.

Récolte : en mai pour le semis sous abri, en juin en plein terre.

Soins : repiquez deux ou trois semaines après la levée.

MON ASTUCE : posez un voile d'hivernage sur le semis puis après le repiquage.

> BON À SAVOIR : cette laitue se consomme également en jeunes plants.

LES FICHES DE CULTURE DE LA DEUXIÈME ROTATION, CARREAU PAR CARREAU

Chicorée scarole 'Grosse Bouclée'

Semis : en juin-juillet.

Repiquage : de juin à août.

Soins : paillez et tenez le sol humide.

Parasites : contre le puceron racinaire, respectez les rotations de cultures.

MON ASTUCE : au repiquage, couvrez les chicorées avec une toile de jute pendant une semaine.

> BON À SAVOIR : les feuilles vertes sont excellentes cuites avec des lardons.

Haricot vert 'Slenderette'

Semis : d'avril à fin juillet ou mi-septembre au sud de la Loire.

Récolte : soixante jours après le semis.

Soins : maintenez humide jusqu'à la récolte pour que les haricots restent tendres.

MON ASTUCE : prenez la température de la terre avec un thermomètre qui sert pour les stérilisateurs. Il faut au minimum 12 °C pour assurer une belle levée.

> BON À SAVOIR : la variété 'Slenderette' est de type filet. Ce haricot vert nain mangetout est précoce et vigoureux.

LES FICHES DE CULTURE DE LA TROISIÈME ROTATION, CARREAU PAR CARREAU

Radis de Chine

Semis : en août-septembre, dans une terre fine et profonde.

Soins : arrosez par temps sec.

MON ASTUCE : commencez à déguster les premiers radis lorsqu'ils sont gros comme le petit doigt. Les autres prendront la place ainsi libérée, et deviendront gros comme une demi-bouteille.

> BON À SAVOIR : les radis de Chine se conservent dans une cave.

Navet 'Boule d'Or'

Semis : de mai à septembre dans une terre fine.

Soins : arrosez par temps sec.

MON ASTUCE : les jeunes navets se consomment comme des radis, à la croque au sel.

> BON À SAVOIR : les navets se conservent dans une cave comme les carottes.

LES FICHES DE CULTURE DE LA QUATRIÈME ROTATION, CARREAU PAR CARREAU

Épinard 'Géant d'Hiver'

Semis : de septembre à novembre (dans le sud de la France).

Soins : variété rustique très résistante au froid.

Récolte : sept à huit semaines après le semis. Coupez un à un les pétioles des feuilles du pourtour avec un couteau ou avec les ongles (ne tirez pas sur les pieds, car vous risquez de les détruire).

MON ASTUCE : un voile de forçage posé sur ses feuilles lui permet de résister au gel.

> BON À SAVOIR : l'épinard est riche en vitamines A et B ainsi qu'en fer.

Échalote grise

Plantation : en octobre-novembre.

Soins : l'échalote déteste l'humidité en hiver.

Récolte : en juillet, lorsque le feuillage jaunit.

MON ASTUCE : dans un terrain humide, plantez les bulbes sur une petite butte.

> BON À SAVOIR : l'échalote de printemps se plante en février-mars et se récolte en juillet-août.

L'ail se plante à l'automne dans une terre légère et profonde.

Ail blanc

Plantation : en octobre-novembre.

Soins : l'ail préfère une terre légère, filtrante. Évitez le compost mal décomposé.

Récolte : de mi-juin à début juillet.

MON ASTUCE : saupoudrez de la cendre de bois sèche au moment de la plantation pour éviter la pourriture des caïeux.

> BON À SAVOIR : l'ail rose se plante en février-mars.

Mâche 'Verte de Cambrai'

Semis : en septembre-octobre sur un sol ferme.

Soins : désherbez manuellement entre les pieds de mâche.

Récolte : en février-mars.

MON ASTUCE : couvrez le semis jusqu'à la levée avec un journal ou une toile de jute.

> BON À SAVOIR : cette variété s'avère très résistante au froid. En janvier-février, ce sont les légumes semés en automne qui restent dans le carré. Dès qu'une petite place se libère, semez les pois à grains ronds, résistants au froid. Une nouvelle saison est sur le point de redémarrer à condition que le temps le permette.

UN CARRÉ POUR DÉBUTANT

■ Ce carré unique de 1,20 sur 1,20 m, partagé en six rectangles de 60 sur 40 cm, permet de récolter dès le printemps des radis, quelques laitues pommées et les principaux légumes frais en petite quantité et pratiquement toute l'année. Facile à installer sur un balcon ou une terrasse, ce carré est particulièrement adapté aux petits espaces et à la portée des jardiniers débutants.

Carré de mars et avril

PLAN DU CARRÉ DE LA PREMIÈRE ROTATION (DE MARS ET AVRIL)

1 Radis 'De Dix-Huit Jours' (semis)	2 Laitue pommée de printemps 'Gotte jaune d'or' (4 plants)	3 Radis 'De Dix-Huit Jours' (semis)
4 Laitue à couper 'Feuille de chêne' (4 plants) Thym (1 pied)	5 Radis 'De Dix-Huit Jours' (semis) Ciboulette (2 pieds)	6 Laitue batavia 'Dorée de printemps' (4 plants) Persil (3 pieds)

LISTE DES PLANTES **DE LA PREMIÈRE ROTATION**

- Ciboulette (2 pieds)
- Laitue à couper 'Feuille de chêne' (4 plants)
- Laitue batavia 'Dorée de printemps' (4 plants)
- Laitue pommée de printemps 'Gotte jaune d'or' (4 plants)
- Radis 'De Dix-Huit Jours' (3 × 1 g)
- Persil simple ou frisé (3 pieds)
- Thym (1 pied)

Si vous ne trouvez pas en jardinerie de laitues vendues séparément, vous pouvez sur les trois parcelles planter une seule variété, c'est-à-dire douze pieds.

La laitue 'Gotte' forme rapidement une petite pomme serrée au printemps.

Les fleurs de ciboulette sont aussi excellentes pour aromatiser une salade.

Carré de mai et juin

PLAN DU CARRÉ DE LA DEUXIÈME ROTATION (DE MAI ET JUIN)

1	2	3
Tomate-cerise rouge (1 pied) Haricot mangetout 'Argus' (semis)	Laitue pommée de printemps 'Gotte jaune d'or'	Tomate-cerise jaune (1 pied) Haricot mangetout 'Argus' (semis)
4	**5**	**6**
Laitue à couper 'Feuille de chêne' Thym	Concombre greffé 'Bella' F1 (1 pied) Ciboulette	Laitue batavia 'Dorée de printemps' Persil

LISTE DES PLANTES **DE LA DEUXIÈME ROTATION**

- Concombre greffé 'Bella' F1 (1 pied)
- Haricot mangetout 'Argus' (2 × 10 grains)
- Tomate-cerise jaune (plus sucrée et moins acide) (1 pied)
- Tomate-cerise rouge (1 pied)

PLAN DU CARRÉ DE LA TROISIÈME ROTATION (DE JUILLET ET AOÛT)

1 Tomate-cerise rouge Haricot mangetout 'Argus'	2 Espace occupé par les tomates	3 Tomate-cerise jaune Haricot mangetout 'Argus'
4 Radis 'De Dix-Huit Jours' (semis) Thym	5 Concombre greffé 'Bella' F1 Ciboulette	6 Radis 'De Dix-Huit Jours' (semis) Persil

LISTE DES PLANTES
DE LA TROISIÈME ROTATION

- Radis 'De Dix-Huit Jours' (2 × 1 g)

PLAN DU CARRÉ DE LA QUATRIÈME ROTATION (DE SEPTEMBRE ET OCTOBRE)

1 Tomate-cerise rouge Mâche 'Verte de Cambrai' (semis)	2 Espace occupé par les tomates Mâche 'Verte de Cambrai' (semis)	3 Tomate-cerise jaune Mâche 'Verte de Cambrai' (semis)
4 Chicorée scarole (3 plants) Thym	5 Chicorée scarole (3 plants) Ciboulette	6 Chicorée scarole (3 plants) Persil

LISTE DES PLANTES
DE LA QUATRIÈME ROTATION

- Chicorée scarole (3 × 3 plants)
- Mâche 'Verte de Cambrai' (3 × 1 g)

PLAN DU CARRÉ DE LA CINQUIÈME ROTATION (DE NOVEMBRE ET DÉCEMBRE)

1 Salade d'hiver (semis) Mâche 'Verte de Cambrai'	2 Mâche 'Verte de Cambrai'	3 Salade d'hiver (semis) Mâche 'Verte de Cambrai'
4 Chicorée scarole Thym	5 Chicorée scarole Ciboulette	6 Chicorée scarole Persil

LISTE DES PLANTES
DE LA CINQUIÈME ROTATION

- Salade d'hiver 'Merveille d'hiver' (2 x 0,5 g)

PLAN DU CARRÉ DE LA SIXIÈME ROTATION (DE JANVIER À MARS)

1 Salade d'hiver (desserrée) Mâche 'Verte de Cambrai'	2 Mâche 'Verte de Cambrai'	3 Salade d'hiver (desserrée) Mâche 'Verte de Cambrai'
4 Salade d'hiver (repiquée) Thym	5 Salade d'hiver (repiquée) Ciboulette	6 Salade d'hiver (repiquée) Persil

LISTE DES PLANTES
DE LA SIXIÈME ROTATION

Toutes les plantes étaient déjà présentes dans le carré de la période précédente, de novembre et décembre.

Les concombres greffés sont plus productifs.

L'ORGANISATION

Première rotation (de mars et avril)

Commencez par tracer six parcelles, avec des fils, des baguettes ou directement sur la terre. Ensemencez ou repiquez chaque carreau numéroté de 1 à 6 avec des radis et plusieurs variétés de salades. Sur un côté plantez trois herbes aromatiques (thym, ciboulette, persil) indispensables dans la cuisine.

Deuxième rotation (de mai et juin)

Les radis sont maintenant récoltés et l'emplacement est libre pour y planter des tomates-cerises (carreaux 1 et 3) associées avec des haricots mangetout, sans oublier un tuteur torsadé de 1,50 m de hauteur pour chaque pied de tomate. Opter pour des tomates-cerises vous garantira une récolte abondante sur une petite parcelle. Faciles à conduire, elles sont plus résistantes aux maladies que les tomates classiques.
Carreau 5 : installez un pied de concombre greffé vendu à l'unité, qui a la particularité d'être plus productif que les concombres classiques.

Troisième rotation (de juillet et août)

Nous sommes dans la pleine période des récoltes (tomates, concombres, haricots). Il ne reste plus de salades. À la place (carreaux 4 et 6), faites un nouveau semis de radis.
Le carreau 2 est occupé par les tomates-cerises.

INSTALLER UN PIED DE CONCOMBRE GREFFÉ

Avant de planter votre pied de concombre greffé retirez 10 litres de terre de la parcelle pour la remplacer par du terreau car les concombres sont très gourmands. Avec votre poing, enfoncez le terreau pour obtenir une cavité de la valeur d'un litre, puis arrosez copieusement le fond du trou. Retirez ensuite votre concombre du pot et plantez-le. Piquez trois tuteurs en bambou en forme de pyramide pour que le concombre s'accroche et monte dessus (vous avez le droit de l'aider). Si vous ne tuteurez pas, le concombre va occuper toute la surface du carré au grand risque d'étouffer les autres légumes. Autre technique de tuteurage : installez un grillage soudé au pied du concombre. Pendant le même temps, dans les autres carreaux, les laitues continuent à grossir, certaines sont déjà récoltées et laissent la place aux autres ; et les herbes aromatiques se développent.

Attention de ne pas vous laisser déborder par les gourmands au pied des tomates : trop nombreux, ils vivent au détriment des fruits. Coupez-les au fur et à mesure qu'ils poussent. Les feuilles des deux pieds de tomates ne doivent pas se toucher sous peine d'avoir des maladies en période pluvieuse (mildiou). Sachez qu'en principe, vous n'avez pas besoin d'avoir recours aux produits de traitement.

Quatrième rotation (de septembre et octobre)

Les tomates continuent à rapporter. Les gourmands ainsi que les feuilles sont coupés jusqu'à mi-hauteur, libérant de l'espace en surface pour y semer de la mâche. Cette petite salade se sème sur sol ferme – un simple griffage en surface suffit avant de jeter les graines sur la terre, distantes de 1 cm. Arrosez copieusement jusqu'à la levée (une à deux semaines).

C'est aussi la fin de la récolte des radis et des concombres, sauf exception, car c'est l'époque où ces derniers sont atteints par l'oïdium (champignon blanc sur le feuillage). Les carreaux 4, 5 et 6 sont ainsi libérés pour planter des chicorées scaroles.

Cinquième rotation (de novembre et décembre)

La saison des tomates est terminée. S'il reste encore quelques tomates vertes, suspendez avec les racines en l'air les pieds complets, le long d'un mur exposé en plein soleil. Les fruits continueront à mûrir (sauf s'il gèle).

Les carreaux 1 et 3 sont semés à la volée avec de la salade d'hiver (résistante au froid). Selon les températures et la région, cette salade lève tranquillement au cours de l'automne et parfois attend la fin de l'hiver.

Carreaux 1, 2 et 3 : début de la cueillette des mâches.

Carreaux 4, 5 et 6 : récolte des chicorées scaroles. Attention, malgré leur résistance au froid, si les températures descendent en dessous de 0 °C, protégez les pieds de chicorées scaroles avec un voile d'hivernage (pas de plastique). Afin de profiter de la salade entière, blanchissez les feuilles en les privant de lumière pendant une semaine (pas plus). Couvrez le pied de chicorée en glissant les feuilles sous un pot de fleur retourné. Si les températures baissent, coupez les feuilles de persil à 5 cm du sol et mettez-les au congélateur.

Sixième rotation (de janvier à mars)

Le carré de potager profite de l'hiver pour se reposer. Néanmoins, les mâches (malgré le gel) continuent à se développer jusqu'en mars (passé cette date, elles montent à graines). Dès que les premiers rayons de soleil chauffent le carré, repiquez une à une les salades d'hiver dans les parcelles libérées. N'hésitez pas à occuper l'ensemble du carré. Pendant cette période, vous pouvez les placer serrées à une distance de 10 cm environ. Plus tard, au fur et à mesure que les salades se développeront, coupez-les pour déguster les jeunes feuilles. S'il ne fait pas très froid et si votre carré est un peu abrité, le persil (surtout le frisé) continuera à donner quelques feuilles. La première saison est maintenant terminée.

Liez pendant une semaine les chicorées scaroles pour les faire blanchir.

PLAN DU CARRÉ DE LA DEUXIÈME ANNÉE (DE MARS ET AVRIL)

1 Laitue à couper (4 plants)	2 Radis 'De Dix-Huit Jours' (semis)	3 Laitue batavia de printemps (4 plants)
4 Radis 'De Dix-Huit Jours' (semis) Thym	5 Radis 'De Dix-Huit Jours' (semis) Ciboulette	6 Radis 'De Dix-Huit Jours' (semis) Persil

LISTE DES PLANTES **DU CARRÉ DE LA DEUXIÈME ANNÉE**

- Ciboulette (2 pieds de 1 an, en place)
- Laitue à couper (4 plants)
- Laitue batavia de printemps (4 plants)
- Radis 'De Dix-Huit Jours' (1 g × 3)
- Persil simple ou frisé (3 pieds de 1 an, en place pour la dernière année)
- Thym (1 pied de 1 an, en place)

Deuxième année (période de mars et avril)

Vous voici reparti pour une nouvelle année de culture en carrés ! Avec l'expérience d'une saison (réussites et échecs). Si le forgeron apprend à forger en forgeant, le jardinier aussi tire les enseignements d'une année de culture. Ce carré vous aura permis de vous familiariser avec les rotations. En théorie, on ne cultive pas deux années de suite les mêmes légumes au même endroit. Sur une toute petite surface, il est évident que le respect des rotations est plus compliqué, mais grâce aux apports de compost et terreau, vous pouvez quand même croiser quelques légumes. Dans ce même carré vous avez conservé votre thym, la ciboulette, et le persil qui cette année va monter à graines ; pensez à le renouveler.

La laitue batavia blonde 'Dorée de printemps' convient aussi pour une production d'été et d'automne.

LES FICHES DE CULTURE DE LA PREMIÈRE ROTATION, CARREAU PAR CARREAU

Radis 'De Dix-Huit Jours'

Semis : de février à septembre.

Soins : les radis doivent pousser rapidement pour être savoureux. Ils apprécient une terre douce, fraîche et riche en humus. Dans une terre sèche, ils sont piquants et souvent attaqués par l'altiste (petite puce) qui empêche le développement normal du radis.

Vous pouvez glisser quelques graines au milieu des fraisiers. Vous les récolterez avant que les feuilles de fraisier occupent le terrain.

MON ASTUCE : semez très fin, en ne laissant qu'un demi-centimètre entre les graines. Ainsi les radis se forment plus facilement et ne filent pas.

> BON À SAVOIR : le radis 'De Dix-Huit Jours' est un radis demi-long, rouge rosé à bout blanc et à chair blanche. Il est capable de supporter une petite gelée.

Laitue pommée de printemps 'Gotte jaune d'or'

Semis : en février sous abri (châssis ou tunnel), en mars en pleine terre.

Récolte : en mai pour le semis sous abri, en juin en pleine terre.

Soins : repiquez deux ou trois semaines après la levée.

MON ASTUCE : posez un voile d'hivernage sur le semis, puis après le repiquage.

> BON À SAVOIR : cette laitue se consomme également en jeune plants.

Laitue à couper 'Feuille de chêne'

Semis : en février-mars.

Repiquage : en mars-avril.

MON ASTUCE : coupez les feuilles du tour dès qu'elles atteignent 10 à 15 cm, sans atteindre le cœur.

La laitue à couper 'Feuille de chêne' est longue à monter à graines.

> BON À SAVOIR : un semis successif de février à septembre permet d'avoir des feuilles de salade fraîches une bonne partie de l'année.

Thym

Plantation : au printemps.

Exposition : soleil.

Multiplication : semis de printemps dans une terre légère sans terreau, bouture de tête ou marcottage toute l'année.

Récolte et conservation : cueillez les rameaux le matin après la rosée mais avant que le soleil chauffe, sinon l'huile essentielle s'évapore. Faites sécher les branches en bouquet, la tête en bas, à l'ombre dans une pièce aérée.

Un fois séché, le thym se conserve à l'abri de la lumière dans des bocaux en verre ou des récipients en plastique. Il se garde pendant environ un an, puis perd peu à peu sa teneur en huile essentielle.

MON ASTUCE : tous les trois ans, en avril, éclatez le pied en plusieurs morceaux comportant des racines. Coupez les tiges à 10 cm du collet et enterrez chaque éclat de façon que les rameaux dépassent légèrement.

> BON À SAVOIR : le thym citron est le plus approprié pour les poissons, crèmes anglaises, salades de fruits et sirops.

Ciboulette

Plantation : toute l'année sauf l'hiver.
Exposition : soleil, mi-ombre ou ombre.
Multiplication : semis ou division de touffe (bulbes).
MON ASTUCE : pour avoir des feuilles fraîches en hiver, rempotez une touffe dans un pot et rentrez-le au chaud. Au bout de quelques jours, les fines herbes sortent de terre. Il ne vous reste plus qu'à les couper pour l'omelette.
> BON À SAVOIR : la fleur de ciboulette est délicieuse en salade.

Laitue batavia 'Dorée de printemps'

Semis : de janvier à avril sous abri (tunnel, mini-serre...).
Repiquage : en avril-mai.
Soins : paillez entre les pieds pour maintenir le sol humide. Attention aux limaces.
MON ASTUCE : repiquez les pieds quatre par quatre. Cette technique permet aux salades de pousser au fur et à mesure des prélèvements. La dernière laitue a alors la place pour pommer tranquillement.
> BON À SAVOIR : la laitue batavia 'Dorée de printemps' est adaptée à une culture très précoce. La laitue batavia 'de Pierre Bénite' se sème un ou deux mois plus tard. La laitue batavia 'Rouge Grenobloise', plus résistante à la chaleur, se sème jusqu'en juillet pour une récolte de fin d'été ou d'automne.

Persil commun ou frisé

Plantation : au printemps (en godet).
Exposition : soleil ou mi-ombre.
Multiplication : semis en juin pour éviter la mouche, ou en avril pour une récolte précoce.
Récolte et conservation : séché, le persil perd son arôme. En revanche, il garde toute sa saveur lorsqu'il est congelé. Passez les feuilles sous l'eau, hachez-les finement et placez-les immédiatement au congélateur, dans plusieurs boîtes ou dans de petits sachets en plastique.
MON ASTUCE : tracez de petits sillons sur 2 cm de profondeur. Arrosez copieusement le fond des sillons. Semez vos graines (en y associant éventuellement quelques bulbes de ciboulette) puis couvrez-les d'une fine pellicule de terre sèche. Cachez le semis sous une feuille de journal ou de la toile de jute. Arrosez par-dessus. Maintenez humide jusqu'à la levée. Une à deux semaines plus tard les graines germent. Retirez la feuille de journal ou la toile de jute. Saupoudrez le semis de terre sèche pour le protéger du soleil.
> BON À SAVOIR : pour obtenir des feuilles fraîches pendant l'hiver, protégez vos pieds de persil avec un voile d'hivernage.

LES FICHES DE CULTURE DE LA DEUXIÈME ROTATION, CARREAU PAR CARREAU

Tomate-cerise

Plantation : en avril-mai (après les gelées), dans une terre riche en humus.
Exposition : soleil.

Les tomates-cerises sont plus faciles à cultiver que les tomates classiques à gros fruits.

MON ASTUCE : faites courir le pied de tomate à l'horizontale, par-dessus les autres plantes cultivées.

> **BON À SAVOIR :** retirez au fur à mesure à la main les gourmands qui poussent le long de la tige principale. N'attendez pas trop longtemps car vous risquez de déchirer les tissus et de provoquer des maladies. Si la tige est trop grosse, coupez les gourmands avec un sécateur. Gardez une seule tige que vous laisserez grimper le plus haut possible en l'accrochant sur la palissade.

■ Haricot mangetout 'Argus'

Semis : d'avril à fin juillet et jusqu'à mi-septembre au sud de la Loire.

Soins : maintenez le sol humide jusqu'à la récolte pour que les haricots restent tendres.

MON ASTUCE : prenez la température de la terre avec un thermomètre qui sert pour les stérilisateurs. Il faut au minimum 12 °C pour assurer une belle levée.

Les haricots Argus sont récoltés tous les deux ou trois jours pour ne pas avoir de fils.

> **BON À SAVOIR :** la récolte intervient 60 jours après le semis.

■ Concombre greffé 'Bella' F1

Plantation : en avril-mai, dans une terre riche en humus, sans enterrer le point de greffe.

Les concombres greffés sont plus résistants aux changements de température et aux maladies. Ils sont aussi plus productifs.

Exposition : soleil.

> **BON À SAVOIR :** comme pour les autres concombres, la taille favorise de plus beaux fruits et permet l'échelonnement de la production. Laissez seulement quatre fruits en même temps sur le pied, puis quatre autres dès que les premiers ont atteint le tiers de leur développement, et ainsi de suite.

LES FICHES DE CULTURE DE LA QUATRIÈME ROTATION, CARREAU PAR CARREAU

■ Mâche 'Verte de Cambrai'

Semis : en septembre-octobre sur un sol ferme.

Soins : désherber manuellement entre les pieds.

Récolte : en février-mars.

MON ASTUCE : couvrez le semis jusqu'à la levée avec un journal ou de la toile de jute.

> **BON À SAVOIR :** variété très résistante au froid.

■ Chicorée scarole

Semis : à partir du 15 mai pour une récolte en août, et au 15 juillet pour une récolte en automne. Les graines germent au bout de 36 heures : maintenez le semis humide la première semaine avec un journal posé dessus ou, mieux encore, une toile de jute. Une fois les graines levées, retirez la toile et tamisez une très fine couche de terre sèche sur les jeunes plantules pour les protéger du soleil. Puis arrosez très finement.

La paille conserve l'humidité au pied des scaroles. Mais, attention aux limaces qui se cachent sous la paille.

Repiquage : trois ou quatre semaines plus tard, mais avant de repiquer vos jeunes chicorées, arrosez copieusement le carré (10 litres d'eau au mètre carré). Faites un trou avec un morceau de bois pour glisser les racines sans les recourber. Tassez légèrement la terre autour des racines. S'il fait chaud et sec, ombrez les salades avec une toile de jute.

Soins : comme toutes les salades, les chicorées détestent la sécheresse, au grand risque de monter à fleurs avant même de pommer. Il est donc impératif de maintenir la terre humide en paillant autour des pieds.

> BON À SAVOIR : les chicorées sont peu caloriques, contiennent beaucoup de fibres ainsi que des vitamines (A, B1, B2 et C).

Les variétés intéressantes

- **Chicorée scarole 'Ronde verte à cœur plein' :** variété rustique supportant le froid. Ses feuilles épaisses à cœur bouclé sont croquantes. Cette chicorée blanchit facilement. Les feuilles vertes sont très appréciées cuites.
- **Chicorée scarole 'Grosse bouclée' :** variété précoce, permettant des récoltes au début de l'été.
- **Chicorée 'Amère F1 Jupiter' :** de type 'Pain de sucre'. Ses pommes vert clair sont cylindriques, mesurant 30 à 35 cm de haut, uniformes et productives, avec peu de feuillage extérieur. Cette chicorée blanchit naturellement, se consomme cuite ou crue.
- **Chicorée scarole 'Marly' :** pomme serrée, volumineuse, feuilles dentées. Elle blanchit facilement, résiste bien à la chaleur ainsi qu'à la sécheresse.
- **Chicorée italienne à feuilles rouges 'Di Chioggia' :** la pomme ronde de cette chicorée populaire en Italie ressemble à une laitue. Très décorative, elle se colore de rouge foncé dès les premières gelées. Elle supporte le froid.
- **Chicorée 'Frisée de Meaux' :** variété à cœur très plein et à feuilles allongées. Elle résiste à la chaleur et à la sécheresse, mais ne supporte pas les gelées automnales. Elle est délicieuse accompagnée de petits lardons chauds !

LES FICHES DE CULTURE DE LA CINQUIÈME ROTATION, CARREAU PAR CARREAU

Salades d'hiver

Les salades dites «d'hiver», telles que 'Merveille d'hiver', 'Brune d'hiver', 'Val d'Orge', 'Passion blonde', supportent des températures en-dessous de – 15 °C.

Semis : de juillet à octobre.

Repiquage : six semaines après le semis. En novembre, le délai est passé pour prétendre à un repiquage (sauf au sud de la France). Néanmoins, sous un voile d'hivernage dans une bonne terre, un semis à la volée est encore possible. À partir des mois de janvier-février, lorsque les jours rallongent et que la terre se réchauffe, vous desserrerez les salades sur place.

Soins : protégez les salades contres les loches (petites limaces).

MON ASTUCE : prélevez les salades avec une petite motte pour faciliter la reprise.

LES DEMI-CARRÉS ADOSSÉS

■ Séparés par une allée de 50 cm au moins, ces deux carrés de 120 cm sur 60 cm comportent six cases chacun, et sont adossés le long d'un mur exposé au soleil et à l'abri des courants d'air. Ils permettent de cultiver tôt et de récolter tard en saison, grâce à la réverbération du mur qui capte la chaleur pendant la journée et la restitue pendant la nuit. Profitez de cette exposition pour y cultiver des tomates, poivrons, aubergines, concombres, courgettes... Et rien ne vous empêche d'y planter aussi des melons, cornichons et piments.

Les demi-carrés en mars-avril.

Les demi-carrés en juillet-août.

PLAN DU CARRÉ DE LA PREMIÈRE ROTATION (DE MARS ET AVRIL)

1 Radis 'De Dix-Huit Jours' (semis)	2 Laitue pommée (4 plants)	3 Radis 'De Dix-Huit Jours' (semis)
4 Navet (semis) Thym (1 pied)	5 Carotte hâtive demi-longue 'Touchon' (semis) Ciboulette (2 pieds)	6 Poireau d'été (semis ou repiqué) Persil (3 pieds)

7 Laitue batavia 'Dorée de printemps' (semis ou repiquée)	8 Radis 'De Dix-Huit Jours' (semis)	9 Laitue à couper 'Feuille de chêne' (4 plants)
10 Betterave rouge 'Noire d'Égypte' (semis ou repiquée) Serpolet (1 pied)	11 Oignon blanc hâtif 'De Vaugirard' (semis ou repiqué) Sauge (1 pied)	12 Roquette cultivée (semis) Romarin 'Repens' (1 pied)

LISTE DES PLANTES **DE LA PREMIÈRE ROTATION**

- Betterave rouge 'Noire d'Égypte' (20 graines ou en barquette à repiquer)
- Carotte hâtive demi-longue 'Touchon' (1 g)
- Ciboulette (2 pieds)
- Laitue à couper 'Feuille de chêne' (4 plants)
- Laitue batavia 'Dorée de printemps' (4 plants)
- Laitue pommée (4 plants)
- Navet 'Rouge plat hâtif à feuille entière' (1 g)
- Oignon blanc hâtif 'De Vaugirard' (1 g ou en barquette à repiquer)
- Persil (3 pieds)
- Poireau d'été (1 g ou en arrachis)
- Sauge (1 pied)
- Serpolet (1 pied)
- Radis 'De Dix-Huit jours' (3 × 1g)
- Romarin 'Repens' (1 pied)
- Roquette cultivée (1 g)
- Thym (1 pied)

Le thym pousse particulièrement bien dans un carré de potager grâce à la surélévation de la terre et au sol drainé.

PLAN DU CARRÉ DE LA DEUXIÈME ROTATION (DE MAI ET JUIN)

1	2	3
Tomate cerise (1 pied) Haricot vert (semis)	Aubergine greffée (1 pied) Laitue pommée	Tomate greffée (1 pied) Haricot vert (semis)
4 Navet Thym	**5** Carotte hâtive demi-longue 'Touchon' Ciboulette	**6** Poireau d'été Persil

7	8	9
Poivron greffé 'Jericho' F1 (1 pied) Laitue batavia	Tomate en grappes greffée (1 pied) Haricot vert (semis)	Concombre greffé 'Bella' F1 (1 pied) Laitue à couper 'Feuille de chêne'
10 Betterave rouge 'Noire d'Égypte' Serpolet	**11** Oignon blanc hâtif 'De Vaugirard' Sauge	**12** Roquette cultivée Courgette 'Belor' (1 pied) Romarin 'Repens'

LISTE DES PLANTES
DE LA DEUXIÈME ROTATION

- Aubergine greffée (1 pied)
- Concombre greffé 'Bella' F1 (1 pied)
- Courgette 'Belor' (1 pied)
- Haricot vert (2 × 5 graines × 3)
- Poivron greffé 'Jericho' F1 (1 pied)
- Tomate-cerise (1 pied)
- Tomate greffée (1 pied)
- Tomate en grappes greffée (1 pied)

L'oignon blanc 'De Vaugirard' se conserve au vinaigre.

La sauge officinale est une plante aromatique et décorative.

PLAN DU CARRÉ DE LA TROISIÈME ROTATION (DE JUILLET ET AOÛT)

1 Tomate cerise Haricot vert	2 Aubergine greffée	3 Tomate greffée Haricot vert
4 Persil (semis) Thym	5 Chicorée frisée 'Fine de Louviers' (semis) Ciboulette	6 Poireau d'été Persil

7 Poivron greffé 'Jericho' F1	8 Tomate en grappes greffée Haricot vert	9 Concombre greffé 'Bella' F1
10 Chicorée scarole (semis) Serpolet	11 Oignon blanc hâtif 'De Vaugirard' Sauge	12 Courgette 'Belor' Romarin 'Repens'

LISTE DES PLANTES
DE LA TROISIÈME ROTATION

- Chicorée frisée 'Fine de Louviers' (0,5 g)
- Chicorée scarole (0,5 g)
- Persil (0,5 g)

PLAN DU CARRÉ DE LA QUATRIÈME ROTATION (DE SEPTEMBRE ET OCTOBRE)

1 Tomate cerise	2 Aubergine greffée	3 Tomate greffée
4 Persil Thym	5 Chicorée frisée Ciboulette	6 Chicorée frisée repiquée (4 plants) Ciboulette (divisée)

7 Poivron greffé 'Jericho' F1	8 Tomate en grappes greffée	9 Concombre greffé 'Bella' F1
10 Chicorée scarole Serpolet	11 Chicorée scarole (repiquée) Sauge	12 Courgette 'Belor' Romarin 'Repens'

LISTE DES PLANTES
DE LA QUATRIÈME ROTATION

Toutes les plantes étaient déjà mises en culture en juillet et août.

PLAN DU CARRÉ DE LA CINQUIÈME ROTATION (DE NOVEMBRE ET DÉCEMBRE)

1 Mâche (semis)	2 Mâche (semis)	3 Mâche (semis)
4 Persil Thym	5 Chicorée frisée Ciboulette	6 Chicorée frisée Ciboulette

7 Salade d'hiver (semis)	8 Salade d'hiver (semis)	9 Salade d'hiver (semis)
10 Chicorée scarole Serpolet	11 Chicorée scarole Sauge	12 Salade d'hiver (semis) Romarin 'Repens'

LISTE DES PLANTES
DE LA CINQUIÈME ROTATION

- Mâche (3 x 1 g)
- Salade d'hiver (3 x 0,5 g)

PLAN DU CARRÉ DE LA SIXIÈME ROTATION (DE JANVIER ET FEVRIER)

1 Mâche	2 Mâche	3 Mâche
4 Persil Thym	5 Ciboulette	6 Ciboulette

7 Salade d'hiver	8 Salade d'hiver	9 Salade d'hiver
10 Salade d'hiver (repiquée) Serpolet	11 Salade d'hiver (repiquée) Sauge	12 Salade d'hiver (repiquée) Romarin 'Repens'

LISTE DES PLANTES
DE LA SIXIÈME ROTATION

Toutes les plantes étaient déjà mises en culture en novembre et décembre.

Le potager en carré permet de cultiver d'innombrables légumes sur une petite parcelle.

L'ORGANISATION

Première rotation (mars et avril)

Commencez par tracer deux fois six carreaux, avec des fils, des baguettes ou directement sur la terre. Derrière les deux carrés, prévoyez un treillis pour accrocher plus tard vos tomates et vos concombres. Utilisez éventuellement une palissade en osier, autoclave ou pas. Le traitement autoclave permet de conserver la structure pendant au moins 5 ans. Attention avec l'osier vivant : il est capable de s'enraciner solidement le long du mur.

Ensemencez ou repiquez chaque parcelle numérotée de 1 à 12. Puisque vos carrés sont bien exposés, réchauffés par les premiers rayons du soleil du printemps, vous allez en profiter pour semer et repiquer de nombreux légumes, à l'exception des plantes gélives. Les herbes aromatiques seront placées sur le bord extérieur.

Deuxième rotation (mai et juin)

Même dans les régions froides, les gelées sont terminées. C'est le grand moment pour les plantations de tomates, poivrons, aubergines.... Les plantes sont adossées au bord de la palissade, le long du mur.

Dans les carreaux 1 et 3, les radis 'De Dix-Huit Jours' sont maintenant récoltés, l'emplacement est libre pour y planter un pied de tomate-cerise et un pied de tomate greffé, associés à des haricots verts. Dans les carreaux 2, 7 et 9, il reste encore quelques salades, mais il y a maintenant de la place disponible au bord de la palissade : arrangez-vous pour placer l'aubergine (carreau 2), le poivron greffé (carreau 7) et le concombre greffé (carreau 9). La place se libère aussi du côté de la roquette (carreau 12) : plantez ou semez une courgette. Dans les autres carreaux, les légumes et les herbes aromatiques se développent.

Troisième rotation (juillet et août)

Nous sommes dans la pleine période des récoltes (tomates, concombres, poivrons, aubergines, haricots verts). Il ne reste plus de salades ni de navets. Dans le carreau 4, remplacez les navets par du persil pour en avoir du frais en fin d'été et au début de l'année prochaine. Semez des chicorées dans les carreaux récoltés (5 et 10). Le principal travail à cette époque est l'arrosage. Apportez aussi un peu d'engrais organique au pied des tomates, poivrons et aubergines. Attention, ne vous laissez pas déborder par les gourmands au pied des tomates ; trop nombreux, ils vivent au détriment des fruits. Coupez-les au fur et à mesure qu'ils poussent. Les feuilles des deux pieds de tomate ne doivent pas se toucher sous peine d'avoir des maladies en période pluvieuse (mildiou). Sachez qu'en principe, vous n'avez pas recours aux produits de traitement dans vos carrés.

Quatrième rotation (septembre et octobre)

Les tomates, poivrons, aubergines, courgettes et concombres continuent à rapporter. Coupez les gourmands des tomates ainsi que les feuilles jusqu'à mi-hauteur. Repiquez les chicorées scaroles et frisées semées le mois dernier dans les carreaux libérés (6 et 11).

Cinquième rotation (novembre et décembre)

La saison des légumes-fruits d'été est terminée. Semez de la mâche résistante au froid dans les carreaux 1, 2 et 3, et des salades d'hiver dans les carreaux 7, 8, 9 et 12. Le but est d'occuper le carré. Carreaux 5, 6, 10 et 11 : récolte des chicorées scaroles et frisées. Attention ! malgré leur résistance au froid, si les températures descendent en dessous de 0 °C, protégez les pieds avec un voile d'hivernage (pas de plastique).

Sixième rotation (de janvier à mars)

Les mâches continuent à se développer jusqu'en mars (après cette date elles montent à graines). Dès que les premiers rayons de soleil chauffent le carré, repiquez une à une les salades d'hiver dans les carreaux libérés. N'hésitez pas à occuper l'ensemble du carré. Pendant cette période, vous pouvez les placer serrées à une distance de 10 cm environ. Plus tard, au fur et à mesure que les salades se développeront, coupez-les pour déguster les jeunes feuilles. La première saison est maintenant terminée.

La laitue 'Brune d'hiver' résiste au gel, elle est idéale pour une récolte très tôt au printemps.

LES FICHES DE CULTURE DE LA PREMIÈRE ROTATION CARREAU PAR CARREAU

■ Radis 'De Dix-Huit Jours'

Semis : de février à septembre.

Soins : les radis doivent pousser rapidement pour être savoureux. Ils apprécient une terre douce, fraîche et riche en humus. Dans une terre sèche, ils sont piquants et souvent attaqués par l'altiste (petite puce) qui empêche le développement normal du radis.

MON ASTUCE : semez très fin, en ne laissant qu'un demi-centimètre entre les graines. Ainsi les radis se forment plus facilement et ne filent pas.

> BON À SAVOIR : le radis 'De Dix-Huit Jours' est un radis demi-long, rouge rosé à bout blanc et à chair blanche. Il est capable de supporter une petite gelée.

■ Laitue pommée

Semis : de mars à fin août, en pleine terre sans trop enterrer les graines.

Repiquage : quatre ou cinq semaines plus tard lorsque les laitues possèdent cinq feuilles. Trop grosses, elles risquent de monter à graines avant de pommer.

MON ASTUCE : repiquez vos laitues un jour de pluie, la reprise est plus facile et vous faites des économies d'eau.

> BON À SAVOIR : le stress hydrique (manque d'eau) fait monter prématurément à graines les laitues.

■ Navet 'Rouge plat hâtif à feuille entière'

Semis : en mars-avril.

Récolte : de mai à juillet.

Soins : les navets, comme les radis, doivent pousser rapidement pour empêcher la prolifération des puces qui rongent et piquent leurs feuilles. N'hésitez pas à les desserrer au fur et à mesure qu'ils grossissent.

MON ASTUCE : pour avoir des navets tendres, maintenez la terre humide.

> **BON À SAVOIR :** cette variété de navet précoce permet de récolter très tôt au printemps. Ces navets sont succulents mélangés avec les pois et les carottes hâtives.

Thym

Plantation : au printemps.

Exposition : soleil.

Multiplication : semis de printemps dans une terre légère sans terreau, bouture de tête ou marcottage toute l'année.

Récolte et conservation : cueillez les rameaux le matin après la rosée mais avant que le soleil chauffe, sinon les huiles essentielles s'évaporent. Faites sécher les branches en bouquet, la tête en bas, à l'ombre dans une pièce aérée. Un fois séché, le thym se conserve à l'abri de la lumière dans des bocaux en verre ou des récipients en plastique. Il se garde pendant environ un an, puis perd peu à peu sa teneur en huiles essentielles.

MON ASTUCE : tous les trois ans, en avril, éclatez le pied en plusieurs morceaux comportant des racines. Coupez les tiges à 10 cm du collet et enterrez chaque éclat de façon que les rameaux dépassent légèrement.

> **BON À SAVOIR :** le thym citron est le plus approprié pour les poissons, crèmes anglaises, salades de fruits et sirops.

Carotte demi-longue 'Touchon'

Semis : en avril-mai, à la volée dans ce carré. Griffez bien la terre et arrosez copieusement (comptez 10 litres par mètre carré).

Soins : les carottes apprécient de pousser dans un sol profond, léger et frais. La culture en carré surélevé permet de récolter de belles racines non fourchues.

MON ASTUCE : ajoutez quelques graines de poireau au semis pour éviter la mouche.

> **BON À SAVOIR :** les carottes courtes conviennent pour les cultures précoces et forcées. Elles se sèment tôt, en mars-avril. La culture est rapide (75 jours environ), sous abri ou sous un film de forçage. Vous récolterez ces carottes en primeur au mois de juin.

Ciboulette

Plantation : toute l'année sauf l'hiver.

Exposition : soleil, mi-ombre ou ombre.

Multiplication : semis ou division de touffe (bulbes).

MON ASTUCE : pour avoir des feuilles fraîches en hiver, rempotez une touffe dans un pot et rentrez-le au chaud. Au bout de quelques jours, les fines herbes sortent de terre. Il ne vous reste plus qu'à les couper pour l'omelette.

> **BON À SAVOIR :** la fleur de ciboulette est délicieuse en salade.

Poireau

Semis : en mars-avril, à la volée.

Repiquage : en juin.

Soins : paillez et tenez le sol humide.

Maladies : principalement la mineuse. Couvrez les poireaux avec un voile.

MON ASTUCE : pulvérisez de l'eau à l'intérieur du fût des poireaux pour empêcher la teigne et la mouche de la mineuse de pondre à l'intérieur.

> **BON À SAVOIR :** respectez une rotation des cultures. Attendez au moins trois ans avant de repiquer des poireaux au même endroit, ainsi que l'échalote, l'oignon et l'ail.

Persil commun ou frisé

Plantation : au printemps (en godet).

Exposition : soleil ou mi-ombre.

Multiplication : semis en juin pour éviter la mouche, ou en avril pour une récolte précoce.

Récolte et conservation : séché, le persil perd son arôme. En revanche, il garde toute sa saveur lorsqu'il est congelé. Passez les feuilles sous l'eau, hachez-les finement et placez-les immédiatement au congélateur, dans des boîtes ou des petits sachets en plastique.

MON ASTUCE : tracez de petits sillons sur 2 cm de profondeur. Arrosez copieusement. Semez, puis couvrez d'une fine pellicule de terre sèche. Cachez le semis sous une feuille de journal ou de la toile de jute. Arrosez par-dessus. Maintenez humide jusqu'à la levée. Une ou deux semaines plus tard les graines germent. Retirez la feuille de journal ou la toile de jute. Saupoudrez le semis de terre sèche pour le protéger du soleil.

> BON À SAVOIR : pour obtenir des feuilles fraîches pendant l'hiver, protégez vos pieds de persil avec un voile d'hivernage.

■ Laitue batavia 'Dorée de printemps'

Semis : de janvier à avril sous abri (tunnel, miniserre...).

Repiquage : en avril-mai.

Soins : paillez entre les pieds pour maintenir le sol humide. Attention aux limaces.

MON ASTUCE : repiquez les pieds quatre par quatre. Cette technique permet aux salades de pousser au fur et à mesure des prélèvements. La dernière laitue a alors la place pour pommer tranquillement.

> BON À SAVOIR : la laitue batavia 'Dorée de printemps' est adaptée à une culture très précoce. La laitue batavia 'De Pierre Bénite' se sème un à deux mois plus tard. La laitue batavia 'Rouge Grenobloise', plus résistante à la chaleur, se sème jusqu'en juillet pour une récolte de fin d'été ou d'automne.

■ Laitue à couper 'Feuille de chêne'

Semis : en février-mars.

Repiquage : en mars-avril.

MON ASTUCE : coupez les feuilles du tour dès qu'elles atteignent 10 à 15 cm, sans atteindre le cœur.

> BON À SAVOIR : un semis successif de février à septembre permet d'avoir des feuilles de salade fraîches une bonne partie de l'année.

■ Betterave rouge 'Noire d'Égypte'

Semis : d'avril à juin.

Soins : maintenir humide en été.

MON ASTUCE : en automne, rempotez une betterave rouge dans un pot à l'intérieur. Au bout de quelques jours, de nouvelles feuilles rouges vont apparaître, dignes d'une plante verte.

> BON À SAVOIR : repiquez les betteraves lorsqu'elles possèdent deux à quatre feuilles. La reprise est facile.

■ Thym serpolet

Plantation : au printemps.

Multiplication : semis, en place dans une terre légère, ou marcottage.

Récolte et conservation : la plante se récolte de préférence lorqu'elle est en fleur, car elle est alors beaucoup plus parfumée.

MON ASTUCE : repiquez le thym serpolet au bord d'un muret car il rampe facilement et épouse la forme des pierres.

> BON À SAVOIR : le thym serpolet est souvent confondu avec la bruyère.

■ Oignon blanc hâtif 'De Vaugirard'

Semis : de février à mai ou en août-septembre.

Soins : l'oignon préfère une terre légère et craint l'excès d'humidité.

MON ASTUCE : arrachez les bulbes encore petits pour les conserver au vinaigre avec les cornichons.

■ Sauge officinale

Plantation : toute l'année sauf en période de gel.

Soins : la sauge supporte la sécheresse. Il est inutile de l'arroser, elle profite suffisamment de l'eau d'arrosage apportée aux autres plantes.

Multiplication : la sauge se multiplie facilement par bouturage de tête au printemps, bouturage à l'étouffée en été (sous une bouteille en plastique), ou par marcottage toute l'année.

MON ASTUCE : coupez ses branches au fur et à mesure pour l'empêcher de prendre de l'ampleur au détriment des autres plantes.

> BON À SAVOIR : le goût prononcé de la sauge a tendance à masquer les autres aromates et il est préférable de l'utiliser seule.

Roquette cultivée

Semis : de mai à août.

Exposition : la roquette pousse partout mais préfère les situations ombragées.

MON ASTUCE : arrosez fréquemment pour conserver les feuilles tendres.

> BON À SAVOIR : la roquette se consomme crue en salade ou cuite comme les épinards.

Romarin 'Repens'

Plantation : au printemps.

Exposition : soleil.

Multiplication : le bouturage est la solution la plus simple et la plus rapide. Divisez les touffes à l'automne ou au printemps.

Récolte et conservation : toute l'année. Sec, le romarin conserve ses arômes dans une boîte fermée hermétiquement et placée à l'abri de la lumière.

MON ASTUCE : conservez les tiges sèches pour piquer les viandes (brochettes…). Le bois parfume naturellement les ingrédients.

> BON À SAVOIR : ce romarin possède un port rampant. Il est aussi très décoratif pour ses fleurs bleues qui s'épanouissent d'avril à juin.

LES FICHES DE CULTURE DE LA DEUXIÈME ROTATION CARREAU PAR CARREAU

Tomate-cerise

Plantation : en avril-mai (après les gelées), dans une terre riche en humus.

Exposition : soleil.

MON ASTUCE : faites courir le pied de tomate à l'horizontale, par-dessus les autres plantes cultivées.

> BON À SAVOIR : retirez au fur à mesure à la main les gourmands qui poussent le long de la tige principale. N'attendez pas trop longtemps car vous risquez de déchirer les tissus et de provoquer des maladies. Si la tige est trop grosse, coupez les gourmands avec un sécateur. Gardez une seule tige que vous laisserez grimper en l'accrochant sur la palissade.

Haricot mangetout 'Argus'

Semis : avril à fin juillet et jusqu'à mi-septembre au sud de la Loire.

Soins : maintenez le sol humide jusqu'à la récolte pour que les haricots restent tendres.

MON ASTUCE : prenez la température de la terre avec un thermomètre qui sert pour les stérilisateurs. Il faut au minimum 12 °C pour assurer une belle levée.

> BON À SAVOIR : la récolte intervient 60 jours après le semis.

Aubergine greffée

Plantation : en avril-mai dans une terre riche. N'enterrez pas le point de greffe situé à la base du pied sous forme d'un petit bourrelet.

Arrosage : une ou deux fois par semaine selon le temps, environ 2 litres à chaque arrosage.

Soins : retirez les petits gourmands qui poussent le long de la tige principale.

> BON À SAVOIR : une aubergine greffée est plus tolérante aux maladies. Elle a aussi une meilleure résistance aux mauvaises conditions du temps (sécheresse, excès d'eau, fraîcheur, chaleur).

Tomate greffée à gros fruits ou en grappes

Les plants greffés sont plus vigoureux, plus productifs.

Exposition : soleil.

Plantation : en avril-mai (après les gelées) dans une terre riche en humus.

MON ASTUCE : en mars-avril, rempotez le pied de tomate greffé dans un gros pot (de 20 cm de diamètre), avec trois tuteurs pour tenir le pied droit. Démarrez la culture à l'abri des courants d'air, à une température supérieure à 10 °C pendant la nuit. Votre pied de tomate va se développer et fleurir. Pour gagner encore plus de temps, fécondez les fleurs en les secouant de temps en temps. Une fois que les tomates sont formées, ne touchez plus au pied. Dès qu'il fait bon et que les gelées ne sont plus à craindre, plantez votre pied de tomate dans votre carré. Ces conseils sont valables pour toutes les tomates.

> BON À SAVOIR : retirez au fur à mesure les gourmands qui poussent le long de la tige principale. Conservez une seule tige que vous attacherez sur la palissade ou un tuteur torsadé. À partir du mois d'août, coupez les nouvelles fleurs pour que toute la sève reste dans les tomates en formation.

Poivron greffé 'Jericho' F1

Le poivron 'Jericho' produit des fruits allongés à chair épaisse, d'une saveur douce. D'abord verts, les poivrons deviennent rouges à maturité.

Plantation : en avril-mai, dans une terre riche en humus.

Le poivron apprécie la chaleur du soleil pour mûrir.

Soins et arrosage : identiques à ceux de l'aubergine.

MON ASTUCE : rempotez le poivron dans un pot en mars-avril (selon les régions) et conservez-le plusieurs semaines à la chaleur, dans un endroit très éclairé (au bord d'une baie vitrée). Il va se développer et prendre de l'avance. Dès que les gelées ne sont plus à craindre (mai), plantez votre poivron dans le carré.

> BON À SAVOIR : cette variété hâtive se cultive aussi bien en carré qu'en bac ou en pot. Idéal pour une culture sur une terrasse.

Concombre greffé 'Bella' F1

Plantation : en avril-mai, dans une terre riche en humus, sans enterrer le point de greffe.

Les concombres greffés sont plus résistants aux changements de température et aux maladies. Ils sont aussi plus productifs.

Exposition : soleil.

> BON À SAVOIR : comme pour les autres concombres, la taille favorise de plus beaux fruits et permet l'échelonnement de la production. Laissez seulement quatre fruits en même temps sur le pied, puis quatre autres dès que les premiers ont atteint le tiers de leur développement, et ainsi de suite.

Courgette 'Belor'

Semis : mars (à la chaleur), avril (sous abri), mai (en pleine terre).

Germination : une semaine (à 20 °C) ou dix jours en pleine terre (entre 12 et 15 °C).

Repiquage : lorsque les gelées ne sont plus à craindre.

Soins : paillez le pied pour garder l'humidité et tenir les fruits propres.

MON ASTUCE : faites germer des graines de courgettes dans une bouteille en plastique. Coupez la bouteille aux deux tiers, mettez au fond une couche de billes d'argile de 2 cm d'épaisseur, puis 5 cm de terreau pour semis. Semez trois graines à 1 cm de profondeur, arrosez le terreau (environ un verre d'eau). Fermez hermétiquement la bouteille avec du ruban adhésif.

Installez la bouteille devant une fenêtre, à la chaleur. Retirez le bouchon lorsque les graines sont germées (à peine une semaine plus tard). Lorsque les feuilles remplissent la bouteille, ouvrez-la complètement et versez un verre d'eau. Repiquez les courgettes en pleine terre lorsque les gelées ne sont plus à craindre.

LES FICHES DE CULTURE DE LA TROISIÈME ROTATION CARREAU PAR CARREAU

Chicorée frisée 'Fine de Louviers'

Semis : d'avril à juillet dans une terre fine.

Repiquage : lorsque les salades possèdent trois ou quatre feuilles.

Soins : maintenez le pied humide sans mouiller le feuillage. Paillez et protégez les plantes contre les limaces.

MON ASTUCE : pour que les chicorées aient le cœur blanc, liez les feuilles sèches huit à dix jours avant la récolte.

> BON À SAVOIR : les frisées sont peu caloriques, riches en fibres ainsi qu'en vitamines (A, B1, B2 et C).

Chicorée scarole

Semis : à partir du 15 mai pour une récolte en août, et au 15 juillet pour une récolte en automne. Les graines germent au bout de 36 heures : maintenez le semis humide la première semaine avec un journal posé dessus ou, mieux encore, une toile de jute. Une fois les graines levées, retirez la toile et tamisez une très fine couche de terre sèche sur les jeunes plantules pour les protéger du soleil. Puis arrosez très finement.

Repiquage : trois ou quatre semaines plus tard, mais avant de repiquer vos jeunes chicorées, arrosez copieusement le carré (10 litres d'eau au mètre carré). Faites un trou avec un morceau de bois pour glisser les racines sans les recourber. Tassez légèrement la terre autour des racines. S'il fait chaud et sec, ombrez les salades avec une toile de jute.

Soins : comme toutes les salades, les chicorées détestent la sécheresse, au grand risque de monter à fleurs avant même de pommer. Il est donc impératif de maintenir la terre humide en paillant autour des pieds.

> BON À SAVOIR : les chicorées sont peu caloriques, contiennent beaucoup de fibres ainsi que des vitamines (A, B1, B2 et C).

LES FICHES DE CULTURE DE LA CINQUIÈME ROTATION CARREAU PAR CARREAU

Mâche 'Verte de Cambrai'

Semis : septembre-octobre sur un sol ferme.

Soins : désherber manuellement les herbes entre les pieds.

Récolte : en février-mars.

MON ASTUCE : couvrez le semis jusqu'à la levée avec un journal ou de la toile de jute.

> BON À SAVOIR : variété très résistante au froid.

Salades d'hiver

Les salades dites «d'hiver», telles que 'Merveille d'hiver', 'Brune d'hiver', 'Val d'Orge', 'Passion blonde', supportent des températures en-dessous de – 15 °C.

Semis : de juillet à octobre.

Repiquage : six semaines après le semis. En novembre, le délai est passé pour prétendre à un repiquage (sauf au sud de la France). Néanmoins, sous un voile d'hivernage dans une bonne terre, un semis à la volée est encore possible. À partir des mois de janvier-février, lorsque les jours rallongent et que la terre se réchauffe, vous desserrerez les salades sur place.

MON ASTUCE : prélevez les salades avec une petite motte pour faciliter la reprise.

LES PORTRAITS DES LÉGUMES

La récolte des légumes cultivés dans les potagers en carrés s'échelonne de janvier à décembre. L'optimisation des cueillettes requiert dans un premier temps une définition des quantités à mettre en culture, tant par semis que par repiquage. Les expositions – soleil ou ombre – et les besoins en eau caractérisent les exigences spécifiques de chaque espèce qui présente en outre certaines particulari-

tés de conduite (taille, pincement, palissage, etc.). Certains légumes, pour des raisons d'encombrement ou d'exigences culturales cohabitent facilement, d'autres voisinent de façon plus aléatoire. La cueillette clôt le cycle de culture et vous permet de disposer de légumes sains et de saveurs agréables.

» ARROCHE (rouge, blonde ou verte)

FAMILLE BOTANIQUE : Chénopodiacées.

QUANTITÉ À PRÉVOIR : 300 graines par carreau, soit 1 g (environ le tiers d'un sachet standard de 3 g). La durée germinative des graines d'arroche est bonne et vous pourrez conserver votre sachet de graines pendant trois ans au moins.

SEMIS : en février ou mars (éventuellement jusqu'en juillet).

RÉCOLTE : en avril et mai (éventuellement jusqu'en automne), soit six semaines après le semis. Chaque carreau vous fournira environ 150 jeunes pousses à cueillir.

INSTALLATION : au soleil (à mi-ombre dans le cas de semis estivaux). L'arroche se satisfait de tout type de sol, même pauvre, le substrat léger et humifère des carrés lui convenant parfaitement.

BESOINS EN EAU : l'exigence en eau de l'arroche est faible. Cependant, un arrosage régulier préserve sa saveur douce et agréable.

PARTICULARITÉS CULTURALES : semez votre arroche à la volée et recouvrez les graines de 1 cm de terre. Récoltez les jeunes pousses de 25-30 cm de haut ; elles sont alors pourvues de quatre ou cinq feuilles. Cuisinez-les immédiatement après la cueillette car elles se fanent vite. Trois à cinq semis peuvent se succéder en saison. Cependant, les récoltes printanières sont les plus appréciées.

VOISINAGE : l'arroche s'accorde avec toutes les autres plantes du potager, légumes ou condimentaires.

» AUBERGINE

FAMILLE BOTANIQUE : Solanacées.

QUANTITÉ À PRÉVOIR : un pied par carreau de 40 cm de large.

REPIQUAGE : en mai et jusqu'à début juin.

RÉCOLTE : à partir de la deuxième partie de juillet, soit deux mois après le repiquage. Les récoltes se poursuivent jusqu'aux premières gelées. Chaque pied vous fournira cinq à huit fruits.

INSTALLATION : plein sud, au soleil et au chaud. Le substrat riche, bien drainé et frais de vos carrés conviendra parfaitement à l'aubergine. Apportez à la plantation quelques poignées de compost ou de fumier bien décomposé.

BESOINS EN EAU : un arrosage conséquent et suivi pourvoira aux besoins en eau importants de l'aubergine.

PARTICULARITÉS CULTURALES : vous pourrez retarder le repiquage de votre aubergine jusqu'à l'apparition des premières fleurs. Une bonne couverture – paillage ou mulch – aidera le sol à conserver sa fraîcheur. La pose d'un tuteur évitera à la plante de s'affaisser sous le poids de ses fruits à partir du mois d'août. Coupez le fruit dès que celui-ci a pris sa couleur définitive mais avant sa pleine maturité. Sa pulpe est alors bien ferme et sa saveur douce.

VOISINAGE : les aubergines s'associent bien aux radis en début de culture et aux haricots en été.

» BETTE À CARDES (ou poirée)

FAMILLE BOTANIQUE : Chénopodiacées.

QUANTITÉ À PRÉVOIR : un à trois pieds par carreau de culture.

REPIQUAGE : vers le 15 mai.

RÉCOLTE : de façon régulière à partir de juillet, soit deux mois et demi après le repiquage. Poursuivez vos récoltes jusqu'aux gelées et au-delà. Chaque pied vous fournira une trentaine de côtes dans l'année.

INSTALLATION : au soleil ou à mi-ombre. La bette à cardes requiert un sol frais et profond, riche en matières organiques et se développera vigoureusement dans vos carrés de culture.

BESOINS EN EAU : ne laissez pas la bette manquer d'eau et arrosez régulièrement et de façon importante, surtout par temps sec. Les côtes seront alors plus tendres.

PARTICULARITÉS CULTURALES : en ménageant une cuvette à son pied, vous faciliterez l'arrosage et le rendrez plus efficace. Paillez éventuellement. Les feuilles et les cardes sont meilleures quand elles sont cueillies jeunes et consommées le jour même. Avec une petite protection contre le froid, la récolte peut se poursuivre jusqu'au cœur de l'hiver. De levée rapide, votre bette pourra éventuellement être directement semée en place en avril, en poquet de trois graines dont vous ne conserverez à la germination que la plus belle pousse. La production est toujours importante et il est inutile de multiplier les pieds en culture.

VOISINAGE : cette plante complaisante et sans problème se cultive près des choux et des haricots, qui en apprécient le voisinage. Mais elle s'associe également aux carottes, aux radis et aux navets.

» BETTERAVE ROUGE

FAMILLE BOTANIQUE : Chénopodiacées.

QUANTITÉ À PRÉVOIR : six minimottes par carreau de culture.

REPIQUAGE : en mai ou juin.

RÉCOLTE : à partir de juillet, soit deux mois après le repiquage. Les récoltes se poursuivent jusqu'aux premières gelées. Chaque minimotte vous permettra de récolter une racine plus ou moins volumineuse selon l'âge et la variété.

INSTALLATION : au soleil, dans un carreau où elle ne sera pas incommodée par ses voisines. La betterave rouge apprécie les sols frais, meubles et riches en matières organiques. Inutile cependant de la choyer, elle se contente volontiers des anciens apports de compost.

BESOINS EN EAU : maintenez le sol frais, voire humide, pour permettre une croissance régulière des racines et éviter qu'elles ne deviennent fibreuses.

PARTICULARITÉS CULTURALES : ne repiquez pas trop tôt car la betterave rouge craint le froid qui la fait monter à graines. Même en optant pour un repiquage, l'éclaircissage – pour les betteraves on parle de démariage – est fastidieux : les variétés dites monogermes vous faciliteront l'opération. Ne tardez pas trop pour récolter vos racines, les plus jeunes étant les plus sucrées. La graine de betterave germe rapidement et un semis en place en mai ne vous fera perdre que trois semaines de culture. Quelque 100 graines par carreau vous suffiront, soit 2 g (le tiers environ du contenu d'un sachet standard de 5 ou 6 g). Un semis dense à la volée vous permettra de cueillir rapidement de délicieuses petites betteraves de la taille d'une balle de ping-pong.

VOISINAGE : légume plutôt complaisant, la betterave rouge côtoie volontiers les choux, les haricots, les laitues, les épinards et les céleris. Elle apprécie la présence en saison de l'aneth et de la sarriette.

» BROCOLI CALABRAIS

FAMILLE BOTANIQUE : Brassicacées.

QUANTITÉ À PRÉVOIR : un à trois pieds par carreau de culture selon la vigueur de la variété.

REPIQUAGE : en minimottes, d'avril à juin.

RÉCOLTE : de juin à septembre, dès l'apparition de la pomme, soit trois mois après le repiquage. Chaque pied vous permettra de récolter d'abord une pomme assez volumineuse, qui sera suivie d'une trentaine de jeunes rejets.

INSTALLATION : au soleil. Le brocoli calabrais apprécie les sols meubles, riches en humus et frais des carrés de culture et ne dédaigne pas un apport copieux de compost bien décomposé à la plantation.

BESOINS EN EAU : le brocoli apprécie peu les fortes sécheresses (mieux cependant que la plupart des autres choux). Arrosez fréquemment et copieusement par temps sec et chaud.

PARTICULARITÉS CULTURALES : repiquez profondément les pieds afin de limiter les attaques de la mouche du chou dont l'adulte dépose les œufs à la hauteur du collet. Pour préserver sa fine saveur mélangée d'asperge et de chou, cueillez les pommes du brocoli calabrais avant que les boutons floraux ne commencent à s'ouvrir. Après avoir coupé la pomme centrale, les pousses latérales se développent pour donner de nouvelles pommes, plus petites mais dont la cueillette régulière favorise des repousses nombreuses, souvent jusqu'en automne.

VOISINAGE : le brocoli calabrais apprécie la présence du céleri et de la carotte. Évitez la proximité de légumes encombrants comme les pommes de terre primeurs ou la courgette.

» CAROTTE

FAMILLE BOTANIQUE : Apiacées.

QUANTITÉ À PRÉVOIR : environ 200 graines, soit 0,20 g (le quinzième d'un sachet standard de 3 g). Vous pouvez utiliser votre sachet de graines d'une année sur l'autre mais pas plus de quatre ans.

SEMIS : de fin février à début avril pour les carottes précoces et jusqu'à début juin pour les tardives (pour vos cultures en carré, privilégiez les semis précoces).

RÉCOLTE : à partir de juillet, soit trois à quatre mois après le semis (cinq à six mois pour les variétés tardives). Comptez deux ou trois bottes d'une quarantaine de carottes par carreau.

INSTALLATION : au soleil. Les sols légers et meubles de vos carrés conviennent bien aux carottes. Mais si elles apprécient les substrats riches en humus, elles redoutent les fumures récentes ou les composts trop grossiers qui favorisent la formation de racines fourchues.

BESOINS EN EAU : ne laissez pas sécher la surface du carreau où les carottes viennent d'être semées. Une fois développées, arrosez-les régulièrement par temps sec.

PARTICULARITÉS CULTURALES : la carotte n'apprécie pas les adventices qui ne manquent jamais de lever en même temps qu'elle. Les désherbages précoces sont les moins contraignants et les plus efficaces. Après chaque récolte, épandez du compost sur votre carreau afin d'entraver l'accès de la mouche de la carotte vers les racines restantes.

VOISINAGE : l'odeur des poireaux protège la carotte des attaques de la mouche (et vice versa, affirment les optimistes). Les carottes poussent énergiquement près des pois, des choux, des radis, des laitues et de la tomate. Nombre de condimentaires comme l'absinthe, le romarin, la ciboulette, l'aneth et la sauge s'accordent avec elles.

» CÉLERI-RAVE

FAMILLE BOTANIQUE : Apiacées.

QUANTITÉ À PRÉVOIR : six minimottes par carreau de culture de 40 cm.

REPIQUAGE : à partir de la mi-avril jusqu'à fin mai ou début juin.

RÉCOLTE : à partir d'août et jusqu'aux gelées, selon les besoins, soit quatre mois après le repiquage. Chaque pied repiqué permettra la récolte d'une rave plus ou moins volumineuse.

INSTALLATION : au soleil (le céleri-rave tolère néanmoins une ombre légère en été). Le sol meuble et riche en humus de vos carrés de culture lui convient parfaitement. Lors de l'implantation, apportez au carreau de plantation une fumure organique conséquente, compost ou fumier bien décomposé. Le céleri-rave apprécie la richesse en potasse de la cendre de bois épandue en engrais.

BESOINS EN EAU : le céleri-rave nécessite des apports d'eau réguliers et copieux. Le sol doit être maintenu frais pendant tout l'été et ne jamais se dessécher.

PARTICULARITÉS CULTURALES : ne repiquez pas vos céleris-raves trop tôt car ils redoutent les dernières fraîcheurs printanières – a fortiori les ultimes gelées – qui les font monter à graines. En septembre, supprimez les radicelles autour de la rave pour favoriser son grossissement. Entreposez les dernières racines en cave avant les premières gelées. La forte saveur poivrée et piquante de ce légume-racine se bonifie après quelques semaines de conservation à l'ombre.

VOISINAGE : le céleri-rave peut être cultivé à proximité des laitues ou des radis. Il s'associe bien avec le poireau, le concombre, les haricots, les pois, la tomate, la betterave, les épinards, les poireaux et les choux.

» CHICORÉES SCAROLE ET FRISÉE

FAMILLE BOTANIQUE : Astéracées.

QUANTITÉ À PRÉVOIR : six minimottes par carreau de culture.

REPIQUAGE : à partir de mai et jusqu'en août.

RÉCOLTE : de juillet à fin novembre, soit entre six semaines et trois mois après leur repiquage. Chaque plant mis en terre vous permettra de récolter une chicorée.

INSTALLATION : au soleil, dans une terre ameublie, fraîche et riche en humus.

BESOINS EN EAU : l'exigence en eau des chicorées est moyenne mais elles requièrent cependant des arrosages réguliers.

PARTICULARITÉS CULTURALES : pour vos premières plantations optez pour des variétés d'été, pour les dernières, pour des cultivars d'automne. Les premières supportent mieux les chaleurs estivales, les secondes sont moins incommodées par les fraîcheurs automnales (un voile de protection permet souvent de poursuivre leur récolte jusqu'au cœur de l'hiver). Les chicorées s'accommodent en automne de gelées légères, mais ne les repiquez pas trop tôt en saison car le froid printanier les fait volontiers monter à graines. Elles supportent cependant mieux des grandes chaleurs d'été que les laitues. En les plantant serrées, les feuilles du cœur seront plus tendres.

VOISINAGE : les chicorées s'associent bien avec le chou-fleur, comme avec tous les autres choux d'ailleurs.

» CHICORÉES SAUVAGE ET ITALIENNE

FAMILLE BOTANIQUE : Astéracées.

QUANTITÉ À PRÉVOIR : six minimottes par carreau de culture.

REPIQUAGE : en août et septembre.

RÉCOLTE : à partir d'octobre et jusqu'en hiver, soit six semaines à deux mois après le repiquage. Chaque plant vous permettra de récolter une chicorée.

INSTALLATION : au soleil (ces chicorées tolèrent cependant l'ombre légère). Le sol frais et riche de vos carrés de culture leur convient parfaitement, même si elles se satisfont d'un sol de moindre qualité.

BESOINS EN EAU : ces chicorées se contentent d'arrosages modérés et essentiellement concentrés en début de culture.

PARTICULARITÉS CULTURALES : la chicorée 'Pain de sucre' est la principale chicorée sauvage cultivée. Les traditionnelles chicorées italiennes 'de Trévise', 'de Vérone' et 'de Chioggia' sont aujourd'hui complétées par une quinzaine de variétés qui, toutes, permettent de garnir vos carreaux vidés par vos récoltes d'été. Il est inutile de leur apporter du compost frais lors de leur repiquage. La protection d'un voile d'hivernage en fin de culture permet de poursuivre la récolte jusqu'au cœur de l'hiver.

VOISINAGE : comme toutes les chicorées, elles cohabitent volontiers avec les choux.

» CHOU DE BRUXELLES

FAMILLE BOTANIQUE : Brassicacées.

QUANTITÉ À PRÉVOIR : trois ou quatre minimottes par carreau de culture.

REPIQUAGE : de fin mai à juin.

RÉCOLTE : après les premières gelées, soit quatre à six mois après le repiquage. Les récoltes se poursuivent jusqu'à la fin de l'hiver. Chaque pied peut vous fournir jusqu'à 1 kg de petits choux de Bruxelles.

INSTALLATION : au soleil, dans un endroit dégagé. Les choux de Bruxelles apprécient le sol frais, riche et bien fumé de vos carrés de culture et ne dédaignent pas un apport de compost ou de fumier bien décomposé à la plantation.

BESOINS EN EAU : comme tous les choux, ils ne supportent ni la sécheresse ni la chaleur et requièrent des arrosages suivis et réguliers, en particulier en début de croissance.

PARTICULARITÉS CULTURALES : ce légume rustique demande une longue saison de croissance mais produit également pendant de nombreux mois. Repiquez-le en place profondément lorsque les plantules développent trois ou quatre feuilles. Tassez énergiquement autour des pieds après la plantation. Le tuteurage peut s'imposer dans les endroits exposés aux vents. Les pommes sont plus tendres après une gelée. La croissance des bourgeons est normalement échelonnée. Commencez à cueillir les pommes suffisamment grosses – 2 ou 3 cm – à partir du bas de la tige.

VOISINAGE : les choux de Bruxelles s'associent bien avec les laitues, les chicorées, la mâche, le navet et l'épinard – de fait, la plupart des légumes d'hiver. Le cerfeuil est une condimentaire de période fraîche qui apprécie également sa présence.

» CHOU CABUS ET CHOU DE MILAN

FAMILLE BOTANIQUE : Brassicacées.

QUANTITÉ À PRÉVOIR : trois minimottes par carreau de 40 cm de côté pour les moins robustes, une seule pour les variétés les plus vigoureuses.

REPIQUAGE : en juin et jusqu'en juillet.

RÉCOLTE : à partir d'octobre, soit quatre ou cinq mois après le repiquage, et pendant tout l'hiver. Sauf accident de culture (chou « borgne »), chaque pied planté vous donnera une tête de chou plus ou moins large selon la variété (si vous optez pour un pied unique par carreau, celle-ci sera plus volumineuse).

INSTALLATION : au soleil et dans un endroit bien dégagé. Ces choux apprécient les sols bien drainés et très riches de vos carrés.

BESOINS EN EAU : ces légumes rustiques apprécient les sols frais, voire humides. Évitez de laisser votre sol se dessécher en arrosant vos pieds régulièrement jusqu'à la récolte.

PARTICULARITÉS CULTURALES : repiquez des choux plutôt jeunes – trois ou quatre feuilles – mais enterrez-les assez profondément en laissant émerger la rosette terminale. Apportez un complément de compost à la plantation, mais sans excès. Les choux pommés n'apprécient pas la présence des mauvaises herbes : maintenez le sol propre pendant toute leur croissance. Ces choux sont d'une rusticité variable selon les variétés, parfois faible, souvent remarquable.

VOISINAGE : les choux pommés s'associent bien avec la laitue, les pois, les épinards, la betterave et le céleri. La tomate, le concombre et les haricots ne les incommodent pas, pour peu que leur végétation ne déborde pas dans leur carreau.

» CHOU-FLEUR

FAMILLE BOTANIQUE : Brassicacées.

QUANTITÉ À PRÉVOIR : un à trois pieds pour un carreau de 40 cm de côté.

REPIQUAGE : d'avril à juin (évitez les périodes de trop fortes chaleurs).

RÉCOLTE : en août ou septembre, soit deux ou trois mois après le repiquage. Chaque pied planté vous donnera une pomme plus ou moins volumineuse selon la variété et les années.

INSTALLATION : au soleil, dans un carreau où ils ne seront pas incommodés par leurs voisins. Comme tous les choux, les choux-fleurs apprécient le substrat meuble, frais et riche en matières organiques qui garnit vos carrés.

BESOINS EN EAU : arrosez régulièrement les choux-fleurs car ils ne doivent pas manquer d'eau pendant toute la durée de leur culture pour éviter les pommes déformées ou anormalement petites.

PARTICULARITÉS CULTURALES : repiquez les minimottes de choux-fleurs jeunes car les petits replants munis de trois ou quatre feuilles se développent souvent plus vigoureusement que les plants plus âgés. Incorporez au carreau destiné à les recevoir quelques poignées de compost bien décomposé. Bornez énergiquement vos plants et arrosez copieusement au goulot. Arrachez le pied et prélevez la pomme une fois que celle-ci est déjà bien formée mais encore lisse et non poudreuse.

VOISINAGE : les choux-fleurs cohabitent bien avec les variétés de pommes de terre qui ne développent pas une végétation trop vigoureuse, ainsi qu'avec la sauge, le romarin et les menthes.

» CHOU FRISÉ NON POMMÉ

FAMILLE BOTANIQUE : Brassicacées.

QUANTITÉ À PRÉVOIR : trois minimottes par carreau de culture.

REPIQUAGE : en juin ou début juillet.

RÉCOLTE : prélevez vos premières feuilles après les gelées de novembre, soit quatre ou cinq mois après le repiquage, et poursuivez vos cueillettes jusqu'au départ de végétation de mars-avril. Chaque tête vous permet de récolter une trentaine de feuilles.

INSTALLATION : au soleil. Ces choux apprécient le substrat frais, meuble et consistant de vos carrés. Ils réussissent cependant mieux que les autres choux en sol pauvre.

BESOINS EN EAU : conservez le sol frais par des arrosages réguliers jusqu'aux premières pluies d'automne.

PARTICULARITÉS CULTURALES : peu exigeants et faciles à cultiver, ce sont certainement les choux les plus rustiques. Vous pouvez repiquer vos pieds même à un état avancé (jusqu'à cinq ou six feuilles), mais bornez-les énergiquement. Les feuilles se cueillent après les premières gelées, qui les rendent plus tendres, d'abord dans la partie basse de la plante. Les dernières feuilles et même les premières jeunes pousses se cueillent jusqu'au cœur du printemps.

VOISINAGE : les choux frisés non pommés peuvent suivre un semis de fèves ou de pois. Ils cohabitent volontiers avec les poirées, les haricots, les céleris et la mâche.

» CHOU DE PÉKIN PE TSAÏ

FAMILLE BOTANIQUE : Brassicacées.

QUANTITÉ À PRÉVOIR : six minimottes par carreau de culture.

REPIQUAGE : fin août ou en septembre.

RÉCOLTE : en octobre et novembre, une fois la pomme bien développée, soit deux mois après le repiquage. Chaque pied planté vous permet de récolter une pomme plus ou moins volumineuse selon la variété.

INSTALLATION : au soleil et au chaud (les choux de Pékin tolèrent cependant l'ombre en début de culture). Les sols frais, meubles et riches en humus des carrés de culture leur conviennent parfaitement. Dans les carrés garnis d'un substrat riche et humifère, inutile d'épandre du compost avant le repiquage.

BESOINS EN EAU : tous les choux asiatiques demandent des apports d'eau réguliers et copieux, en particulier par temps sec.

PARTICULARITÉS CULTURALES : n'anticipez pas le repiquage sous risque de voir monter à graines les choux de Pékin si l'automne se révèle chaud et sec. Maintenez le sol propre et paillez pour garder l'humidité. Ces choux tolèrent les gelées légères mais, pour une récolte tardive, cultivez-les sous voile d'hivernage. Après les premiers frimas de fin d'automne, ils acquièrent une saveur particulièrement douce – pour un chou – et rafraîchissante qui évoque un peu la chicorée et la poirée. Le chou de Chine ou pak choï, qui ressemble à une bette en miniature, est lui aussi croquant et rafraîchissant. Il est cependant préférable de semer entre la mi-août et la mi-septembre ce chou insolite qui se récolte jeune.

VOISINAGE : évitez de planter le pe tsaï à proximité d'autres Brassicacées comme les radis d'automne et les choux en général.

» CHOU-RAVE

FAMILLE BOTANIQUE : Brassicacées.

QUANTITÉ À PRÉVOIR : six minimottes par carreau de culture.

REPIQUAGE : à partir de mars et jusqu'en août.

RÉCOLTE : de mai à octobre, soit six semaines à deux mois après le repiquage. Vous récolterez une rave de 4 à 5 cm de diamètre par pied planté.

INSTALLATION : au soleil (éventuellement à mi-ombre en été). Le chou-rave apprécie les sols frais, meubles et riches en humus des carrés de culture.

BESOINS EN EAU : ses exigences sont moyennes. Ne le laissez cependant pas manquer d'eau pendant toute sa (courte) durée de culture.

PARTICULARITÉS CULTURALES : repiquez les jeunes plants à trois ou quatre feuilles, sans trop enterrer le pied contrairement aux autres choux. Pour récolter des pommes bien tendres, leur croissance doit se faire sans à-coups de végétation. Les choux-raves se cultivent pendant huit ou neuf mois dans l'année, mais ce sont des légumes particulièrement intéressants au printemps du fait de la rapidité de leur développement. Attention à la sécheresse et aux chaleurs de l'été. Récoltez les jeunes raves dès qu'elles atteignent la taille d'une balle de tennis. Plus grosses, elles deviennent assez rapidement filandreuses.

VOISINAGE : les choux-raves s'associent avec la betterave potagère, le concombre, la laitue et les radis.

» CONCOMBRE

FAMILLE BOTANIQUE : Cucurbitacées.

QUANTITÉ À PRÉVOIR : un pied par carreau de culture.

REPIQUAGE : en mai ou début juin.

RÉCOLTE : à partir de juillet, soit moins de six semaines après le repiquage. Chaque pied vous fournira entre huit et douze concombres.

INSTALLATION : dans un carré bien exposé, au chaud et en plein soleil. Le concombre requiert un sol très riche, frais, bien ameubli et bien pourvu en matières organiques. C'est dire combien il sera à l'aise dans vos carrés de culture !

BESOINS EN EAU : limitez les apports d'eau en période fraîche mais arrosez copieusement au pied par forte chaleur. Un arrosage régulier empêchera les concombres de devenir amers.

PARTICULARITÉS CULTURALES : une température minimale de 15 °C est indispensable au concombre pour une croissance satisfaisante. Mettez-le en place en terre généreusement enrichie de compost mûr, sans trop enterrer la motte au repiquage pour éviter les risques de pourriture. On peut pincer la première pousse au-dessus de la deuxième feuille pour favoriser une végétation compacte. Quoi qu'il en soit, les concombres conduits en carré demandent à être palissés (par exemple sur trois tuteurs en spirale plantés en tipi). Cueillez régulièrement les fruits verts à 15-20 cm de long afin de favoriser la production de nouvelles fleurs et d'autres fruits. Ne les laissez pas jaunir, ils gagneraient là aussi en amertume.

VOISINAGE : les concombres s'associent avec les haricots, les céleris, les choux, les laitues d'été et les carottes. Ils poussent bien à proximité d'une sauge officinale.

» COURGETTE

FAMILLE BOTANIQUE : Cucurbitacées.

QUANTITÉ À PRÉVOIR : un pied par carreau de 40 cm.

REPIQUAGE : à partir de la mi-mai.

RÉCOLTE : à partir du milieu de juin, soit quatre semaines après le repiquage. Les récoltes se poursuivent pendant deux ou trois mois. Chaque pied vous fournira une trentaine de courgettes.

INSTALLATION : au soleil. La terre légère, riche et bien fumée de vos carrés est idéale pour la courgette.

BESOINS EN EAU : arrosez copieusement et régulièrement.

PARTICULARITÉS CULTURALES : mettez en place une plante ayant développé deux ou trois feuilles adultes, pas plus. Complétez le trou de plantation avec quelques pelletées de compost bien mûr et ménagez à son pied une cuvette afin de vous faciliter l'arrosage. Les courgettes se cueillent jeunes et encore tendres, au fur et à mesure de leur développement. Elles doivent être récoltées fréquemment, plusieurs fois par semaine, et même quotidiennement au plus fort des récoltes afin que le plant continue de produire.

VOISINAGE : la courgette s'associe bien avec maïs et haricots. Ses larges et épaisses feuilles peuvent incommoder les plantes plus délicates qui poussent dans les carreaux contigus.

» CRESSON DES JARDINS

FAMILLE BOTANIQUE : Brassicacées.

QUANTITÉ À PRÉVOIR : 500 graines environ par carreau, soit 0,5 g (le sixième d'un sachet standard de 3 g). Ne conservez pas votre sachet au-delà de trois ans.

SEMIS : en août pour les récoltes d'automne (le cresson se développe cependant pendant toute l'année, avec une pause en été).

RÉCOLTE : en automne et hiver, soit deux ou trois mois après le semis. Plusieurs coupes peuvent se suivre d'octobre à mai. Comptez sur une centaine de feuilles par carreau de culture.

INSTALLATION : plutôt à mi-ombre (surtout s'il est destiné à passer l'été dans vos carrés). Le sol frais et riche en matières organiques de vos carrés de culture optimise les récoltes.

BESOINS EN EAU : contentez-vous d'arroser par temps sec pour conserver à ses feuilles leur tendreté.

PARTICULARITÉS CULTURALES : lors du semis, enfouissez à peine – voire pas du tout – la petite graine de cette précieuse salade d'hiver. Un arrosage copieux en pluie suffit pour la faire adhérer au sol. Éclaircissez à 15 cm quand les plants auront développé quatre ou cinq feuilles. Le cresson passe l'hiver à l'extérieur sans protection. Au printemps, supprimez les tiges florales dès leur apparition afin de pérenniser les récoltes.

VOISINAGE : le cresson des jardins s'accorde avec la carotte, les persils et même les radis malgré leur proximité botanique (le cresson et les radis appartiennent tous deux à la famille des Brassicacées).

» ÉPINARD

FAMILLE BOTANIQUE : Chénopodiacées.

QUANTITÉ À PRÉVOIR : 200 graines par carreau de 40 cm de côté, soit environ 2 g (le huitième d'un sachet standard de 15 g). Ne conservez pas votre sachet au-delà de trois ans.

SEMIS : à partir d'août et jusque début octobre pour l'automne ; au printemps, en mars ou avril.

RÉCOLTE : à partir de fin septembre, soit de quatre semaines à deux mois après le semis. Les récoltes d'automne se poursuivent jusqu'en décembre. Les cueillettes de début de saison s'effectuent de février jusqu'à la montée à graines printanière. Chaque carreau vous permet de récolter 250 à 300 feuilles d'épinard.

INSTALLATION : au soleil (les semis tardifs de printemps acceptent cependant l'ombre). Les épinards croissent vigoureusement dans le substrat humifère et riche de vos carrés.

BESOINS EN EAU : les apports en eau sont peu importants du fait de leur conduite à contre-saison. Cependant, les épinards n'apprécient pas la sécheresse. Arrosez raisonnablement vos semis de fin d'été, de façon un peu plus importante en avril et mai (une terre sèche les fera plus rapidement monter à graines).

PARTICULARITÉS CULTURALES : semez à la volée en enterrant légèrement la graine – pas plus de 1 cm. Tassez le sol et arrosez abondamment. Couvrir les semis de fin d'automne et de fin d'hiver avec un voile de protection vous permet de poursuivre vos cueillettes en hiver. Comme la place ne manquera pas dans vos carrés pour ce légume de troisième saison, semez-le autant que vous voulez : la graine est peu onéreuse et l'épinard constitue en outre un excellent engrais vert d'hiver.

VOISINAGE : les épinards s'associent bien avec les laitues, les fèves et les petits pois au printemps ; les céleris, les chicorées et les choux en automne.

» FENOUIL BULBEUX

FAMILLE BOTANIQUE : Apiacées.

QUANTITÉ À PRÉVOIR : six minimottes par carreau de 40 cm de côté.

REPIQUAGE : à partir de fin mai, à trois ou quatre reprises et à deux ou trois semaines d'intervalle.

RÉCOLTE : environ six semaines après le repiquage, de juillet à septembre. Chaque pied repiqué vous fournira un « bulbe » – il s'agit en réalité d'un simple renflement de la partie basse de la tige.

INSTALLATION : au soleil et au chaud. Ce légume cultivé pour son bulbe renflé comestible est très à l'aise dans les carrés au sol léger, frais et humifère.

BESOINS EN EAU : le fenouil bulbeux redoute la sécheresse. Arrosez régulièrement les plantes pour leur offrir une croissance aussi rapide que possible.

PARTICULARITÉS CULTURALES : s'il n'apprécie pas beaucoup les fraîcheurs du printemps, le fenouil bulbeux requiert une saison de croissance non caniculaire pour former de beaux bulbes. Les étés trop secs le font monter à graines avant même que ces derniers n'apparaissent. Les bulbes se récoltent à partir de 5 cm de diamètre et jusqu'à la taille d'un bon poing. Ne tardez pas trop car ils deviennent rapidement fibreux.

VOISINAGE : le fenouil bulbeux est à l'aise avec la carotte et la coriandre en faisant mentir les habituelles mauvaises ententes qui existent à l'intérieur d'un groupe botanique. Par ailleurs, il cohabite volontiers en été avec les haricots et la tomate.

» FÈVE

FAMILLE BOTANIQUE : Fabacées.

QUANTITÉ À PRÉVOIR : une trentaine de graines par carreau disposées en trois poquets de dix, soit environ 25 g (le dixième d'un sachet standard de 250 g).

SEMIS : directement en place de février à début mars.

RÉCOLTE : en mai pour consommer les fèves à demi-maturité, dès que s'amorce leur forme dans la gousse. La faible production – une centaine de graines – ne justifie pas de les voir occuper vos carrés plus longtemps.

INSTALLATION : au soleil. La terre humifère et légère de vos carrés est parfaite pour ce légume de faibles exigences.

BESOINS EN EAU : sa mise en culture précoce et sa récolte qui intervient avant les fortes chaleurs de fin de printemps dispensent en général du moindre arrosage.

PARTICULARITÉS CULTURALES : plus rustique que les petits pois, la fève résiste à des températures de – 3 à – 5 °C. Les fortes chaleurs cependant l'incommodent, et elle cesse de bien pousser au-delà de 15 °C. Malgré un semis en poquets, les fèves peuvent requérir un tuteurage pour ne pas les voir s'affaler. Dès que s'ouvrent les premières fleurs, pincez l'extrémité des tiges entre le cinquième et le septième bouquet de fleurs pour limiter les attaques de pucerons noirs.

VOISINAGE : semez de l'aneth à proximité – et même simultanément – pour éviter les fortes infestations de pucerons. Les fèves apprécient de croître dans un espace dégagé, sans être gênées par les plantes des carreaux contigus. Les premiers céleris repiqués en mai seront pour elles en fin de culture des voisins complaisants.

» HARICOT FILET GRIMPANT

FAMILLE BOTANIQUE : Fabacées.

QUANTITÉ À PRÉVOIR : une trentaine de graines par carreau disposées en trois poquets de dix, soit 20 g environ (le dixième d'un sachet standard de 200 g).

SEMIS : fin mai ou début juin.

RÉCOLTE : à partir du mois d'août, soit deux mois après le semis. La récolte se poursuit jusque fin septembre et même octobre. Comptez entre 3 et 5 kg de haricots à récolter sur l'année et par carreau. Les haricots nains sont moins productifs.

INSTALLATION : au chaud et au soleil. Les sols légers et très humifères de vos carrés leur conviendront parfaitement.

BESOINS EN EAU : l'exigence en eau des haricots est moyenne, plus importante en début de culture, leurs besoins diminuant après les grandes floraisons d'août.

PARTICULARITÉS CULTURALES : avant même de déposer vos graines dans le sol, posez des cannes de bambou d'au moins 2 m de long et qui feront office de rames. Enterrez les graines à 3 cm de profondeur aux pieds des tuteurs. Les haricots nécessitent un sol chaud pour germer et bien pousser. Si la météo retarde le semis (au-delà de la mi-juin), activez la levée en faisant préalablement tremper les graines pendant 24 heures dans de l'eau à température ambiante. Si la terre est sèche au moment du semis, arrosez au goulot le fond des poquets avant d'y déposer vos graines. Parvenues à maturité, cueillez les gousses tous les trois ou quatre jours, à la moitié de leur croissance, avant qu'elles ne soient trop longues et filandreuses.

VOISINAGE : les haricots apprécient la présence de la carotte, de l'aubergine, de la tomate et du persil. Attention cependant au volume développé par les cultivars grimpants dont l'ombre portée peut nuire à ces légumes exigeants en soleil.

» HARICOT FILET NAIN

FAMILLE BOTANIQUE : Fabacées.

QUANTITÉ À PRÉVOIR : une cinquantaine de graines par carreau disposées en neuf poquets de cinq ou six graines, soit 40 g environ (le cinquième d'un sachet standard de 200 g).

SEMIS : de fin mai à mi-juillet.

RÉCOLTE : à partir du mois de juillet, soit deux mois après le semis. La récolte des derniers carreaux semés se poursuit jusqu'à fin septembre ou début octobre. Comptez entre 2 et 3 kg de haricots à récolter par carreau ensemencé.

INSTALLATION : au chaud et au soleil. Les haricots seront très à l'aise dans les sols légers et humifères de vos carrés.

BESOINS EN EAU : l'exigence en eau des haricots est moyenne. Veillez essentiellement à ce qu'ils ne manquent pas d'eau lors de leur floraison.

PARTICULARITÉS CULTURALES : travaillez finement le sol. Ouvrez neuf poquets séparés de 15 cm et déposez dans chacun cinq ou six graines. Recouvrez-les de 3 cm de terre. Vous pouvez activer la levée de vos derniers semis de la mi-juillet en faisant préalablement tremper les graines pendant 24 heures dans de l'eau à température ambiante. Si la terre est trop sèche au moment du semis, arrosez au goulot le fond des poquets avant d'y déposer vos graines. Ne semez pas vos premiers haricots nains avant la mi-mai car ils requièrent beaucoup de chaleur pour germer et bien pousser. Une fois arrivées à maturité, cueillez les gousses très régulièrement. Les haricots nains donnent plus vite des gousses que les haricots grimpants mais cessent aussi beaucoup plus rapidement leur production.

VOISINAGE : les haricots apprécient la présence de la carotte, de l'aubergine, de la tomate et du persil. Ils s'entendent peu avec les poireaux dont les besoins sont d'ailleurs aux antipodes des leurs.

» LAITUE POMMÉE

FAMILLE BOTANIQUE : Astéracées.

QUANTITÉ À PRÉVOIR : six minimottes par carreau de 40 cm.

REPIQUAGE : de mars à octobre en choisissant des variétés adaptées à chaque saison.

RÉCOLTE : de mars à novembre, parfois même, si l'hiver est clément, pendant toute l'année. Prévoyez quatre à quatorze semaines selon la période de l'année et la variété entre le repiquage et la récolte. Chaque minimotte plantée vous permettra de récolter une pomme.

INSTALLATION : au soleil, éventuellement à l'ombre en été. Les sols frais, riches, bien drainés et humifères des carrés de culture conviennent particulièrement bien aux laitues.

BESOINS EN EAU : la régularité des arrosages est au moins aussi importante que les volumes d'eau apportée. Maintenez le sol humide pendant toute la saison de croissance. Laissez cependant la terre séchée en surface entre deux apports. Le dessèchement du sol et surtout l'alternance sécheresse/humidité provoque une montée à graines prématurée des laitues.

PARTICULARITÉS CULTURALES : les laitues sont des légumes qui développent rapidement leur pomme. Elles supportent bien le froid, moins la chaleur. Grâce à des sélections de variétés adaptées, elles se cultivent toute l'année ou presque. Échelonnez les repiquages de façon à obtenir des petites quantités à divers stades de croissance. Les laitues pommées se prélèvent une fois le cœur bien formé. Les feuilles de laitues à couper – qui sont d'ailleurs de préférence semées – se cueillent au couteau dès qu'elles sont assez grandes.

VOISINAGE : les laitues pommées ne sont pas des voisines encombrantes. Elles s'accordent avec les betteraves, les carottes, les brocolis et les choux-fleurs, les concombres, les navets, les pois et les radis.

» MÂCHE

FAMILLE BOTANIQUE : Valérianacées.

QUANTITÉ À PRÉVOIR : 250 graines par carreau ensemencé, soit 0,25 g (environ le vingtième d'un sachet standard de 5 g). Vous pouvez conserver votre sachet entamé pendant cinq ou six ans.

SEMIS : à partir du mois d'août pour une récolte en automne, en septembre pour une cueillette en hiver, en octobre pour une production au printemps suivant.

RÉCOLTE : à partir de fin septembre ou octobre, soit six semaines à deux mois après le semis. Les récoltes se poursuivent pendant tout l'hiver et jusqu'en avril de l'année suivante. Comptez 200 rosettes à récolter par carreau.

INSTALLATION : au soleil. La mâche apprécie les terres légères et riches en humus pour peu qu'elles soient bien compactées.

BESOINS EN EAU : apportez de l'eau régulièrement jusqu'à la germination des graines. Après la levée, l'arrosage est généralement superflu.

PARTICULARITÉS CULTURALES : contentez-vous de niveler la surface après avoir débarrassé le carreau des restes de la culture précédente. Tassez une première fois le sol, puis grattez la terre en surface. Semez clair, à la volée, en déposant la graine de façon homogène, puis ratissez à nouveau en surface afin de l'enfouir légèrement. Tassez à nouveau énergiquement votre carreau, à la main ou à l'aide d'une planchette. Arrosez copieusement. Ombrez en cas de forte chaleur et poursuivez les arrosages jusqu'à la levée. Récoltez les rosettes de mâche au fur et à mesure de leur développement et de vos besoins en les coupant au ras du sol.

VOISINAGE : la petite « boursette touffue », comme la nommait Ronsard, voisine sans difficulté avec tous les légumes présents dans vos carrés en hiver : épinard, poireaux et choux entre autres.

» MELON

FAMILLE BOTANIQUE : Cucurbitacées.

QUANTITÉ À PRÉVOIR : un pied par carreau de culture de 40 cm.

REPIQUAGE : fin mai ou début juin.

RÉCOLTE : à partir de fin août, soit trois mois après le repiquage. La récolte se poursuit en septembre. Comptez quatre ou cinq melons par pied repiqué.

INSTALLATION : au soleil, dans votre carré le plus chaud. Le melon apprécie énormément la terre ameublie et fortement enrichie de compost de vos carrés de culture.

BESOINS EN EAU : les melons requièrent une terre toujours fraîche mais jamais détrempée. Arrosez régulièrement et abondamment, mais laissez sécher votre sol en surface entre deux apports.

PARTICULARITÉS CULTURALES : n'économisez pas votre compost à la plantation. Les melons exigent des températures importantes pour croître (25-30 °C). Pour les cultiver dans un carreau de 40 cm de côté, le tuteurage est indispensable. Prévoyez trois tuteurs en bambou de 1,80 m de long ou trois tuteurs torsadés, rassemblés en tipi. En début de croissance, aidez les pousses à trouver le chemin des tuteurs. Un paillage éventuel permettra au sol de conserver sa fraîcheur. Les variétés classiques nécessitent une taille. Pincez alors la première pousse à deux feuilles (sans compter les cotylédons) quand les plants atteignent une quarantaine de centimètres de long, puis coupez l'extrémité des tiges florales en conservant deux feuilles après le fruit. La culture du melon est aléatoire et toujours tributaire des conditions météorologiques.

VOISINAGE : les melons cohabitent harmonieusement avec les laitues et des choux d'été comme les brocolis et les choux-fleurs. Évitez la proximité des courges et des concombres.

» NAVET

FAMILLE BOTANIQUE : Brassicacées.

QUANTITÉ À PRÉVOIR : environ 200 graines, soit moins de 0,4 g (le vingt-cinquième d'un sachet standard de 10 g), mais vous pourrez conserver le sachet même ouvert pendant six ou sept ans.

SEMIS : du 15 août à la mi-septembre pour les variétés d'automne et d'hiver (les variétés primeurs sont moins couramment cultivées et se sèment en mars ou avril).

RÉCOLTE : à partir d'octobre, soit deux mois environ après le semis. Les récoltes se poursuivent jusqu'aux premiers gels conséquents d'hiver. Vous pouvez escompter récolter entre 20 et 30 racines par carreau.

INSTALLATION : au soleil, à mi-ombre pour les semis précoces d'été. Les navets sont des légumes peu exigeants qui requièrent malgré tout un sol frais et meuble. Ils se contentent cependant d'anciens apports de compost.

BESOINS EN EAU : arrosez régulièrement par temps chaud et sec car le navet craint la sécheresse.

PARTICULARITÉS CULTURALES : couvrez à peine les graines d'un léger coup de griffe au moment du semis. La pousse doit être rapide et régulière pour éviter que les racines ne deviennent fibreuses. Récoltez-les quand elles atteignent entre 5 et 8 cm de diamètre. En fin de culture, les navets tolèrent des gelées pas trop sévères et il est assez facile de les conserver en place sous voile d'hivernage jusqu'en décembre.

VOISINAGE : les navets s'accordent avec les laitues, les épinards, les carottes et les céleris. Évitez de les faire suivre en culture une plante qui, comme eux, appartient à la famille des choux. Ils apprécient de pousser près de la plupart de condimentaires, en particulier le romarin, la menthe et le fenouil.

» OSEILLE

FAMILLE BOTANIQUE : Polygonacées.

QUANTITÉ À PRÉVOIR : entre trois et cinq pieds par carreau. Les racines pivotantes et profondes de l'oseille autorisent une plantation serrée.

REPIQUAGE : de préférence tôt au printemps, en mars.

RÉCOLTE : à partir de la mi-avril, soit six semaines après le repiquage. Une seconde et même une troisième récolte peuvent s'effectuer en automne. Vous pourrez prélever une trentaine de feuilles à chaque cueillette.

INSTALLATION : au soleil. L'oseille supporte cependant l'ombre portée de ses voisines en été et est parfaitement à l'aise dans les sols frais et fertiles des carrés de culture.

BESOINS EN EAU : l'oseille préfère des conditions humides qui atténuent la forte acidité de ses feuilles.

PARTICULARITÉS CULTURALES : coupez les hampes florales dès leur apparition afin de favoriser la pousse des feuilles qui restent souvent vertes une bonne partie de l'hiver. Au besoin, une protection à partir de novembre permet de prolonger la récolte. Prélevez très régulièrement les feuilles afin d'en stimuler la production de nouvelles, plus tendres et moins acides. Les feuilles flétrissent rapidement après avoir été coupées : ne les cueillez qu'au dernier moment. L'oseille est une plante vivace qui se pérennise d'une année sur l'autre. Cependant, le printemps et l'automne restent les meilleures périodes de cueillette. Les plants laissés en place demandent à être renouvelés tous les trois ou quatre ans.

VOISINAGE : l'oseille s'accorde bien avec ces autres légumes amateurs de fraîcheur que sont les radis et les persils.

» PANAIS

FAMILLE BOTANIQUE : Apiacées.

QUANTITÉ À PRÉVOIR : une centaine de graines par carreau ensemencé, soit 0,5 g (le dixième d'un sachet standard de 5 g). **Attention :** la durée germinative des graines de panais est très courte et vous obligera à repartir chaque année avec des graines issues de la nouvelle récolte.

SEMIS : à partir de février – voire plus tôt – et jusqu'en avril (il est préférable d'opter pour un semis précoce).

RÉCOLTE : à parti du mois de novembre, soit huit ou neuf mois après le semis. Les récoltes se poursuivent jusqu'au mois d'avril. Chaque carreau permet la récolte de 15 à 20 racines.

INSTALLATION : au soleil. Le panais apprécie les terres fraîches, fines, bien ameublies et riches en humus de vos carrés de culture. Évitez cependant d'apporter lors du semis un compost trop grossier qui fait fourcher les racines.

BESOINS EN EAU : ses exigences en eau sont moyennes. Contentez-vous de conserver au sol sa fraîcheur jusqu'à la levée. Par la suite les apports d'eau pourront se faire de façon plus épisodique.

PARTICULARITÉS CULTURALES : quoique facile à cultiver, le panais a une germination lente – trois semaines au moins. Semez clair à la volée, et n'enterrez pas la graine à plus de 1 cm de profondeur. Tassez fortement après le semis et maintenez le sol frais jusqu'à la levée. Éclaircissez à 10 cm quand les plants développent trois ou quatre feuilles. C'est le plus résistant au froid de tous les légumes-racines, les gelées augmentant même sa saveur sucrée.

VOISINAGE : le panais est peu incommodé par d'autres légumes et cohabite bien avec la carotte (pourtant cousin botanique), le poireau et les radis.

» POIREAU

FAMILLE BOTANIQUE : Liliacées.

QUANTITÉ À PRÉVOIR : jusqu'à 25 pieds par carreau.

REPIQUAGE : en juin ou juillet.

RÉCOLTE : à partir d'octobre, soit quatre ou cinq mois après le repiquage. Les variétés de poireaux d'automne se maintiennent en place jusqu'au mois de janvier, celles d'hiver jusqu'en avril. Chaque poireau repiqué vous permettra la récolte d'un fût plus ou moins volumineux selon la date de la récolte.

INSTALLATION : au soleil. Les sols frais, meubles et riches en matières organiques de vos carrés de culture leur conviennent parfaitement. Ces légumes voraces prisent de copieux apports organiques de compost ou de fumier composté avant le repiquage.

BESOINS EN EAU : les poireaux apprécient peu une terre sèche. Maintenez une fraîcheur permanente par des arrosages suivis.

PARTICULARITÉS CULTURALES : dernier légume à être proposé «en arrachis» par le commerce horticole, (c'est-à-dire élevé en pleine terre et vendu à racines nues), le poireau se repique à la grosseur d'un crayon. Coupez le feuillage de moitié et raccourcissez les racines à 1 cm avant de les piquer dans un trou fait au plantoir. La longueur du fût dépend de la profondeur du repiquage. Ce légume rustique se récolte en automne et en hiver. Commencez par les cultivars précoces qui ne supportent pas les grands froids.

VOISINAGE : les poireaux s'associent bien avec la carotte, le fraisier et le céleri. Ils apprécient généralement peu de côtoyer en fin d'hiver des voisins encombrants comme les bettes, les fèves ou les pois ramants.

» POIS

FAMILLE BOTANIQUE : Fabacées.

QUANTITÉ À PRÉVOIR : entre 30 et 35 graines par carreau, soit environ 12,5 g (moins du vingtième d'un paquet standard de 250 g). Partagez vos graines entre jardiniers car vous ne pourrez conserver votre sachet de petits pois plus de deux ou trois ans.

SEMIS : en mars les pois ronds et mangetout, en avril, les pois ridés.

RÉCOLTE : cueillez vos gousses en mai et juin selon l'avancée de la végétation, soit deux à trois mois après le semis. Chaque carreau vous permettra de récolter 400 à 500 cosses.

INSTALLATION : au soleil. Ces Fabacées seront très à l'aise dans les sols légers mais retenant bien l'eau de vos carrés de culture.

BESOINS EN EAU : les exigences en eau des pois sont moyennes. Ils ne doivent cependant pas manquer d'eau lors de la floraison et redoutent en fin de culture les substrats trop secs qui font durcir les grains.

PARTICULARITÉS CULTURALES : les petits pois n'aiment pas les températures trop élevées mais germent mal par temps froid et humide. Semez-les en trois poquets d'une dizaine de graines chacun, déposées à 2 ou 3 cm de profondeur, pas plus – le pois «doit voir partir le jardinier». Préférez pour vos cultures en carrés des variétés à rames, bien plus productives que les naines ou demi-naines. Piquez alors en tipi trois tuteurs en bambou de 1,20 m afin de leur servir de support.

VOISINAGE : les pois se plaisent à côté de la carotte, du céleri, du chou-rave, du navet et du radis. Faites-les suivre en fin de culture par diverses salades, laitues et chicorées en particulier.

» POIVRON

FAMILLE BOTANIQUE : Solanacées.

QUANTITÉ À PRÉVOIR : un plant par carreau de culture de 40 cm.

REPIQUAGE : en deuxième quinzaine de mai.

RÉCOLTE : à partir de fin juillet, soit deux à trois mois après leur mise en terre. Les récoltes se poursuivent jusqu'aux gelées. Il faut une quinzaine de jours de fort ensoleillement pour voir passer vos poivrons verts au jaune ou au rouge. Comptez sur une récolte de dix fruits par pied.

INSTALLATION : dans un endroit très ensoleillé, chaud et abrité. Les poivrons apprécient les sols légers et riches en matières organiques. Prévoyez un solide apport de fumier bien mûr ou de compost.

BESOINS EN EAU : les poivrons requièrent des arrosages au goulot abondants et réguliers. En été, une couverture de compost grossier, en limitant les évaporations, réduit les besoins en eau.

PARTICULARITÉS CULTURALES : les poivrons sont exigeants en chaleur et demandent des températures régulièrement au-dessus de 21 °C en début de croissance pour bien s'installer. Ils apprécient les sols fertiles qui se réchauffent rapidement des carrés de culture. Le tuteurage évite aux plantes de s'affaisser. Les poivrons se récoltent verts ou colorés, munis de leurs pédoncules. En les cueillant au fur et à mesure de leur maturité, vous favoriserez le grossissement des fruits restants.

VOISINAGE : le poivron s'associe bien – en cuisine comme au jardin d'ailleurs – avec la tomate et l'aubergine.

» POTIMARRON ET AUTRES COURGES À PETITS FRUITS

FAMILLE BOTANIQUE : Cucurbitacées.

QUANTITÉ À PRÉVOIR : un pied palissé par carreau.

REPIQUAGE : en mai et jusqu'à mi-juin.

RÉCOLTE : à partir de septembre, soit trois à cinq mois après la plantation. Selon les années et la variété choisie, vous récolterez entre trois et cinq fruits par pied.

INSTALLATION : au soleil et au chaud. Toutes les courges poussent vigoureusement dans les sols riches et fertiles des carrés potagers. N'hésitez cependant pas à enrichir le trou de plantation de quelques poignées de compost.

BESOINS EN EAU : les exigences en eau des courges sont importantes en début de culture, moyennes lors du mûrissement des fruits. Veillez à ne pas mouiller le feuillage lors des arrosages.

PARTICULARITÉS CULTURALES : repiquez vos jeunes courges quand elles ont développé deux ou trois feuilles adultes. Leur culture est très facile mais toutes s'étalent énormément. Prévoyez pour les courges à petits fruits un dispositif de palissage composé de trois tuteurs en bambou de 1,80 m de haut disposés en tipi. Pincez la première pousse au-dessous des deux premières vraies feuilles et guidez les jeunes rameaux le long de leur support. Pour que vos courges se conservent bien, cueillez-les le plus tard possible (les courges d'hiver sont d'ailleurs plus savoureuses après quelques semaines d'entreposage). Du fait de la germination rapide de la graine, il est possible de semer vos courges directement en place.

VOISINAGE : vous pourrez associer vos courges avec les choux d'été, les haricots à rames, le maïs sucré éventuellement. Mais les courges sont des légumes voraces qui tirent souvent la couverture à eux et cohabitent mal dans les structures en carrés.

» RADIS

FAMILLE BOTANIQUE : Brassicacées.

QUANTITÉ À PRÉVOIR : entre 100 et 250 graines par carreau selon la variété et la taille à terme du radis (soit environ le dixième d'un sachet standard de 8 à 10 g). Mais les graines de radis se stockent bien.

SEMIS : en mars ou avril les petits radis de printemps, et de la mi-mai à juillet vos radis d'été. Les radis d'hiver se sèment de juillet à septembre.

RÉCOLTE : à partir d'avril pour les radis de printemps, de juillet à septembre pour les radis d'été, et en octobre et novembre pour les radis d'hiver. Vous pouvez escompter trois bottes de radis par carreau de culture.

INSTALLATION : au soleil pour les semis de printemps et d'automne. Les résultats des semis de radis d'été sont souvent meilleurs à mi-ombre. Tous demandent un sol suffisamment frais, meuble et léger.

BESOINS EN EAU : les exigences en eau des radis sont moyennes mais régulières ; la terre doit rester fraîche en surface.

PARTICULARITÉS CULTURALES : la germination des radis est toujours bonne et les graines demandent à être semées clair, à la volée (le cas échéant, éclaircissez-les quand les plants ont quatre ou cinq feuilles). Les radis ronds sont semés en surface, les demi-longs et les longs à 1,5 cm de profondeur. Veuillez à échelonner les semis tous les quinze jours pour assurer des récoltes régulières. Les petits radis de printemps sont consommables à partir du vingtième jour après le semis pour les plus rapides (et dans les meilleurs conditions climatiques), à partir du quarantième jour pour la plupart des autres variétés.

VOISINAGE : les radis s'associent bien avec les carottes et les laitues. Évitez les choux et les autres Brassicacées comme antécédents de culture.

» TÉTRAGONE

FAMILLE BOTANIQUE : Aizoacées.

QUANTITÉ À PRÉVOIR : six minimottes par carreau.

REPIQUAGE : à partir de fin avril et en mai.

RÉCOLTE : à partir de fin juin, soit six semaines après le repiquage. Les récoltes se poursuivent jusqu'aux premières gelées. Vous récolterez une centaine de feuilles par passage (cinq ou six passages annuels).

INSTALLATION : au chaud et au soleil. La tétragone apprécie particulièrement la terre légère et riche en matières organiques des potagers en carrés.

BESOINS EN EAU : la tétragone tolère la chaleur et la sécheresse, mais un arrosage régulier améliore la saveur des feuilles et les quantités récoltées.

PARTICULARITÉS CULTURALES : la culture de la tétragone est facile et sa croissance rapide. Cueillez au fur et à mesure des besoins les plus grandes feuilles et les pousses terminales (le pincement de l'extrémité des pousses conservera aux plantes un port plus trapu). Vous pouvez également semer directement en poquet ses grosses graines dures et noires, hérissées de pointes. La germination est longue – parfois près d'un mois – mais assurée et les jeunes pousses croissent vigoureusement dès la levée.

VOISINAGE : la tétragone cohabite communément avec la tomate, l'aubergine et le poivron.

» TOMATE

FAMILLE BOTANIQUE : Solanacées.

QUANTITÉ À PRÉVOIR : un pied par carreau de culture.

REPIQUAGE : en mai et jusqu'aux premiers jours de juin.

RÉCOLTE : à partir de la mi-juillet, soit deux mois après le repiquage. Les récoltes se poursuivent jusqu'à fin septembre. Les quantités récoltées sont très variables selon les variétés : comptez entre 2 et 8 kg de fruits par pied.

INSTALLATION : au chaud et au soleil. Les tomates apprécient cependant les sols fortement humifères et retenant bien l'humidité.

BESOINS EN EAU : les exigences en eau de la tomate sont variables selon l'époque de culture, d'abord importants puis moyens après le mûrissement des premiers fruits.

PARTICULARITÉS CULTURALES : les tomates sont des plantes robustes et vigoureuses qui poussent facilement. La très grande majorité des variétés requiet la pose d'un tuteur afin de les soutenir après le mûrissement des premiers fruits. Apportez trois ou quatre poignées de compost au pied de chaque pied de tomate repiqué, voire des orties fraîches broyées. Plantez profondément le pied en enterrant le collet de 5 cm ou plus. Arrosez toujours vos tomates sans mouiller le feuillage. Les fruits sont cueillis un à un, une fois mûrs et bien colorés, au fur et à mesure des besoins et tout au long de la saison.

VOISINAGE : la tomate cohabite en été notamment avec la carotte, le basilic, les céleris et les persils, plus tard avec les épinards et la mâche. Elle n'apprécie pas les concombres, les courges et les autres Solanacées (qui appartiennent à sa famille botanique) comme l'aubergine et le poivron, comme elle voraces en éléments minéraux et avides de soleil.

INDEX

CRÉDITS PHOTOS

En couverture
En haut au centre : photo de Peter Dazeley / Photodisc / Getty
En bas : photos de Fotolia
À droite, de haut en bas : photos de Chris J . Price/ Digital vision / Getty ;
Rachel Weill /Botanica / Getty ;
Francesca Yorke / Garden Picture Library /Getty.

En quatrième de couverture
De haut en bas : photos de Frédéric Marre/Rustica ; Alexandre Petzold /Rustica ;
Frédéric Marre/Rustica.

Rustica
Frédéric Marre : pp. 4, 8, 10-11, 12, 14, 15, 17, 19, 21, 22, 27, 29, 30-31, 33, 34, 35, 37, 38, 39, 41, 42, 43, 46, 48, 54, 56, 57, 73, 74, 81, 89, 95, 101, 109, 111, 125, 132, 136-137, 141 h, 145, 157, 159, 162, 168, 169 d, 175, 177, 181, 182, 183, 184, 185, 186, 190, 193, 200-201, 203, 204 d, 205 d, 207 g, 208, 209 g, 210 d, 211 g, 213, 215, 216, 217 g, 218 g, 219 g, 220 ;
Franck Boucourt : pp. 20, 53, 63, 85, 86, 113, 122, 140, 143, 189, 198, 206 d ;
Christian Hochet : pp. 24, 47, 87, 97, 153, 169 g, 204 g, 205 g, 206 g, 207 d, 209 d ;
Éric Brenckle : pp. 26, 68, 99, 124, 141 b, 147, 187, 194, 218 d ;
Alexandre Petzold : pp. 52, 65, 135, 142, 152, 164, 211 d, 212 g, 214 g, 219 d ;
Virginie Klecka : pp. 59, 121, 202 d, 210 g, 214, 217 d ;
Laurie Hego : pp. 83, 202 g ;
Philippe Asseray : 172, 212 d.

Robert Elger : pp. 18, 62, 84.

Grégory Fontaine : p. 156.

Toutes les illustrations sont de Dominique Klecka.

Direction éditoriale : Élisabeth Pegeon
Direction de création : Laurent Quellet

Direction artistique : Mathieu Tougne
Maquette : Véronique Sommeilly / S puissance 3

Suivi éditorial : Véronique Jeannot
Suivi de fabrication : Marie Cheneval et Audrey Bord

Photogravure : Turquoise

N° d'éditeur : 49688
R17048
Achevé d'imprimer en février 2017 par Estella Print en Espagne.